SECRETS D'OUTRE-TOMBE

LES MYSTÈRES DE HARPER CONNELLY - 4

Du même auteur

LES MYSTÈRES DE HARPER CONNELLY

1. Murmures d'outre-tombe
2. Pièges d'outre-tombe
3. Frissons d'outre-tombe
4. Secrets d'outre-tombe

SÉRIE SOOKIE STACKHOUSE
LA COMMUNAUTÉ DU SUD

1. Quand le danger rôde
2. Disparition à Dallas
3. Mortel corps à corps
4. Les sorcières de Shreveport
5. La morsure de la panthère
6. La reine des vampires
7. La conspiration
8. La mort et bien pire
9. Bel et bien mort
10. Une mort certaine

Interlude mortel (nouvelles)

CHARLAINE HARRIS

SECRETS D'OUTRE-TOMBE

LES MYSTÈRES DE HARPER CONNELLY - 4

Traduit de l'anglais (États-Unis)
par Sophie Dalle

Flammarion
Québec

Catalogage avant publication de Bibliothèque et Archives nationales
du Québec et Bibliothèque et Archives Canada

Harris, Charlaine
       Secrets d'outre-tombe
       (Les mystères de Harper Connelly; 4)
       Traduction de: Grave secret.
       ISBN 978-2-89077-415-5
       I. Dalle, Sophie. II. Titre. III. Collection: Harris, Charlaine.
       Mystères de Harper Connelly; 4.
PS3558.A77G73314 2011   813'.54   C2011-941419-8

COUVERTURE
Photo: © Maude Chauvin, 2011
Conception graphique: Annick Désormeaux

INTÉRIEUR
Composition: Facompo

Titre original: GRAVE SECRET
The Berkley Publishing Group,
une filiale de Penguin Group (USA) Inc.
© Charlaine Harris Inc., 2009
Traduction en langue française: © Éditions J'ai lu, 2011
Édition canadienne: © Flammarion Québec, 2011

Imprimé au Canada
www.flammarion.qc.ca

À mon fils Patrick,
simplement parce que je le trouve génial.

REMERCIEMENTS

Pour leur aide précieuse, tous mes remerciements à Ivan Van Laningham, Kerry Hammond, Ashley McConnell, Mary Fitzsimons, Gina et son amie anonyme, Beth Groundwater, mon amie et assistante Paula Woldan, Nancy Hayes et le Dr Ed Uthman, un vieux copain de l'université. S'il y a des erreurs, j'aimerais pouvoir les imputer à quelqu'un d'autre mais j'en suis l'unique responsable.

1

— Allez-y ! me défia la femme aux cheveux blond paille. Faites votre truc.

Elle parlait avec un fort accent du Sud. Avec son nez en bec d'aigle, elle avait le regard brillant d'avidité de quelqu'un qui s'apprête à goûter un mets exotique.

Nous nous tenions dans un pré balayé par le vent, à quelques kilomètres au sud de l'autoroute qui relie Texarkana à Dallas. Une voiture passa à vive allure, la première que je voyais depuis que j'avais suivi le rutilant pick-up Chevrolet Kodiak noir de Lizzie Joyce jusqu'au cimetière Pioneer Rest, à la lisière de la minuscule ville de Clear Creek.

Tout le monde s'était tu et seul le sifflement de l'air râpant la colline troublait le silence.

Le petit cimetière n'était pas clôturé. On l'avait nettoyé mais pas récemment. Il était relativement ancien, c'est-à-dire qu'il avait dû naître à l'époque où le chêne dressé en son centre n'était encore qu'un arbrisseau. Une nuée d'oiseaux gazouillaient dans ses feuillages. Nous étions dans le nord du Texas, il y avait donc de l'herbe, mais, en plein mois de février, elle n'était pas verte. La température atteignait une douzaine de degrés mais le vent était plus froid que je ne l'avais escompté. Je remontai la fermeture Éclair de mon blouson. Je remarquai que Lizzie Joyce n'en portait pas.

Les habitants de la région étaient coriaces et pragmatiques, notamment la blonde trentenaire qui m'avait invitée. Élancée et musclée, son jean était tellement moulant qu'elle avait dû se graisser les jambes pour l'enfiler. Comment faisait-elle pour enfourcher un cheval ? Cependant, ses bottes étaient usées, de même que son chapeau, et, si j'avais bien lu sa boucle de ceinture, elle avait remporté le titre de championne d'équitation western du comté l'année précédente. Lizzie Joyce était une authentique cow-girl.

Par ailleurs, elle avait plus d'argent sur son compte en banque que je n'en gagnerais d'ici la fin de mes jours. Les diamants sur sa main scintillèrent au soleil tandis qu'elle désignait la parcelle de terre dédiée aux morts. Mme Joyce était pressée que le spectacle commence.

J'étais prête. Lizzie me payait une somme conséquente, elle en voulait pour son argent. Elle avait convié ses proches, à savoir son petit ami, sa sœur et son frère, qui aurait préféré être n'importe où plutôt qu'au cimetière Pioneer Rest.

Le mien s'était adossé contre notre véhicule. Tolliver ne bougerait pas : tant que je n'aurais pas accompli ma mission, il ne s'intéresserait à rien d'autre qu'à moi.

Quand je dis « mon frère »… ce n'est pas exact et nous avons une tout autre relation désormais.

Nous avions fait connaissance avec les Joyce pour la première fois ce matin-là. Suivant à la lettre les indications que Lizzie nous avait fournies par mail, nous avions remonté une allée interminable et sinueuse entre de vastes étendues délimitées par des barrières en bois blanches.

La maison était immense et superbe mais sans prétention. Ici, les gens travaillaient dur. La Latino-Américaine qui nous avait ouvert la porte était en pantalon et chemisier plutôt qu'en uniforme et appelait sa patronne « Lizzie » plutôt que « Mme Joyce ». Sur un ranch ou une ferme, tous les jours sont ouvrés et les lieux étaient pratiquement déserts. Alors que la gouvernante nous guidait dans la demeure, j'avais aperçu une Jeep se rapprochant à travers champs.

Lizzie Joyce et sa sœur Kate nous attendaient dans la salle d'armes. Pour elles, ce devait être « le bureau » ou « la salle de séjour », bref, un lieu où les membres d'une famille aisée vivant en pleine nature se réunissent pour regarder la télévision, jouer à des jeux de société ou toute autre activité. Mais pour moi, c'était une salle d'armes. Tous ces fusils et ces animaux empaillés étaient sans doute censés créer une ambiance « pavillon de chasse ». Je suppose que ce décor reflétait les goûts du grand-père Joyce, fondateur de la propriété mais s'il leur avait déplu, ses héritiers auraient pu le changer. Il était décédé depuis un bon moment.

Lizzie Joyce ressemblait aux photos que j'avais vues d'elle mais elle respirait le sérieux et le pragmatisme. C'était une laborieuse. Sa sœur Kate – ou Katie – était une version réduite de son aînée : plus petite, plus jeune, moins aguerrie. Toutefois elle paraissait aussi dure et assurée. Peut-être est-ce le résultat d'une existence passée dans l'opulence.

Des portes-fenêtres s'ouvraient sur une large terrasse en brique. Au printemps, les urnes déborderaient de fleurs mais il était trop tôt. Les gelées étaient encore fréquentes la nuit. Je constatai que les Joyce avaient laissé leurs berçantes dehors pendant l'hiver et je m'étais imaginée assise là par un beau matin d'été à boire mon café en admirant le paysage.

La Jeep s'était immobilisée au pied d'une légère pente menant à la véranda arrière. Deux hommes en étaient descendus.

— Harper, je vous présente le régisseur du Ranch RJ, Chip Moseley. Et voici notre frère, Drexell.

Nous avions tous échangé des poignées de main.

Rude, tanné et sceptique, le régisseur avait les yeux verts et les cheveux châtains. Il semblait aussi pressé que le frère de repartir. S'ils étaient là, c'était uniquement parce que Lizzie y tenait. Chip Moseley l'avait embrassée nonchalamment sur la joue et j'avais compris qu'il était autant son homme que son régisseur. Ce qui risquait de poser un problème.

Drexell, le plus jeune des Joyce, était aussi le plus banal. Avec leur nez en bec d'aigle, Lizzie et Katie dégageaient une certaine flamboyance, mais lui avait un visage rond de poupon. Contrairement à ses sœurs, il avait fui mon regard.

J'avais la désagréable sensation d'avoir croisé ces individus auparavant. L'énorme propriété des Joyce n'étant pas si loin de Texarkana où j'avais grandi, il n'était pas invraisemblable que j'aie connu Chip et Drexell. Cependant, sous aucun prétexte je ne voulais évoquer ma vie d'avant. Je n'ai pas toujours été la jeune femme mystérieuse qui retrouve les cadavres parce qu'elle a été frappée par la foudre dans son adolescence.

— Je suis si contente que vous ayez trouvé le temps de venir ! s'était exclamée Lizzie.

— Ma sœur a une fascination pour l'insolite, avait confié Katie à Tolliver.

14

De toute évidence, il lui plaisait. Tolliver s'était tourné vers moi, l'air amusé.

— Harper est unique en son genre.

— J'espère que Lizzie en aura pour son argent, avait déclaré Chip d'un ton menaçant.

Je l'avais examiné de plus près. Loin de moi l'idée de reluquer le chéri d'une autre, mais il y avait quelque chose en Chip Moseley qui excitait mon talent. Or il était vivant, ce qui en général, entraîne la disqualification.

Mon activité évolue autour des morts.

Depuis que Lizzie Joyce avait découvert un site Internet relatant mes expéditions, elle s'était mis en tête de m'inventer une mission. Elle avait finalement décidé qu'elle voulait savoir de quoi était mort son grand-père, découvert affaissé auprès de sa Jeep à des centaines de mètres du ranch. Richard Joyce avait une blessure à la tête et l'on en avait déduit qu'il avait glissé en montant ou en descendant de son véhicule ; à moins que la Jeep n'ait heurté un rocher et qu'il se soit cogné, mais on n'avait relevé aucune trace d'impact. On avait conclu à un arrêt cardiaque et on l'avait enterré. Depuis, son fils unique et l'épouse de celui-ci avaient péri dans un accident de la route et ses trois petits-enfants avaient hérité de ses biens – à parts inégales. D'après les recherches de Tolliver, Lizzie était désormais responsable de la fortune familiale. Les deux autres possédaient chacun un peu moins d'un tiers – juste assez pour que Lizzie tienne les rênes. Facile de deviner en qui Richard Joyce avait eu confiance.

Avait-il été au courant du penchant de sa petite-fille pour le mysticisme et l'étrange ?

Lizzie la pragmatique en voulait pour son argent, elle n'allait donc pas me conduire directement sur la tombe de son grand-père. Elle ne m'avait d'ailleurs révélé son objectif que lorsque j'étais descendue de ma voiture trente minutes plus tôt. Bien sûr, j'aurais pu errer de stèle en stèle en quête de celle gravée des dates appropriées. Les Joyce n'étaient pas nombreux sous la terre et les cailloux. Mais j'étais décidée à faire durer le plaisir, lui accorder quelques extras car elle avait accepté mon tarif sans sourciller.

Je m'étais déchaussée pour la « lecture », aussi je devais faire attention où je mettais les pieds. Au Texas, l'herbe cache toujours des épines. Je jetai un ultime coup d'œil sur le panorama. Ce petit cimetière aurait aussi bien pu se trouver sur la Lune, tant l'environnement contrastait avec les lotissements surpeuplés et les communes que nous avions traversés lors de notre dernier voyage en Caroline du Nord. Nous avions atterri dans une petite ville paumée mais je n'y avais pas éprouvé une sensation d'isolement comme ici.

Pour le côté positif, il faisait nettement moins froid et nous étions à peu près sûrs qu'il ne neigerait pas. Mes pieds nus souffraient mais mon corps n'était pas transi comme il l'avait été en Caroline du Nord.

Les Joyce étaient enterrés près du chêne. J'aperçus un gros rocher sur la face lisse duquel on avait gravé le nom JOYCE. Je pouvais difficilement ignorer un tel indice. Je m'arrêtai devant la première sépulture bien que ce ne fût pas la bonne. Quelle importance ? Il était temps que je m'y mette. *Sarah, épouse bien-aimée de Paul Joyce.* J'inspirai profondément et m'avançai. La connexion avec les ossements fut immédiate et fulgurante. Sarah attendait comme ils attendent tous – qu'ils soient là depuis des années ou quelques jours seulement, qu'ils aient été inhumés convenablement ou jetés comme des détritus. J'envoyai mon sixième sens dans les profondeurs du sol.

16

— Une sexagénaire. Rupture d'anévrisme.

J'ouvris les yeux et passai à la tombe suivante.

— Hiram Joyce… Empoisonnement du sang.

Sur la troisième, j'entendis le bourdonnement, l'appel des dépouilles. Je lus l'inscription. Inutile de réinventer la roue.

Il ne s'agissait pas d'un membre de la famille Joyce bien qu'elle fût ensevelie sur la parcelle familiale. Mariah Parish était décédée huit ans et quelques mois auparavant. À l'ombre de l'arbre, les deux hommes s'étaient raidis mais j'étais trop concentrée sur ma tâche pour m'en soucier.

— Oh ! murmurai-je, tandis qu'une rafale de vent soulevait mes cheveux courts. Oh ! La pauvre chérie !

— Quoi ? s'écria Lizzie, perplexe. C'était la gouvernante de mon grand-père. Elle a succombé à une péritonite ou un truc du genre.

— Elle a eu une hémorragie. Elle s'est vidée de son sang après avoir accouché.

Une hypothèse me vint à l'esprit et je pivotai vers Drexell et Chip. Le premier s'était rapproché d'un pas. Le second paraissait stupéfait. Et furieux. Parce que cette information le choquait ? Ou parce que je l'avais émise à voix haute ? Quoi qu'il en soit, il était trop tard pour Mariah. Je me déplaçai jusqu'à la tombe pour laquelle on m'avait sollicitée. C'était la plus imposante. La femme de Richard Joyce l'y avait précédé de dix ans. Elle s'appelait Cindilynn et elle avait été emportée par un cancer du sein. Je le leur dis et Kate et Lizzie échangèrent un signe de tête. Quant à Richard il était parti huit ans auparavant, peu après sa gouvernante.

Il me fallut plusieurs secondes pour comprendre qu'il avait arrêté la Jeep et en était descendu parce qu'il avait aperçu quelqu'un qu'il connaissait.

Impossible de me faire une image de cette personne. Ce n'est pas comme si je regardais un film : je m'immisce à l'intérieur de l'être et l'espace d'un instant, je parviens à déchiffrer ses pensées, ressentir ses émotions durant les dernières minutes de son existence. Me mettant à la place de Richard Joyce, je coupai le contact de la Jeep et en sortis. Puis, tout à coup, un serpent à sonnette surgit de nulle part. Ma surprise (celle de Richard Joyce) fut telle que mon (son) cœur s'emballa. *Si chaud pas d'eau peux pas attraper mon téléphone, ô mon Dieu ! finir ainsi…* Ensuite, le trou noir. Paupières closes pour mieux visionner la scène, une scène visible uniquement par moi, je relatai l'événement.

Quand je rouvris les yeux, les quatre témoins me dévisageaient comme si je présentais des stigmates. Les gens ont parfois ce genre de réaction, même quand ce sont eux qui me demandent de faire exactement ce que je viens d'exécuter.

Soit je les terrifie, soit je les subjugue (pas forcément d'une manière saine)… ou les deux. Aujourd'hui, le petit ami me fixait comme si je portais une camisole de force et les trois Joyce étaient bouche bée. Tous restèrent muets.

— Maintenant, vous savez tout, achevai-je.

— Vous avez très bien pu l'inventer, riposta Lizzie. Il y avait quelqu'un ? Comment est-ce possible ? Il était seul. Prétendez-vous qu'on a jeté un serpent à sonnette sur Grand-Pa' ? Qu'il en a eu une crise cardiaque et qu'on l'a abandonné sans tenter de le sauver ? Et vous dites que Mariah a eu un bébé ? Je ne vous ai pas engagée pour raconter des mensonges !

Je l'avoue, cela me mit en colère. Je repris mon souffle. Du coin de l'œil, je vis Tolliver se précipiter vers moi avec une expression d'angoisse. Chip Moseley avait rebroussé chemin jusqu'à la Jeep et s'y était accroché d'une main tout en se pliant en deux. Je me rendis compte qu'il avait mal et j'eus la certitude qu'il m'en voudrait si j'attirais l'attention sur lui.

— J'ai fait ce que vous vouliez, arguai-je. Quand bien même vous exhumeriez votre grand-père, rien de ce que je vous ai dévoilé n'est vérifiable. En revanche, vous pouvez vous renseigner sur Mariah Parish. Il doit y avoir une trace quelconque, un acte de naissance, par exemple.

— En effet, convint Lizzie, plus songeuse que rebutée. Cependant, hormis le fait que nous ignorons ce qui est arrivé au bébé de Mariah, en admettant qu'elle en ait eu un, cela me rend malade que l'on ait pu infliger un pareil supplice à Grand-Pa'. Dans la mesure où vous dites la vérité.

— Croyez-moi, ne me croyez pas. À votre guise. Étiez-vous au courant de son état de santé ?

— Non, il avait horreur des médecins. Mais il avait déjà eu une attaque cérébrale. Et au retour de sa dernière consultation de routine, il paraissait inquiet.

Apparemment, elle y avait souvent repensé depuis le décès de son grand-père.

— Il avait un portable dans la Jeep, c'est bien cela ?

— Oui.

— Il a essayé de s'en emparer.

Certains de nos derniers moments sont plus instructifs que d'autres.

— Tu crois à ces conneries ? intervint Chip, incrédule.

Il s'était remis de la douleur qui l'avait saisi et se tenait maintenant aux côtés de Lizzie. Il la contemplait comme s'il ne l'avait jamais vue alors que je savais, d'après nos recherches, qu'il était son chevalier servant depuis six ans.

19

Lizzie était trop sûre d'elle-même pour se laisser bousculer. Absorbée dans ses pensées, elle sortit une cigarette et l'alluma. Enfin, elle s'adressa à lui :

— Oui.

— Merde ! clama Kate Joyce en retirant son chapeau de cow-boy pour le claquer sur sa cuisse. Si ça continue, tu vas solliciter les services de John Edward !

Lizzie lui coula un regard noir.

— Si vous voulez mon avis, elle a tout inventé, décréta Drexell.

Nous avions obtenu une avance de Lizzie. Nous devions nous rendre au Texas de toute façon mais nous ne nous serions jamais arrêtés si nous n'avions pas reçu l'acompte. Curieusement, les riches sont les plus nombreux à revenir sur leurs promesses. Les pauvres tiennent parole. Nous avions donc déjà déposé une partie de la somme sur notre compte, on nous devait le solde et un aveugle aurait confirmé que les Joyce mettaient en doute mon talent. Avant que je ne puisse m'en inquiéter, Lizzie extirpa un chèque plié en deux de sa poche et le tendit à Tolliver, qui s'était rapproché suffisamment pour me tenir par la taille. J'étais fatiguée. L'épisode avait été moins douloureux que certains car la frayeur de Richard Joyce n'avait duré qu'une seconde avant qu'il ne rende l'âme, mais tout contact direct avec les morts me vide complètement.

— Tu veux un bonbon ?

J'opinai. Tolliver me déballa un Werther's Original et me le mit dans la bouche. Un délice de beurre caramélisé.

— Je croyais que c'était votre frère, dit Kate Joyce en inclinant la tête vers Tolliver.

Elle n'avait pas trente ans mais son attitude et son élocution étaient celles d'une femme mûre. Conséquence d'une jeunesse passée dans le Texas des nantis sûrs d'eux ? Ou d'autres sources de stress au sein du foyer Joyce ?

— Il l'est, répondis-je.

— On dirait plutôt votre petit copain, ricana Drexell.

— Je suis son beau-frère et son petit copain, Drew, répliqua Tolliver d'un ton aimable. À présent, nous allons reprendre la route. Merci de nous avoir contactés.

Il les salua de loin. Il mesure un peu moins d'un mètre quatre-vingts et il est mince mais il a les épaules carrées.

Je l'aime plus que tout.

Le jet de la douche me réveilla. Nous voyons tant de chambres de motel que parfois, je mets une ou deux secondes avant de me rappeler où nous sommes. C'était le cas ce matin-là.

Le Texas. Après avoir quitté les Joyce, nous avions roulé presque tout l'après-midi jusqu'à cet établissement situé à l'écart de l'autoroute à Garland, aux abords de Dallas. Il ne s'agissait pas d'un voyage d'affaires mais d'une quête personnelle.

En ouvrant les yeux, je me rendis compte à quel point j'étais obsédée par le passé. Chaque fois que nous rendons visite à ma tante et son mari, les mauvais souvenirs refont surface.

Le Texas n'est pas en cause.

Quand je suis près de mes petites sœurs, je me rappelle le taudis de Texarkana dans lequel nous étions entassés, là où Tolliver et moi vivions avec son père, ma mère, son frère, ma sœur et nos deux demi-sœurs encore bébés quand notre univers avait basculé.

L'illusion d'un équilibre que nous, les aînés, avions réussi à maintenir soigneusement fut pulvérisée le jour où Cameron a disparu. Les services sociaux s'en sont mêlés et nous ont enlevé nos cadettes. Tolliver s'est installé chez son frère Mark et moi, j'ai fini dans une famille d'accueil.

Les petites ne se souviennent absolument pas de Cameron. Je leur ai posé la question la dernière fois que nous les avons vues. Elles habitent avec tante Iona et oncle Hank, qui n'apprécient guère nos visites. Pourtant, nous les réitérons ; Mariella et Gracie sont nos sœurs et nous tenons à ce qu'elles n'oublient pas leur famille.

Je me hissai sur un coude pour regarder Tolliver se sécher. Il avait laissé la porte de la salle de bains grande ouverte pour que le miroir ne soit pas embué quand il se raserait.

Nous nous ressemblons vaguement : nous avons tous les deux les cheveux châtains, à peu près de la même longueur, et une silhouette élancée. Lui a les yeux marron, les miens sont bleu-gris. Mais la figure de Tolliver est vérolée par l'acné parce que son père n'a jamais daigné l'envoyer chez un dermatologue durant son adolescence. Son visage est plus étroit et il porte souvent une moustache. Il déteste s'habiller autrement qu'en jean et tee-shirt mais je le préfère en tenue plus élégante et, dans la mesure où je suis « le talent », il est obligé de faire un effort. Tolliver est mon manager, mon consultant, mon principal soutien, mon compagnon et depuis quelques semaines, mon amant.

Il pivota vers moi, sourit, laissa tomber sa serviette.

— Viens ici, murmurai-je.

Il ne se fit pas prier.

— On va courir ? proposai-je dans l'après-midi. Tu pourras reprendre une douche ensuite. Avec moi, histoire d'économiser l'eau.

22

En un clin d'œil nous fûmes prêts. Tolliver est plus rapide que moi. En général, sur le dernier kilomètre, il pique un sprint, me laissant le suivre à mon rythme. C'est ce qu'il fit ce jour-là.

Nous étions enchantés d'avoir un lieu agréable où nous défouler. Situé au bord de la bretelle menant à l'autoroute, notre motel était flanqué d'autres hôtels, restaurants, stations-service et commerces destinés aux voyageurs. Cependant, à l'arrière s'étendait un de ces « parcs d'affaires » : deux larges rues en courbe plantées d'arbustes et de bâtiments d'un seul étage, chacun muni d'une aire de stationnement. Une bande médiane les divisait, suffisamment large pour accueillir une plantation de lilas des Indes. Il y avait aussi des trottoirs. Nous étions en fin d'après-midi un vendredi, la circulation était donc réduite au minimum entre ces rangées d'édifices rectangulaires sans âme. Chaque bloc de béton était séparé de son voisin par une allée menant au parking des employés. Ceux de devant étaient pratiquement déserts : les clients étaient déjà repartis.

Dans un endroit comme celui-ci, je m'attendais à tout sauf à tomber sur un cadavre. J'étais obnubilée par une douleur à la jambe droite qui me taraude de temps en temps depuis que la foudre m'a frappée. Du coup, je n'avais pas entendu tout de suite l'appel du corps.

Bien sûr, les morts sont partout. Je ne repère pas que les plus récents. Je sens les anciens aussi et il m'arrive même – rarement – de percevoir le lointain écho d'un être ayant foulé la terre avant l'invention de l'écriture. Mais celui avec lequel je venais d'entrer en contact dans la banlieue de Dallas était *très* frais. Pendant un moment, je fis du surplace.

Je n'en aurais la certitude qu'une fois tout près du corps mais j'avais la nette impression que c'était un

23

suicide par arme à feu. Je parvins enfin à le localiser. Il était au fond de la bâtisse abritant l'entreprise *Ingénierie Design*. J'ignorai son écrasante détresse. Le prendre en pitié ? Il avait eu le droit de choisir. Si je prenais en pitié tous ceux que je rencontrais, je serais constamment en larmes.

Pas question de m'abandonner au désarroi. Je tergiversai. Je l'aurais volontiers laissé où il était. Lundi matin, le premier employé à pénétrer dans les locaux en serait quitte pour un sacré choc si la famille n'avait pas déjà prévenu la police de sa disparition.

C'était un peu dur de ma part mais je n'avais aucune envie de me retrouver face aux flics.

Je commençais à avoir froid. Il était temps de prendre une décision.

Si je ne peux pas m'apitoyer sur tous les morts que je découvre, je tiens à conserver mon humanité.

Je scrutai les alentours en quête d'inspiration. Elle me sauta aux yeux dans les cailloux entourant le parterre devant l'entrée. J'en sélectionnai un gros et le soulevai. Je le soupesai et me dis que je pourrais le lancer d'une seule main. J'inspectai la rue : pas un véhicule, pas un individu en vue. Me positionnant à une distance respectable, je pris mon élan. Je dus récupérer le caillou et répéter mon geste deux fois avant que le verre n'éclate, déclenchant une alarme. Je m'enfuis à toutes jambes. Chapeau bas à la police : à peine avais-je atteint le parking du motel qu'une voiture de patrouille fonçait en direction du parc d'affaires.

Une heure plus tard, je racontai l'incident à Tolliver en me maquillant. J'avais pris une bonne douche et il m'y avait rejointe sous prétexte de m'aider à me laver les cheveux.

J'étais penchée par-dessus le lavabo pour appliquer un trait d'eye-liner sur mes paupières. Je n'ai que vingt-quatre ans mais ma vision baisse : à la prochaine consultation, l'ophtalmologiste va sûrement me prescrire des lunettes. Je ne suis pas une grande coquette mais chaque fois que je m'imagine avec des lunettes, mon estomac se noue. Des lentilles de contact, alors ? Malheureusement, la perspective de me mettre quelque chose dans les yeux me terrifie.

Quant au coût de l'opération, j'en frémis d'avance. Nous mettons tout ce que nous pouvons de côté pour nous acheter une maison dans la région de Dallas. Pour le boulot, Saint Louis serait plus pratique mais en nous installant à Dallas, nous pourrons voir nos sœurs plus souvent. Iona et Hank n'en seront pas enchantés et ils risquent de nous mettre des bâtons dans les roues. Ils ont officiellement adopté les filles. Toutefois, nous espérons les convaincre que le bénéfice serait mutuel.

Tolliver entra dans la salle de bains et marqua une pause pour m'embrasser sur l'épaule. Je lui souris dans la glace.

— Les flics sont au bout de la rue. Tu as une idée de ce qui les amène ?

— À vrai dire, oui, avouai-je.

Je me sentais coupable. Je n'avais pas pris le temps d'expliquer la situation à Tolliver avant de me précipiter sous la douche et par la suite, il m'avait... distraite. Je lui racontai ce qui s'était passé.

— Les flics ont dû le retrouver, donc tu as eu raison, me rassura-t-il. Mais j'aurais préféré que tu ne fasses rien.

Je m'attendais à cette réaction. Il rechigne toujours à s'impliquer dans une affaire pour laquelle nous n'avons pas été sollicités. En l'observant, je notai un changement subtil dans son attitude, signe qu'il allait changer de sujet. Aborder un problème sérieux.

— Et si on lâchait prise ?

— Sur quoi ?

— Mariella et Gracie.

Je me tournai vers lui.

— Je ne comprends pas, murmurai-je alors que j'avais parfaitement saisi.

— Peut-être devrions-nous nous contenter de les voir une fois par an. Le reste du temps, on leur enverrait des cadeaux pour Noël et leur anniversaire.

J'étais outrée.

— Pourquoi ?

N'était-ce pas le but de tous nos efforts – économiser jusqu'au moindre cent afin de participer davantage à leur vie ?

Tolliver posa une main sur ma nuque.

— Nous les perturbons. Elles ont leurs soucis mais elles sont mieux avec Iona qu'elles ne le seraient avec nous. Nous ne pouvons pas nous occuper d'elles. Nous voyageons trop. Iona et Hank sont des gens responsables, ils ne boivent pas, ils ne se droguent pas. Ils emmènent les filles à la messe, ils veillent à ce qu'elles aillent à l'école.

— Tu es sérieux ?

Évidemment qu'il était sérieux : en ce qui concerne la famille, Tolliver ne plaisante jamais.

— Il n'a jamais été question de les arracher à Iona et Hank, en admettant que ce soit envisageable sur le plan légal. Tu crois vraiment que nous devrions réduire nos visites au minimum ?

— Oui.

— Je t'écoute.

— Quand nous débarquons... eh bien... d'une part, nous venons irrégulièrement et jamais longtemps. Nous les sortons, nous essayons de leur montrer des choses qu'elles n'ont pas l'habitude de voir, de les intéresser à des activités qui ne font pas partie de leur quotidien. Puis nous nous en allons, laissant à leurs « parents » le soin de jongler avec le résultat.

— Quel résultat ? protestai-je, furieuse.

— La dernière fois, Iona m'a dit – tu te rappelles, tu étais avec elles au cinéma ? –, bref, Iona m'a avoué qu'elle et Hank mettaient une bonne semaine à rétablir le rythme après chacun de nos passages.

— Mais...

J'étais perdue. Je secouai la tête comme pour remettre mes idées en ordre.

— Nous sommes leur frère et leur sœur. Nous les aimons. Il faut qu'elles sachent que le monde entier n'est pas comme Iona et Hank.

Tolliver se percha sur le bord de la baignoire.

— Harper, Iona et Hank les élèvent. Ils n'étaient pas obligés de les accueillir. S'ils ne s'étaient pas portés volontaires, l'État aurait pris le relais. Je mets ma main à couper que le tribunal aurait confié Mariella et Gracie à une famille d'accueil plutôt qu'à nous. Nous avons de la chance qu'Iona et Hank aient souhaité tenter le coup. Ils sont plus vieux que la plupart des parents d'enfants de cet âge. Ils sont sévères parce qu'ils ont peur que les filles ne finissent comme ta mère ou mon père. Mais ils les ont adoptées. Ils sont leurs parents.

J'ouvris la bouche, la refermai. On aurait dit qu'un barrage avait cédé dans la tête de Tolliver et qu'il déversait un torrent de réflexions que je n'avais jamais entendues auparavant.

— Certes, ils sont étroits d'esprit, concéda-t-il. Mais ce sont eux qui écopent des tracas au quotidien, eux qui assistent aux réunions avec les enseignants, avec le directeur ; ce sont eux qui les conduisent chez le médecin quand elles sont malades. Ils leur imposent des horaires pour se coucher ou faire leurs devoirs. Ils leur achètent des vêtements. S'il le faut, ils leur offriront l'orthodontiste... Tout ça, acheva-t-il en haussant les épaules. Tout ce que nous ne pouvons pas faire pour elles.

— Que suggères-tu ?

J'émergeai de la salle de bains et m'affaissai sur le lit défait. Il me suivit et s'assit près de moi. Je serrai les mains entre mes genoux et ravalai un sanglot.

— Tu veux que nous abandonnions nos sœurs ? enchaînai-je. Elles sont tout ce qui nous reste...

— Nous devrions venir pour les fêtes de Thanksgiving, de fin d'année, de Pâques ou leurs anniversaires... des dates phares. Des séjours organisés longtemps à l'avance. Tout au plus, deux fois par an. Par ailleurs, nous devrions faire plus attention à ce que nous disons devant elles. Gracie a rapporté à Iona que tu la trouvais trop rigide. Sauf que Gracie a dit : « frigide ».

Malgré moi, j'esquissai un sourire.

— Là-dessus, tu as raison. Critiquer les gens qui prennent soin de nos sœurs, ce n'est pas cool. Moi qui croyais me contrôler...

— Tu t'y efforces. C'est davantage ton expression que tes mots... enfin, la plupart du temps.

— D'accord, j'ai compris. Il me semblait que nous pourrions nous rapprocher en nous installant dans la région. Voire surmonter les barrières entre Iona et Hank et nous deux. En multipliant les visites, l'ambiance serait plus détendue. Les filles pourraient venir chez nous passer le week-end. Iona et Hank ont sûrement envie de souffler de temps en temps.

Tolliver n'était pas de cet avis.

— Crois-tu vraiment que tante Iona nous acceptera ? Surtout maintenant que nous sommes ensemble ?

Je me réfugiai dans le silence. Le fait que Tolliver et moi soyons devenus un couple choquerait profondément Iona et Hank. Après tout, je peux le concevoir. Tolliver et moi avons grandi sous le même toit durant toute notre adolescence. Ma mère a épousé son père. Depuis des années, je le présente partout comme mon frère, une habitude dont j'ai du mal à me départir. Nous ne sommes pas liés par le sang mais notre relation sexuelle a de quoi froisser le commun des mortels. Nous serions stupides de ne pas le reconnaître.

— Je ne sais pas, marmonnai-je. Peut-être...

Je mentais.

— Quand ils l'apprendront, Iona et Hank vont sauter au plafond.

Quand Iona pique une crise, Dieu se fâche. Si Iona remet en cause la moralité d'une situation, Dieu la soutient. Et Dieu, canalisé par Iona, règne sur cette maisonnée.

— Nous ne pouvons pas le leur cacher, résistai-je.

— Nous ne le devons pas et nous ne le ferons pas. Nous aviserons en conséquence.

Je voulus réorienter la conversation car j'avais besoin de réfléchir.

— Quand verrons-nous Mark ?

Mark Lang est le frère aîné de Tolliver.

— Nous avons rendez-vous avec lui au *Texas Roadhouse* demain soir.

— Tant mieux !

Je parvins à sourire. J'ai toujours beaucoup apprécié Mark bien que nous n'ayons jamais été aussi proches que Tolliver et moi. Il nous a protégés comme il le pouvait. Nous ne réussissons pas à le voir chaque fois que nous venons au Texas, j'étais donc ravie qu'il prenne la peine de dîner avec nous.

— Et ce soir, nous faisons un saut chez Iona ? Et nous verrons sur place ? Nous ne prévoyons aucun plan ?

— Aucun, confirma Tolliver.

J'avais le cœur lourd en montant dans la voiture pour nous rendre à Garland où habitent nos sœurs. Le temps était beau et clair mais je ne voyais pas le bleu du ciel.

Iona Gorham (née Howe) a consacré sa vie entière à l'anti-Laurelisme. Laurel Howe Connelly Lang, ma mère, était son unique sœur et de dix ans son aînée. Dans sa jeunesse, avant de sombrer dans la drogue et l'alcoolisme, Laurel était plutôt jolie, aimée de tous. Elle adorait faire la fête. Excellente élève par ailleurs, elle avait étudié le droit à l'université. C'est là qu'elle avait rencontré mon père, Cliff Connelly. Elle était extravertie et extravagante mais aussi terriblement ambitieuse.

Par réaction, Iona avait opté pour la voie de la douceur et de la religion.

Lorsqu'elle nous ouvrit la porte, je me demandai à quelle époque cette douceur s'était transformée en amertume. Iona a constamment l'air contrarié. Pourtant, aujourd'hui, elle semblait d'humeur affable et je m'interrogeai. J'essayai de me rappeler quel âge elle avait. Un peu moins de quarante ans, conclus-je.

— Entrez ! Entrez !

Elle s'effaça.

J'ai toujours l'impression qu'elle nous reçoit à contre-cœur et qu'elle se ferait un plaisir de nous envoyer

30

balader. Je mesure un mètre soixante-treize et ma tante est plus petite que moi. Elle a de jolies rondeurs et les cheveux châtain clair. Ses yeux sont gris comme les miens.

— Comment vas-tu ? s'enquit aimablement Tolliver.

— Merveilleusement bien !

Nous la dévisageâmes, médusés.

— L'arthrose de Hank le fait souffrir, poursuivit-elle, indifférente à notre stupéfaction. Mais Dieu merci, il peut se lever et aller travailler.

Iona est employée à mi-temps au *Sam's Club* ; Hank est le chef du rayon boucherie au supermarché *Wal-Mart*.

— Les filles ont-elles de bonnes notes ?

C'est ma traditionnelle question de repli. Je n'osais pas regarder Tolliver car je le sentais aussi troublé que moi. Iona nous entraîna jusqu'à la cuisine. Elle réserve le salon aux vrais invités.

— Mariella se débrouille bien. C'est une élève moyenne, sans problème particulier. Quant à Gracie, elle a toujours un petit train de retard. Voulez-vous du café ?

— Avec plaisir ! répondis-je. Je le bois noir.

— Je m'en souviens, rétorqua-t-elle comme si je venais de l'accuser d'être une mauvaise hôtesse.

Ce sursaut d'agressivité ressemblait davantage à Iona et je me sentis plus à l'aise.

— Et moi, avec du sucre ! intervint Tolliver.

Comme elle nous tournait le dos, il me fixa, les sourcils en accent circonflexe. Iona avait une idée derrière la tête.

Elle lui présenta presque aussitôt un mug, une coupelle remplie de sucres en cube, une cuillère et une serviette en papier. J'eus droit au mug ébréché. Après s'être servie, elle s'installa près de la cafetière de manière à nous faire comprendre qu'elle était *é-pui-sée*. Pendant une ou deux minutes, elle ne dit rien. Elle semblait réfléchir. Une pile de courrier trônait au milieu de la table ronde. Machinalement, j'y jetai un coup d'œil : relevé de téléphone, facture d'électricité, et une lettre manuscrite dépassant de son enveloppe. L'écriture me parut familière et mon cœur se serra.

— Je suis éreintée ! annonça Iona. J'ai travaillé debout six heures d'affilée.

Elle portait un tee-shirt sur un pantalon kaki et des baskets. Iona n'a jamais été une passionnée de mode comme ma mère avant de péricliter dans l'alcool et la drogue. J'éprouvai un élan de sympathie envers elle.

— C'est dur, murmurai-je.

— Ah ! Voilà les filles !

En effet, je perçus des bruits de pas du côté du garage.

Mariella et Gracie firent irruption dans la pièce et jetèrent leur sac à dos contre le mur, sous le portemanteau. Elles accrochèrent leur blouson et ôtèrent leurs chaussures. Combien de temps Iona avait-elle mis à leur inculquer ces habitudes ?

Mais déjà, j'examinais mes sœurs. Chaque fois que je les vois, je les trouve changées. Il me faut quelques minutes pour absorber les détails. Mariella a douze ans, Gracie trois de moins.

Elles étaient étonnées de nous voir mais pas outre mesure. Iona les avait-elle prévenues de notre visite ? Toutes deux nous embrassèrent solennellement, sans enthousiasme. Je ne m'en offusquai pas car je sais combien Iona a œuvré en notre défaveur. Elles n'ont aucun souvenir de leur petite enfance à Texarkana.

Tant mieux pour elles.

Mariella commençait à ressembler plus à une jeune fille qu'à un sac de farine. Elle a les cheveux châtains et les yeux bruns, elle est carrée comme son père. Gracie a toujours été petite et d'humeur volatile.

Les premiers contacts sont toujours pénibles. Rétablir le lien requiert des efforts. Elles prirent place entre nous et la femme qui les a élevées. Elles répondirent à nos questions et parurent enchantées de leurs petits cadeaux. Nous leur apportons toujours des livres afin de les encourager à pratiquer un loisir qui n'est pas la norme chez les Gorham. Nous leur offrons aussi un objet plus frivole, un accessoire du genre barrette ou bracelet.

— Oh ! s'écria Mariella (à mon immense joie). J'ai lu les deux premiers livres de cette auteure ! Merci !

Gracie ne s'exprima pas mais nous adressa un sourire. Une première car elle n'est pas d'une nature enjouée. Elle ne ressemble en rien à Mariella. Bon… Cameron et moi ne nous ressemblions pas non plus. Gracie me fait penser à un elfe : elle a les yeux verts, de longs cheveux blond pâle, un petit nez agressif et une bouche en forme d'arc de Cupidon.

Peut-être n'ai-je aucun don pour communiquer avec les enfants. Au risque d'être taxée de froideur, j'avoue que Gracie me paraît plus intéressante que Mariella. Les vraies mamans ont peut-être leurs chouchous, elles aussi. Je m'efforce de dissimuler cette partialité. J'attends que Mariella éveille mon intérêt. Qui sait ? La lecture nous rapprochera peut-être ? Gracie est tombée gravement malade à l'époque où je l'étais moi-même après avoir été frappée par la foudre. Elle souffre de troubles chroniques de la respiration.

— Tu es une mauvaise femme, tante Harper ? s'enquit tout à coup Gracie.

33

C'est Iona qui a initié cette affaire de « tante » : selon elle, Tolliver et moi sommes tellement plus âgés que les filles nous doivent le respect.

— Je m'efforce de ne pas l'être trop, bafouillai-je pour gagner du temps en attendant de savoir ce qui avait pu inspirer une telle question.

Iona se mit à remuer sa cuillère dans son café. Je serrai les mâchoires de rage et ravalai un torrent d'injures. De toute évidence, elle avait décidé de faire comme si cette conversation ne la concernait en rien.

— J'essaie d'être honnête avec les gens. Je crois en Dieu. (Pas le même que Iona, apparemment.) Je paie mes impôts. Je fais de mon mieux.

— Parce que quand on prend de l'argent aux gens sans leur donner ce qu'on a promis, c'est mal, non ?

— Absolument, décréta Tolliver. Cela s'appelle frauder. Harper et moi ne fraudons jamais.

Il transperça Iona du regard. Gracie contempla à son tour sa mère adoptive. Je suis sûre qu'ils voyaient deux personnes différentes.

Iona remuait obstinément son fichu café.

Hank franchit le seuil à cet instant précis. Il tombait à pic. C'est un homme grand et large, au visage rougeaud et aux cheveux blonds épars. Plus jeune, il était très beau. Il ne manque pas d'allure malgré ses quarante ans et n'a pratiquement pas pris un gramme depuis qu'il s'est marié avec Iona.

— Harper, Tolliver ! Content de vous voir ! Vous ne venez pas assez souvent !

Menteur.

Il déposa un baiser sur le crâne de Gracie et gratifia Mariella d'une caresse sous le menton.

— Salut, vous deux ! Alors, Mariella, ce contrôle d'orthographe ?

— Papa ! J'ai eu huit sur dix !

— Bravo, ma fille.

Il se versa un Coca et y ajouta quelques glaçons puis s'empara d'une chaise pliante posée près du réfrigérateur.

— Gracie, comment ça s'est passé à la chorale ?

— On a bien chanté, répliqua-t-elle, visiblement soulagée de se retrouver sur un terrain plus familier.

Si Hank avait remarqué la tension qui régnait dans la cuisine, il se garda d'en faire la remarque.

— Comment allez-vous ? Harper ? Qu'as-tu retrouvé comme cadavres ces temps-ci ?

Hank parle toujours de mon activité sur le ton de la plaisanterie.

J'esquissai un sourire. Il ne devait pas lire les journaux ni regarder les informations télévisées. Mon nom y avait été mentionné beaucoup trop souvent à mon goût depuis un mois.

— Qu'avez-vous accompli comme périples ?

Le fait que nous voyagions sans arrêt l'amuse. Ses expériences en la matière se limitent à une escapade hors du Texas quand il était soldat.

— Nous revenons de Caroline du Nord, expliqua Tolliver.

Il marqua une pause, au cas où Iona ou Hank relèveraient l'allusion sur notre toute dernière mission dont la presse s'était emparée avec avidité.

Non.

— Ensuite, nous avions un contrat à Clear Creek. Et aujourd'hui, nous sommes à Garland pour vous voir.

— Quels sont les scoops dans le business ?

— Nous avons une nouvelle d'une autre sorte, grogna Tolliver, exaspéré.

Aïe !

— Tu t'es trouvé une petite amie et tu vas fonder un foyer ! le taquina Hank car l'entêtement de Tolliver à enchaîner les conquêtes est un grand sujet de moqueries de sa part comme de celle de Iona.

— En fait, oui.

Je fermai les yeux.

— Entendez-vous ça, mes filles ? Votre oncle Tolliver a une fiancée ! Qui est-ce, Tol ?

Tolliver déteste qu'on l'appelle ainsi.

— Harper.

Il se pencha sur la table et me prit la main. Nous retînmes notre souffle.

— Ta... Mais... vous deux ? bredouilla Iona. Ce n'est pas possible. Vous...

— Nous ne sommes pas liés par le sang, interrompis-je.

Mariella et Gracie observaient les adultes, perplexes.

— Tu es ma sœur, dit soudain Mariella.

— Oui.

— Tolliver est mon frère.

— Exact. Mais nous ne sommes pas liés par le sang. Tu le comprends, n'est-ce pas ? Je n'ai pas eu le même papa et la même maman que Tolliver.

— Mais alors... vous allez vous marier ? s'écria Gracie.

Elle semblait contente. Perplexe mais contente. Tolliver plongea son regard dans le mien.

— Je l'espère.

— Waouh ! jubila Mariella. Je pourrai être demoiselle d'honneur ? Mon amie Brianna était demoiselle d'honneur au mariage de sa sœur. Je pourrai avoir une robe longue ? Aller chez le coiffeur ? La mère de Brianna lui a permis de mettre du rouge à lèvres. Je pourrai en mettre, maman ?

— Mariella, expliquai-je, je crains que ce ne soit pas un grand mariage (je n'y tenais pas du tout). Nous nous contenterons sans doute d'une cérémonie devant un juge de paix. Nous n'irons pas à l'église et je n'aurai pas de robe blanche.

— Mais quoi que nous décidions, nous comptons sur votre présence et vous pourrez vous habiller comme bon vous semble ! ajouta Tolliver.

— Pour l'amour du ciel ! s'insurgea Iona. Vous marier ? C'est grotesque. Si vous le faites, Dieu m'en est témoin, ni Mariella ni Gracie ne seront là !

— Pourquoi pas ? riposta Tolliver d'une voix trop calme. Elles sont de la famille.

Ce fut au tour de Hank de prononcer son verdict :

— C'est indécent. Vous avez grandi ensemble.

— Nous ne sommes pas liés par le sang, répétai-je. Nous nous marierons quand nous le voudrons.

Je m'aperçus tout à coup que je m'étais laissé entraîner plus que je ne l'avais escompté par le débat. Tolliver me souriait de toutes ses dents.

Incroyable ! Il m'avait proposé de m'épouser et j'avais accepté.

Iona fit la moue.

— Eh bien ! Nous aussi, nous avons une nouvelle à vous annoncer.

— Ah ? Laquelle ?

Je voulais m'y intéresser. Je voulais à tout prix dissiper la tension qui rendait mes sœurs si malheureuses. Je m'obligeai à adresser un sourire à ma tante.

— J'attends un bébé. Les filles vont avoir un petit frère ou une petite sœur.

Je dus lutter de toutes mes forces pour ne pas m'exclamer : « Après toutes ces années ? »

— C'est merveilleux ! Les filles, qu'en pensez-vous ?

Tolliver chercha ma main sous la table et la serra très fort. Nous n'avions jamais envisagé que Hank et Iona puissent avoir un enfant un jour. Quant à moi, je ne me suis jamais demandé pourquoi ils n'en ont pas eu. En fait, je les ai simplement considérés comme deux empêcheurs de tourner en rond qui nous privaient de nos sœurs. Toutefois, ils prennent bien soin d'elles et Dieu sait qu'elles ne sont pas faciles !

En un éclair, je me rendis compte qu'il n'était plus question pour nous de nous immiscer dans cette relation entre Hank, Iona et les filles. Je décelai une lueur d'incertitude dans les prunelles de Mariella. Elle et Gracie avaient suffisamment de problèmes sans que nous venions bouleverser leur existence. Elles voulaient se réjouir de la venue prochaine de ce bébé mais elles avaient reçu un sérieux coup sur la tête.

Je compatissais.

2

Le lendemain soir au *Texas Roadhouse*, nous venions de nous inscrire sur la liste d'attente pour une table lorsque Mark nous rejoignit. On voit tout de suite que lui et Tolliver sont frères : mêmes pommettes, même menton, mêmes yeux bruns. Mais Mark est plus petit, plus épais et – une observation que je garde pour moi – nettement moins intelligent que Tolliver.

Toutefois, je garde d'excellents souvenirs de Mark et j'aurai toujours de l'affection pour lui. Il s'est débrouillé de son mieux pour nous protéger de nos parents. Non pas que ceux-ci nous aient fait du mal intentionnellement mais… ils étaient accros à la drogue. Les toxicos oublient d'être parents. Ils négligent leur vie de couple. Ils se laissent entièrement dévorer par leur addiction.

Mark a énormément souffert car il a connu son père à l'époque où celui-ci était un homme normal. Il se rappelle un papa qui l'emmenait pêcher et chasser, qui assistait aux réunions avec les professeurs, aux matchs de football, qui l'aidait à faire ses devoirs d'arithmétique. Tolliver a connu cela aussi – brièvement – mais les dernières années dans le taudis de Texarkana ont tout effacé.

Récemment promu cadre supérieur d'un grand magasin *JCPenney*, Mark portait un pantalon bleu marine, une chemise à rayures et un badge à son nom. Quand je l'aperçus à l'entrée, je lui trouvai l'air fatigué mais son visage s'éclaira dès qu'il nous vit. Il s'était coupé les cheveux très courts et avait rasé sa moustache et ce nouveau look lui seyait : il paraissait plus sérieux, plus assuré.

Tolliver et lui procédèrent au rituel entre garçons, se tapant dans le dos à grands coups de « comment vas-tu mon vieux ? ». J'eus droit à une étreinte plus discrète. À cet instant, on nous avertit que notre table était prête. Dès que nous fûmes installés, je demandai à Mark des nouvelles de son boulot.

— Nous n'avons pas atteint les objectifs prévus à Noël, déclara-t-il d'un ton grave.

Je remarquai ses dents, parfaitement alignées et d'une blancheur éclatante, et ressentis un élan de jalousie. Mark avait eu la chance de bénéficier de soins d'orthodontie, contrairement à Tolliver. À l'âge où nos parents auraient dû offrir un appareil dentaire à Tolliver, ils avaient déjà sombré dans la spirale infernale de la drogue. Je chassai ce ressentiment. Mark a eu de la chance, point à la ligne.

— Nous aurons du mal à rattraper notre retard ce printemps, conclut-il.

— Comment expliques-tu cet échec ? s'enquit Tolliver comme si les performances de l'enseigne l'intéressaient au plus haut point.

Mark se lança dans un interminable discours sur le magasin et ses responsabilités. Ce poste lui convenait mieux que le précédent (gérant d'un restaurant), surtout

40

les horaires. Mark s'est payé deux années d'université et continue à suivre des cours du soir. Tôt ou tard, il décrochera un diplôme. Un tel acharnement suscite l'admiration. Ni Tolliver ni moi n'avons eu ce courage.

La vérité, c'est que j'avais beau feindre de l'écouter avec attention, je m'ennuyais à mourir. Je me remémorai le jour où il avait renversé l'un des copains de maman, une brute d'une trentaine d'années qui avait fait des avances à Cameron. Mark ignorait s'il était armé – nombre des amis de nos parents l'étaient – et pourtant, il n'avait pas hésité à défendre ma sœur. Je lui en étais immensément reconnaissante.

Tolliver se mit à poser des questions. Peut-être était-il plus passionné que je ne l'avais cru tout d'abord. Pour la centième fois, je m'interrogeai : Tolliver aurait-il préféré mener une existence conventionnelle ?

Non. Il m'avait plus ou moins rassurée la veille.

Nous avions quitté Iona et Hank en état de choc après leur annonce. Nous nous étions empressés de les féliciter, mais sans grand enthousiasme. Nous étions ébranlés par leur réaction à notre relation et avions eu du mal à nous réjouir de leur bonheur alors que le nôtre semblait les écœurer.

Bien entendu, l'atmosphère imprégnée de tension et de colère avait déteint sur les filles. En quelques minutes, leur joie de nous revoir s'était métamorphosée en agressivité. Hank s'était réfugié dans son minuscule « bureau » avec Tolliver pour appeler le pasteur au sujet de notre parenté. J'étais au comble de l'indignation. Tolliver avait émergé de la pièce, mi-courroucé, mi-amusé.

Depuis notre départ de chez Hank et Iona, nous n'avions plus abordé le sujet du mariage, qui avait surgi comme un diable de sa boîte.

Curieusement, le fait de ne pas en parler... ne me dérangeait en rien. Une séance de tapis roulant dans la salle de gym du motel nous avait défoulés. Puis nous avions regardé une rediffusion de *New York Police Judiciaire*, heureux d'être ensemble et soulagés d'être entre nous. Chaque fois que nous rendons visite à nos sœurs, j'ai l'impression de subir un essorage émotionnel. Au bout d'une heure dans cette maison, j'éprouve le besoin de m'échapper.

Mais si je suis en conflit perpétuel avec mon oncle et ma tante, tout va pour le mieux entre Tolliver et moi et c'est la seule relation qui compte vraiment à mes yeux... enfin, hormis celle que je tente désespérément de renouer avec nos petites sœurs.

Malgré tout, au cours de la soirée, j'eus plusieurs moments de désarroi. C'est absurde, mais la grossesse d'Iona me choquait. J'ai vu ma mère enceinte à deux reprises et suis encore médusée que Gracie soit née en bonne (plus ou moins) santé physique et mentale, vu l'état de maman. Elle avait réussi à se sevrer le temps de porter Mariella mais Gracie...

Entre notre heure de jogging en salle et le film, j'avais empoigné notre aspirateur à main pour nettoyer le coffre. J'avais emporté un sac pour les détritus : quand on passe ses journées en voiture, ils ont une fâcheuse tendance à s'amonceler. Jetant gobelets vides et récépissés froissés, je m'étais inquiétée pour Iona. Elle est en bonne santé et, que je sache, elle n'a jamais abusé ni de l'alcool ni de la drogue. Mais elle me paraît un peu âgée pour une première expérience de la maternité.

D'un autre côté, les femmes sont de plus en plus nombreuses à retarder l'échéance. Elles veulent la sécurité financière et une relation stable avant de mettre au monde un enfant. Le hic – selon mon expérience personnelle –, c'est que s'occuper d'un bébé est fatigant. Iona s'arrêtera-t-elle de travailler ?

Tout en feignant d'écouter Mark et en sirotant la boisson que la serveuse m'avait apportée, je revécus notre entretien dans la cuisine d'Iona. Quelque chose m'avait troublée, quelque chose que j'avais oublié dans le brouhaha qui avait suivi nos révélations mutuelles.

Tandis que Mark et Tolliver discutaient affaires, j'examinai mentalement toutes les personnes assises autour de cette table. Puis je pensai aux objets qui la jonchaient. Enfin, je réussis à retrouver la source de mon malaise. Profitant d'une pause dans la conversation, j'introduisis habilement le sujet.

— Mark, est-ce que tu vois souvent les filles ?

— Non, avoua-t-il en baissant le nez d'un air coupable. Le trajet est long et je suis surmené. Qui plus est, Iona se débrouille toujours pour me critiquer.

Il haussa les sourcils.

— Pour être franc, les filles s'en fichent.

Mark nous avait abandonnés dans notre taudis de Texarkana dès qu'il avait pu voler de ses propres ailes – avec notre bénédiction. Il passait nous voir quand nos parents étaient absents… ou tout simplement inconscients. Il nous apportait des provisions. Mais du coup, il ne se trouvait pas là à la naissance de nos sœurs et n'avait pas eu l'occasion de nouer des liens avec elles. Cameron, Tolliver et moi les avions quasiment élevées. Quand les mauvais souvenirs me réveillent la nuit, je m'affole toujours en imaginant ce qu'elles seraient devenues sans nous. Pourtant, ce n'était pas – ce n'aurait pas dû être – mon problème.

— Donc, tu n'as pas bavardé récemment avec Iona, improvisai-je.

— Non. Pourquoi ?

— Sais-tu qu'elle a reçu des nouvelles de ton père ?

J'avais reconnu son écriture sur la lettre dépassant de l'enveloppe parmi la pile de courrier.

Mark ne sera jamais un bon joueur de poker : il est incapable de dissimuler ses sentiments. Par chance, la serveuse s'approcha alors pour prendre nos commandes et je ne pus m'empêcher de sourire, tellement il paraissait soulagé.

J'observai subrepticement Tolliver.

La serveuse repartit et j'écartai les mains en direction de Mark, lui indiquant qu'il était temps d'en venir aux faits.

— Oui, euh, justement, j'allais vous en parler, marmonna-t-il en fixant son verre.

— De quoi ? s'enquit Tolliver, faussement calme.

— Une lettre de papa m'est parvenue il y a deux semaines.

Ce n'était pas une affirmation mais une *confession*. Il attendit que Tolliver lui donne l'absolution – en vain. À en juger par son air penaud, il avait répondu à cette missive.

— Il est donc vivant, constata Tolliver d'une voix que tout le monde sauf moi aurait qualifiée de neutre.

— Oui. Il a un boulot. Il est *clean*, Tolliver.

Mark a toujours eu un faible pour leur père. Et il est d'une naïveté déconcertante en ce qui le concerne.

— Depuis quand Matthew est-il sorti de prison ? demandai-je.

Je n'ai jamais pu appeler Matthew Lang « papa ».

— Euh... un mois.

Il se mit à tripoter le rond en papier qui avait entouré sa serviette et ses couverts. Il le plia, le déplia, le replia pour former un petit rectangle.

44

— Il a été libéré pour bonne conduite. Je lui ai répondu et il m'a téléphoné. Il veut renouer avec sa famille.

J'avais la certitude que – comme par hasard – Matthew avait aussi besoin d'argent, voire d'un logement. Mark était-il assez bête pour croire son père ?

Tolliver ne dit rien.

— A-t-il pris contact avec votre oncle Paul ou votre tante Miriam ? murmurai-je, histoire de combler le silence.

— Aucune idée. Je ne les appelle jamais.

Matthew Lang a tellement fait souffrir ses proches qu'ils l'ont tous abandonné. Malheureusement, cette exclusion s'est propagée à ses enfants. Ils auraient pu aider Mark et Tolliver mais y avaient renoncé par crainte de devoir affronter les délires de Matthew. Le résultat, c'est que Tolliver a des cousins qu'il connaît à peine.

J'ignore au juste ce qu'il pense de la décision de se préserver de Paul et de Miriam mais il n'a jamais cherché à les joindre ces dernières années alors que Matthew était derrière les barreaux. Je suppose que ceci explique cela.

— Que fait-il ?

— Il travaille chez *McDonald's*. Au guichet du drive-in, je crois. À moins qu'il ne soit en cuisine.

Matthew Lang n'est certainement pas le premier avocat rayé du barreau à vendre des hamburgers. Cependant, j'ai vécu quelques années avec lui et je ne l'ai jamais vu mettre le moindre plat au four à micro-ondes, encore moins laver la vaisselle. Ah ! L'ironie du sort !

— Et ton père, Harper, que devient-il ? Cliff ? C'est bien cela ?

De toute évidence, Mark était décidé à démontrer que Matthew n'était pas le seul père indigne dans notre entourage.

— Aux dernières nouvelles, il était dans une prison-hôpital. D'après moi, il ne connaît plus personne.

Mark parut outragé.

— Tu ne vas jamais le voir ? s'exclama-t-il, incrédule.

— En quel honneur ? Il ne s'est jamais occupé de moi. Pas question que je m'occupe de lui.

— Mais avant de sombrer dans la drogue, ne t'a-t-il pas offert un foyer stable ?

Mon père n'était pas le cœur du problème. Je n'en étais pas moins irritée.

— Si. Lui et ma mère. Mais une fois happés par les abus de stupéfiants, ils nous ont complètement délaissés.

Beaucoup d'enfants ont connu pire et n'ont pas eu des frères et sœurs pour les protéger. Mais nous avons eu la vie dure. Et plus tard, quand ma mère et le père de Tolliver se sont mis à fréquenter les voyous, nous avons vécu des horreurs.

Je me secouai intérieurement. *Arrête de t'apitoyer sur ton sort !*

— Au fait, pourquoi m'interroger à propos de papa ?

Mark était morose. Il m'en voulait.

— J'ai aperçu une lettre écrite de sa main sur la table de cuisine d'Iona. Il m'a fallu un moment pour me rappeler à qui appartenait cette écriture. Crois-tu qu'il cherche à revoir les filles ?

— Pourquoi ?

— C'est leur père, non ? riposta Mark en s'empourprant, signe qu'il était en colère.

Tolliver et moi le dévisageâmes sans un mot.

— D'accord, d'accord, grommela-t-il en se frottant le visage. Il ne mérite pas de les rencontrer. Je ne sais pas ce qu'il attend d'Iona. Quand je l'ai vu, il m'a dit qu'il voulait voir Tolliver. Il n'a pas d'adresse où lui envoyer un courrier.

— Il y a une raison à cela, rétorqua Tolliver.

— Il a consulté des sites Internet qui suivent les activités de Harper. Mais il refuse de te contacter par ce biais. Comme s'il était un étranger.

La serveuse arriva avec nos plats et nous prîmes le temps de mettre nos serviettes sur nos genoux, de saler et de poivrer, histoire de nous ressaisir.

— Mark, pourquoi devrais-je faire un effort vis-à-vis de lui ?

— C'est notre père. Il est tout ce que nous avons.

— Faux. Harper est ici, avec nous.

— Mais elle n'est pas de *notre* famille.

— Elle est la mienne.

Mark se figea.

— Es-tu en train de me dire que je n'aurais jamais dû vous laisser ? Que j'aurais dû rester auprès de toi ? Que je t'ai déçu ?

— Pas du tout ! s'écria Tolliver, ahuri... Je suis en train de te dire que Harper et moi sommes ensemble.

— Elle est ta belle-sœur.

— Et ma petite amie.

J'adressai un sourire à ma salade. Mark resta bouche bée.

— Quoi ? C'est légal ? Depuis quand ?

— Récemment. Oui, c'est légal et merci de nous poser la question : nous sommes très heureux.

— Alors je m'en réjouis pour vous, assura Mark, encore dubitatif. N'est-ce pas un peu bizarre ? Vous avez grandi sous le même toit.

— Comme toi et Cameron.

— Je n'ai jamais eu ce genre de sentiment envers Cameron.

— Et alors ? arguai-je. Nous nous aimons.

Je portai mon sourire sur Tolliver, soudain inondée d'un bonheur indescriptible. Il me sourit en retour.

— Qu'est-ce que je dis à papa ? gémit Mark avec une pointe de désespoir.

J'ignorais comment il avait imaginé cette conversation mais de toute évidence, elle ne se déroulait pas du tout comme il l'avait prévu.

— C'est pourtant clair, répliqua Tolliver. Nous ne voulons pas le voir. Je ne veux pas qu'il me contacte. S'il nous envoie un mail sur le site, je n'y répondrai pas. La dernière année… tu as eu de la chance d'avoir déjà pris ton indépendance, Mark. J'en suis content pour toi. Je ne t'ai jamais reproché ton départ, si c'est ce que tu crains. Quand bien même tu serais resté, tu n'aurais rien pu faire. De surcroît, tu nous apportais de la nourriture, des couches et de l'argent quand tu en avais la possibilité. Nous étions enchantés que l'un d'entre nous réussisse dans le monde réel. Mon petit boulot chez *Taco Bell* n'aurait pas suffi.

— Tu ne me soupçonnes pas d'avoir tout bêtement pris mes jambes à mon cou ?

— Non. Tu sauvais ta peau. Voilà ce que je crois. Et Harper le croit aussi.

Mark se fichait de mon opinion mais j'opinai. Il lâcha une sorte de rire pitoyable.

— Mon intention n'était pas de gâcher la soirée.

— Tu n'y es pour rien. C'est la réapparition de ton père, dis-je dans l'espoir de le consoler.

Mais la cause semblait perdue.

— C'est vrai ? Tu n'as jamais rendu visite au tien ?

— Non. Pourquoi mentirai-je à ce sujet ?

— À cause de sa maladie ?

— Je n'en sais rien.

— Sait-il que ta mère est décédée ?

— Aucune idée.

— Et pour Cameron ?

Je réfléchis un instant.

— Oui, il est au courant parce qu'à l'époque de sa disparition, des journalistes ont voulu l'interroger.

— Il n'est jamais venu...

— Non. Il était incarcéré. Il m'a écrit quelques lettres. Mes parents d'accueil me les ont transmises. Mais je n'ai jamais répondu. Je ne sais pas ce qu'il est devenu par la suite. Je n'ai plus entendu parler de lui jusqu'à ce qu'il tombe malade. L'aumônier de la prison m'a prévenue.

— Et tu... tu n'as pas réagi ?

— Non. Tolliver, tu me donnes un peu de patate douce s'il te plaît ?

— Bien sûr.

Il glissa son assiette vers moi.

Il en commande toujours quand nous dînons au *Texas Roadhouse* et chaque fois, j'en prends une bouchée. Je l'avalai. Elle n'était pas aussi bonne que d'habitude mais ce n'était pas la faute du cuisinier, c'était à cause de Mark.

Il secoua la tête, les yeux rivés sur sa nourriture.

— Comment faites-vous ? soupira-t-il enfin en nous regardant tour à tour. Quand papa se manifeste, j'accours. Il est mon *père*. Si ma mère était encore vivante, j'en ferais autant pour elle.

— Nous ne sommes sans doute pas aussi généreux que toi, répondis-je.

Que pouvais-je dire d'autre ? *Matthew va te sucer le sang. Il ne tiendra pas parole, il te détruira.*

— Je suppose que vous n'avez pas eu d'autres nouvelles de la police depuis notre dernière rencontre ? Ni de ce détective privé ?

49

— Tu as décidé d'appuyer sur tous les boutons qui font mal, ce soir, raillai-je.

— Je ne peux pas me retenir. Je suis convaincu qu'un jour, on aura du nouveau.

Je ravalai ma fureur car je pensai comme lui.

— Rien. Un jour, je la retrouverai.

Je le répète depuis des années et ça n'est jamais arrivé. Mais un jour, de façon totalement inattendue, j'en suis sûre, je la sentirai. Je découvrirai Cameron et je saurai comment elle est morte.

Elle revenait du lycée où elle était restée après les cours pour décorer le gymnase en prévision du bal de fin d'année. À cette époque, j'évitai au maximum ce genre d'activités. J'avais été frappée par la foudre, je tentais de m'habituer à mon nouveau moi, terrifiée par ce don étrange. Je boitais encore, je me fatiguais très vite. Ce jour-là, je souffrais d'une migraine atroce.

C'était au printemps et nous avions subi un coup de froid. La nuit précédente, la température était tombée sous la barre des 5 °C. Cet après-midi-là, il ne faisait pas plus de 12 °C. Cameron portait un collant noir, une jupe à carreaux noir et blanc et un col roulé blanc. Elle était superbe. Personne n'aurait deviné qu'elle avait acheté tous ces vêtements dans une boutique de troc. Ses cheveux étaient blonds, longs et soyeux. Ma sœur Cameron avait des taches de rousseur. Elle les détestait. C'était une élève brillante.

Mark et Tolliver ayant repris leur discussion, je tentai de l'imaginer aujourd'hui. Serait-elle encore blonde ? Aurait-elle pris du poids ? Elle était plus petite que moi, terriblement mince, dotée d'une volonté de fer. Elle avait remporté plusieurs victoires en athlétisme, bien que nous ayons tous levé les yeux au ciel quand la presse l'avait qualifiée de « star de la piste » au moment de sa disparition.

Cameron n'était pas une sainte. Je la connaissais mieux que quiconque. Elle était orgueilleuse. Elle savait garder un secret. Elle était intelligente. Elle prenait ses études au sérieux. Parfois, elle se rebellait contre notre situation, notre chute dans la misère, au point de hurler de toutes ses forces. Elle haïssait notre mère, Laurel. Elle lui en voulait terriblement de nous avoir entraînées dans son sillage. Mais elle l'aimait aussi.

Elle ne supportait pas Matthew, son deuxième mari et son x-ième « copain ». Cameron avait toujours espéré que notre père redeviendrait celui qu'il avait été avant de sombrer dans la drogue et qu'un jour, il ressurgirait pour nous emmener avec lui. Nous quitterions notre taudis de Texarkana pour vivre dans une maison propre, quelqu'un serait là pour laver nos vêtements et préparer nos repas. Notre père se présenterait aux réunions parents/professeurs, il discuterait avec nous le soir autour de la table et s'intéresserait à notre avenir.

C'était le fantasme de Cameron, son fantasme heureux. Elle en avait d'autres, beaucoup plus ténébreux. Un matin, alors que nous nous rendions à pied à l'école, elle m'a confié qu'elle rêvait qu'un des dealers de ma mère débarque chez nous en notre absence et tue nos parents. Les services sociaux nous confieraient à une gentille famille d'accueil. Après l'obtention de notre baccalauréat, nous trouverions des petits boulots et louerions un appartement le temps d'achever notre cursus universitaire.

Le rêve de Cameron s'était arrêté là. Comment avait-elle envisagé la suite ? Aurions-nous chacune rencontré le prince charmant ? Aurions-nous continué à vivre ensemble (dans un logement modeste mais ordonné), à acheter des vêtements (Cameron était une passionnée de mode), à déguster les petits plats que nous avions appris à cuisiner ?

— Ma chérie ?

Je me tournai brusquement vers Tolliver, surprise. Il ne m'avait jamais appelée ainsi.

— Tu veux un dessert ?

Je me rendis compte que la serveuse attendait, son bloc-notes à la main, le sourire crispé à force de patienter.

Je ne mange pratiquement jamais de dessert.

— Non, merci.

À ma grande exaspération, Mark commanda une part de tarte et Tolliver, un café pour lui tenir compagnie. J'étais prête à partir. Je voulais fuir tous ces souvenirs. Je changeai de position, étouffant un soupir.

Tolliver et Mark discutaient informatique, j'étais donc libre de réfléchir de mon côté.

Mais Cameron obsédait mes pensées.

3

De retour dans notre chambre de motel, nous étions tous deux réticents à évoquer la perfidie de Mark. Tolliver brancha notre ordinateur portable pour consulter le site Web qui suit mes activités. Il le contrôle de près parce qu'il craint qu'un fou ne me harcèle par ce biais. Je ne le compulse jamais car il contient des courriels de types louches ; non seulement cela me terrifie mais je trouve ce geste répugnant. À présent, j'avais peur que Matthew ne soit en train de le lire en même temps que Tolliver... dans le but de reprendre contact avec son fils.

Une douleur persistante m'arracha à mon angoisse.

Je fouillai dans ma trousse de toilette en quête de la pommade analgésique à appliquer sur ma jambe droite. C'est là que je ressens le plus les effets à long terme de mon accident. J'enlevai mes chaussures et mon jean et m'assis sur le lit. Depuis que la foudre m'a frappée, ma cuisse droite est couverte d'une sorte de toile d'araignée rouge. Ce n'est pas joli à voir.

Je me massai un moment en silence dans l'espoir de décontracter mes muscles. Au bout de quelques minutes, je me sentis soulagée et m'allongeai, paupières closes.

— Je préfère chercher un cadavre dans la neige que discuter avec Iona et Hank, murmurai-je. Parfois, parler avec Mark est tout aussi pénible.

— Hier soir chez Iona...

Tolliver marqua une pause avant de reprendre, prudemment :

— Pendant que tu étais aux toilettes, Hank m'a attiré à l'écart pour me demander si je t'avais engrossée.

— Non ! ?

— Si ! Je t'assure. Il était sérieux, en plus : « Si elle est enceinte, fiston, tu dois l'épouser. Quand on commet un crime, on le paie. »

— Drôle de façon de concevoir le mariage et la paternité.

Tolliver s'esclaffa.

— Hank parle de Iona comme de son « boulet ».

— Mariés, pas mariés, je m'en fiche, répliquai-je. Enfin non, je ne m'en fiche pas, m'empressai-je de rectifier. Ce que je veux dire c'est que je t'aime. Je veux être avec toi. Mais le mariage, ce n'est pas important. Merde, ce que je peux être maladroite !

— Nous ferons ce qu'il faudra en temps voulu, m'assura-t-il d'un ton faussement nonchalant.

Apparemment, il souhaitait convoler en justes noces. Pourquoi ne pas l'avouer ? Je me cachai le visage dans mes mains encore imprégnées de gel.

Bien entendu, j'accepterais, surtout s'il me donnait le choix entre l'épouser et rompre. Je ferais n'importe quoi pour le garder.

Rien de romantique là-dedans. Je demeurai couchée, à écouter Tolliver pianoter sur le clavier. *S'il lui arrivait malheur, autant mourir*, me dis-je. Était-ce un bon point pour lui ou un mauvais pour moi ?

On frappa à notre porte. Nous échangeâmes un regard, perplexes. Tolliver secoua la tête : lui non plus n'attendait personne.

Il se leva, souleva discrètement le rideau, le laissa retomber.

— C'est Lizzie Joyce, annonça-t-il. Avec sa sœur. Kate, si je ne m'abuse ?

— Exact.

J'étais aussi étonnée que lui.

— Bon, marmonnai-je… Après tout… ?

Nous haussâmes les épaules. Ayant décidé qu'elles n'étaient pas armées donc pas dangereuses, Tolliver les invita à entrer. J'enfilai mon jean en toute hâte et me levai pour les saluer.

On aurait cru qu'elles n'avaient jamais vu un motel lambda de leur vie. Kate et Lizzie scrutèrent la pièce avec soin. Elles se ressemblaient beaucoup. Katie était plus petite que Lizzie et devait avoir deux ans de moins. Mais ses cheveux étaient du même blond que Lizzie, ses yeux bruns, étroits comme ceux de Lizzie et sa silhouette, aussi élancée. Toutes deux étaient en jean, bottes et blouson. Lizzie avait rassemblé sa chevelure en un catogan tandis que celle de Katie cascadait sur ses épaules. Entre leurs colliers, boucles d'oreilles et autres bagues, je jugeai qu'elles portaient à elles deux pour au moins deux mille dollars de bijoux (par la suite, après une expédition à la joaillerie du centre commercial, je révisai ce chiffre à la hausse).

Katie examina Tolliver d'un œil avide. Notre attirail – habits, cahier de mots croisés, ordinateur – l'intéressait nettement moins.

— Bonsoir ! m'exclamai-je en m'efforçant de mettre un minimum de chaleur dans ma voix. Que puis-je pour vous ?

— Vous pouvez me répéter ce que vous avez vu sur la tombe de Mariah Parish ?

Je mis une seconde à comprendre.

— La gouvernante de votre père. Celle qui a eu des problèmes en mettant au monde un enfant. Une infection.

— Oui. Pourquoi avez-vous dit cela ? Elle a succombé à des complications suite à une appendicectomie, affirma Lizzie.

Pour l'amour du ciel ! Ce n'était pas mon problème.

— À votre guise, rétorquai-je.

Quelle importance ? Ce n'était pas pour Mariah Parish que l'on avait fait appel à mes services.

— C'est ce qui est arrivé ! insista Katie.

Je haussai les épaules.

— Très bien.

— Comment ça, « très bien » ? Soit c'est le cas, soit ce ne l'est pas !

Les sœurs Joyce n'allaient pas lâcher cet os.

— Croyez ce que vous voulez. Je vous ai expliqué de quoi elle était morte.

— C'était une femme bien. Pourquoi inventer une chose pareille ?

— Exactement. Pourquoi ?

Et quel mal y avait-il à avoir mis un bébé au monde ?

— Qui est le père ? demanda Lizzie.

— Je n'en ai pas la moindre idée.

— Mais alors…

Lizzie se tut. Elle n'était pas accoutumée à ce qu'on la contredise. Elle n'aimait pas ça.

— Pourquoi avez-vous dit cela ?

J'eus du mal à ne pas lever les yeux au ciel.

— Parce que je l'ai vu et que vous vouliez que je retrouve toute seule la tombe de votre grand-père. Parce que vous en vouliez pour votre argent, je suis passée d'un emplacement à l'autre comme vous le souhaitiez.

— Tout le reste était juste, déclara Katie.

— Je sais.

Je n'allais tout de même pas m'en étonner !

— Alors pourquoi avoir inventé cette histoire ?

Si elles n'avaient pas été aussi agitées, cet épisode m'aurait exaspérée. J'avais mal à la jambe et envie de m'asseoir. Cependant, pour ne pas prolonger inutilement l'entretien, je restai debout.

— Je ne l'ai pas inventée. Que vous me croyiez ou non, je m'en fiche.

— Où est le bébé ?

— Comment voulez-vous que je le sache ? m'écriai-je à bout de patience.

— Mesdames, intervint Tolliver à point nommé, ma sœur retrouve les cadavres. Le bébé n'était pas dans la tombe qu'elle a décryptée. Soit il est vivant, soit il est enterré ailleurs. À moins que Mariah Parish n'ait fait une fausse couche.

— Mais si l'enfant était de notre grand-père, il hérite d'une partie de sa fortune ! protesta Lizzie.

Je compris alors leur inquiétude.

Qu'elles aillent au diable ! Je m'affaissai sur le lit et étendis ma jambe malade.

— Prenez place. Voulez-vous un soda ?

Tolliver s'installa près de moi afin que les deux sœurs puissent prendre les fauteuils. Elles acceptèrent toutes deux une boisson fraîche et, si Katie n'avait de cesse de lorgner l'ordinateur pour essayer de voir ce qui était affiché à l'écran, toutes deux semblaient s'être calmées – un soulagement pour moi.

— Nous ne nous sommes jamais doutées que Mariah était enceinte, annonça Lizzie. C'est pourquoi nous sommes en état de choc. Nous ignorions qu'elle avait un homme dans sa vie. Elle et mon grand-père s'entendaient bien et nous pensons que leur amitié a pu évoluer. Ou pas. Nous avons besoin de savoir. Outre les aspects légaux et financiers, nous sommes redevables envers un enfant qui pourrait être un membre de la famille Joyce. Nous voulons le rencontrer. Puis-je fumer ?

— Non. Désolé, rétorqua Tolliver.

— Cet enfant est forcément quelque part, dis-je. Il doit exister un acte de naissance. Quand bien même il serait mort-né, il reste les archives de l'hôpital. Mais à qui s'adresser ? Peut-être pourriez-vous engager un détective privé habilité à accéder aux dossiers. Personnellement, je ne contacte que les morts.

— Bonne idée, concéda Katie. Pouvez-vous nous recommander quelqu'un ?

— Nous connaissons une femme à Dallas, proposa Tolliver. Victoria Flores. Très efficace. Autrefois, elle était flic à Texarkana. Il y a aussi un ex-militaire, plus près de votre ranch, à Longview, il me semble. Ray Phyfe.

— Dallas regorge d'agences, ajoutai-je comme si elle ne le savait pas déjà.

— Nous ne voulons pas d'une grosse structure, décréta Lizzie. Nous désirons que cela se passe entre nous.

C'était la réaction que j'attendais. Pourquoi étaient-elles venues nous solliciter ? L'empire Joyce, dont le Ranch RJ n'était qu'une infime partie, avait sûrement employé des dizaines de détectives privés par le passé. En d'autres circonstances, les sœurs auraient fait appel

58

à eux et reçu le traitement de luxe auquel elles étaient accoutumées.

Pour l'heure, peu m'importait ce qu'elles voulaient ni comment elles allaient s'y prendre. Je ne pensais qu'à gober une poignée de cachets et me glisser sous les couvertures.

Lizzie discutait avec Tolliver de Victoria Flores. Ce nom me rappela quelques souvenirs.

— C'est vraiment ce que vous avez vu ? me demanda Katie. Vous ne nous menez pas en bateau ? On ne vous a pas payée pour nous jouer un mauvais tour ?

— Au cas où vous ne l'auriez pas encore compris, je ne plaisante jamais. Je ne prends pas l'argent des autres pour proférer des bêtises. Bien sûr que je l'ai vu. Ce n'est pas le genre de chose qu'on invente.

Lizzie s'était emparée du petit bloc-notes près du téléphone et du stylo de pacotille du motel pour inscrire les coordonnées de Victoria Flores.

— Elle a déménagé récemment, précisa Tolliver. Mais le numéro est toujours bon.

Je baissai le nez pour cacher ma surprise.

Enfin, les sœurs Joyce s'en allèrent. Je me demandai si elles allaient passer la nuit à Dallas ou tenter de regagner leur ranch, qui n'était pas tout près. Si elles traînaient dans les parages, elles s'offriraient sans doute un palace. À moins qu'elles n'aient un appartement en plein centre-ville.

Tolliver avait fermé la porte derrière elles et se rasseyait devant l'ordinateur.

— Victoria Flores, marmonnai-je.

Je n'avais pas besoin d'insister.

— Je l'appelle de temps en temps. Parfois, elle a du nouveau. En général, ses pistes ne mènent nulle part. Elle m'envoie une facture. Je la règle.

— Et tu as omis de m'en parler parce que... ?

— Tu te mets dans tous tes états. À quoi bon ? D'ailleurs, elle ne téléphone que deux fois par an. Je ne veux pas t'infliger ce supplice chaque fois.

Je repris mon souffle. Je l'aurais volontiers étranglé. La façon dont j'appréhendais les éventuelles nouvelles de ma sœur ne concernait que moi. Souffrir pour elle était mon droit.

D'un autre côté... Tolliver n'avait pas tort. N'étais-je pas mieux depuis que j'avais pris du recul ? N'étais-je pas plus calme, plus heureuse maintenant que j'avais décidé d'attendre de localiser Cameron à ma manière ? N'avait-il pas raison de chercher à m'épargner quitte à me tenir dans l'ignorance ?

Raisonnement alambiqué, certes. Mais je me comprenais autant que je comprenais Tolliver. Je ne pouvais pas lui en vouloir.

Je finis par hocher la tête. Il parut soulagé car ses épaules se décontractèrent et il souffla. Il s'assit sur le bord du lit pour ôter ses chaussettes, puis les jeta dans le sac à linge sale, ce qui me fit penser que nous devions racheter de la lessive.

Dix pensées de la sorte me traversèrent l'esprit pendant que je me préparais pour la nuit. J'étais en train de lire les romans de Charlie Huston et de Duane Swierczynski mais ils avaient sur moi l'effet d'une dose massive de caféine. Je n'avais pas besoin de ça. Je me contentai donc d'ouvrir un cahier de mots croisés. Je me couchai sur le ventre, absorbée par ma grille. Tolliver est plus doué que moi et j'avais du mal à me retenir de lui poser des questions.

Encore une soirée palpitante de la vie de Harper Connelly, songeai-je. Et j'en étais heureuse.

4

Nous devions emmener Gracie et Mariella patiner le lendemain après-midi, dimanche, mais pas avant 14 heures. Le samedi matin, elles doivent ranger leur chambre et accomplir un certain nombre de corvées avant de sortir ; le dimanche, elles doivent aller à la messe et déjeuner en famille. Ce sont les règles incontournables de tante Iona. Pas si mauvaises que ça, au fond. J'avais pris une douche après mon jogging matinal et m'apprêtais à m'habiller quand le portable de Tolliver sonna. Il traînait encore au lit. Je décrochai.

— Allô ? Harper, je suppose ?

Je reconnus tout de suite sa voix.

— Oui. Il n'est pas encore levé. Comment allez-vous, Victoria ?

Les arrière-grands-parents de Victoria ont émigré du Mexique. Née et élevée au Texas, elle n'a pas l'ombre d'un accent.

— Contente de vous entendre. Je n'ai rien de nouveau au sujet de votre sœur, malheureusement. Mon appel concerne les clientes à qui vous avez recommandé mes services. Les Joyce.

— Elles ont déjà pris contact avec vous ?

— Ma chère, elles sont déjà passées me voir à mon bureau et m'ont signé un chèque.

— Tant mieux. Mais ce n'est pas moi qu'il faut remercier. C'est Tolliver qui leur a donné vos coordonnées.

— C'est ce que m'a dit Lizzie. Cette femme est une Texane pure et dure, n'est-ce pas ? Et sa sœur, Kate ? J'ai l'impression qu'elle en pince pour votre frère.

— Il n'est pas mon frère, répliquai-je machinalement alors que je l'ai longtemps considéré comme tel.

Je repris mon souffle.

— D'ailleurs, nous sommes fiancés.

Tolliver se roula sur le côté et me fixa d'un œil perçant.

— Ah... euh... c'est... épatant ! Félicitations !

Victoria ne semblait pas franchement enchantée. Avait-elle eu des vues sur Tolliver, elle aussi ?

— Prévenez-moi de la date du mariage dès que vous aurez publié les bans, d'accord ?

— Nous n'en sommes pas là, répondis-je, décontenancée... Voulez-vous que je vous passe Tolliver ? Il est à mes côtés.

Il secoua vigoureusement la tête mais accepta de prendre le combiné que je lui tendais.

— Victoria ! Bonjour ! Non, non, j'étais réveillé. Oui, nous sommes ensemble... Nous n'avons pas encore décidé d'une date mais ça ne saurait tarder. Rien ne presse.

Il me regarda droit dans les yeux. *D'accord, Tolliver, j'ai capté. Pas de pression.* Sauf que... qui avait été le premier à annoncer à Iona que nous allions nous marier ? Je lui tournai le dos et fis mine de fouiller dans ma valise.

Au bout de quelques secondes, je sentis un doigt qui m'effleurait en un endroit fort intéressant. Je me figeai.

Une attaque sexuelle furtive. Grande nouveauté. Mon corps décida que cela me plaisait et je ne cherchai pas à m'écarter ni à repousser la main de Tolliver. Ses caresses devinrent plus agressives, plus rythmées. Oh, oh, oh ! Je me tortillai. Puis je sentis sa chaleur derrière moi. Il continuait à bavarder avec Victoria mais semblait de plus en plus distrait.

— Oui, je rappellerai. J'ai un double appel.

Il éteignit l'appareil et quelque chose de plus substantiel remplaça ses doigts.

— Tu es prête ? murmura-t-il d'une voix rauque.

— Oui.

Je plaquai mes paumes contre le mur et m'abandonnai. Tolliver est un adepte des surprises.

Quand nous nous sommes rendu compte que nous nous plaisions, j'avais assez peu d'expérience. Mais j'apprends beaucoup de lui et cette aventure me permet de le voir sous un tout autre jour. Je croyais le connaître par cœur. Je me trompais.

Je poussai un petit cri et il m'imita presque aussitôt.

— Pourquoi Victoria a-t-elle téléphoné, selon toi ? lui demandai-je lorsque j'eus retrouvé l'usage de la parole.

Nous nous étions écroulés sur le lit, tendrement enlacés.

— Je trouve bizarre qu'elle ait seulement voulu te remercier. Elle aurait pu t'envoyer un SMS ou un mail.

Je déposai un baiser sur sa gorge.

— Tu l'as toujours fascinée.

— Euh... ah bon ? Comment ça ?

— Ne t'inquiète pas, je ne pense pas qu'elle soit gay ou bi. Mais elle est captivée par ton talent, ton histoire. Cent fois, elle m'a demandé comment tu t'y prenais, ce que tu ressentais, quels étaient les effets physiques.

— Elle ne m'a jamais posé la moindre question.

— Un jour, elle m'a avoué qu'elle n'osait pas, par peur que tu la soupçonnes de te considérer comme un monstre.

— Comme si j'étais en fauteuil roulant ou si j'avais une tache de naissance sur la figure ? Quelque chose dont je pourrais avoir honte ?

— Je crois surtout que c'est une femme sensible et qu'elle craignait de te mettre mal à l'aise. À mon avis, Victoria est en admiration devant toi.

Son ton était un peu réprobateur et je le méritais bien. Après tout, si Victoria avait cherché à m'épargner, je ne pouvais guère lui en vouloir.

— Je m'étonne qu'elle ne se soit pas adressée à la source.

Sous-entendu : Victoria avait trouvé ce prétexte pour discuter avec Tolliver mais mon problème ne l'intéressait guère. Il devina où je voulais en venir.

— Je n'ai pas l'impression qu'elle est attirée par moi. C'est toi. Victoria a quelque chose de mystique. Ton don l'interpelle.

— Comme de voir la Vierge Marie sur une tartine ou un truc du genre ?

— Un truc du genre.

— Ha ! Dans ce cas, elle devrait nous accompagner dans un cimetière. Elle serait aux premières loges. Elle nous a beaucoup aidés ces dernières années. Cela ne m'ennuierait pas.

Ce fut au tour de Tolliver d'être étonné.

— Je le lui dirai. Je suis sûr que cela lui plairait.

Il frotta son menton sur le sommet de mon crâne. Je dessinai des cercles autour de ses mamelons avec mon pouce et il gémit. Je me dis qu'il était temps d'aller me doucher car nous devions bientôt aller chercher les filles mais je décidai de repousser l'échéance de quelques minutes. Nous avions tout notre temps. J'essayai d'imaginer Victoria Flores nous accompagnant dans un cimetière. Il faudrait que ce soit un jour où je... bon, d'accord, je sais que cela peut paraître bizarre mais quand je n'ai pas travaillé depuis un moment, je vais au cimetière pour m'entraîner.

La présence de Victoria ne devrait pas me gêner.

— Je suppose que comme la plupart des détectives privés de nos jours, elle s'est mise à l'informatique ?

— Encore Victoria ? Oui, je crois. Elle a mentionné un technicien qu'elle a engagé à mi-temps.

Je restai couchée pendant que Tolliver allait se laver et s'habiller.

Victoria Flores allait peut-être pouvoir nous rendre un grand service.

Saurait-elle retrouver le bébé disparu, ce bébé dont nous ne savions rien ? Que Mariah Parish ait mis au monde un enfant vivant ne signifiait rien pour moi, pourtant j'étais d'accord avec les Joyce : elles devaient tenter de le retrouver. Je doutais qu'il fût le fils du grand-père. D'un autre côté, si Lizzie et Katie étaient prêtes à croire que Richard Joyce avait conçu un enfant avec sa gouvernante, cette hypothèse était plausible. Mais ce n'est pas elles que j'avais regardées en annonçant les causes du décès de Mariah Parish. C'était leur frère et l'amant de Lizzie : or tous deux avaient paru très inquiets. À propos de quoi ? Je ne le découvrirais peut-être jamais. Mais je comptais sur Victoria.

Peut-être avaient-ils tous deux couché avec la gouvernante. Peut-être l'un d'entre eux l'avait-il engrossée ? Ou peut-être avaient-ils aidé à enterrer le nourrisson ou le faire adopter ?

Quel que soit le rôle du frère – Drexell – dans cette affaire, cela ne me concernait en rien et rechercher ce bébé n'était ni de mon ressort ni de mon domaine d'expertise – sauf s'il était mort. Je songeai à proposer mon assistance à Victoria. Mais les nouveau-nés sont difficiles à repérer. Leur voix est si faible. Ils se font mieux entendre lorsqu'ils sont ensevelis auprès de leurs parents.

Je chassai ces pensées de mon esprit et me dépêchai de me préparer pour aller m'occuper des filles. Elles se précipitèrent jusqu'à la voiture dès qu'elles l'aperçurent dans l'allée. Elles semblaient heureuses et ravies de passer l'après-midi avec nous.

— J'ai eu un A en contrôle d'orthographe ! lança Gracie.

Tolliver la félicita et je lui souris. Mais sur la banquette arrière, Mariella demeurait silencieuse et renfrognée.

— Qu'est-ce que tu as, Mariella ?

— Rien.

— Elle est collée demain, dit Gracie.

— Pourquoi, Mariella ? demandai-je d'un ton neutre.

— La directrice prétend que j'ai perturbé la classe, bougonna Mariella sans me regarder.

— Est-ce vrai ?

— C'était à cause de Lindsay.

— Une brute ! renchérit Gracie. On ne doit pas laisser les autres se moquer de nous, n'est-ce pas ? C'est mal.

— Nous en reparlerons plus tard, déclarai-je.

J'eus l'impression que Mariella se détendait légèrement. Je ne suis pas habituée à ce genre de problème. Je n'ai pas d'enfants autour de moi. Cependant, je me rappelle qu'à l'âge de Mariella, un problème de cet ordre m'aurait rongée.

Une fois parvenus à la patinoire, Tolliver m'interrogea du regard et j'inclinai la tête vers Gracie.

— Viens, Gracie, allons chercher nos patins ! proposa-t-il.

Elle le suivit sans rechigner et lui prit même la main. Je restai un peu en arrière avec Mariella.

— Raconte-moi tout.

Comme je m'y attendais, ce n'était pas grand-chose. Lindsay avait offusqué Mariella en affirmant qu'elle avait été adoptée parce que son père était en prison. Mariella l'avait gratifiée d'un coup de poing dans l'estomac ce qui, de mon point de vue, était la meilleure des réactions. La directrice n'était pas de cet avis : Mariella aurait dû fondre en larmes et courir rapporter la scène à son institutrice. Gros dilemme : devais-je suivre mon instinct ou soutenir la position de l'école ? Si j'avais été une vraie maman, j'aurais peut-être su quoi faire. Je me contentai d'inspirer profondément.

— C'est méchant de la part de Lindsay. Tu n'es en rien responsable des actes de ton père biologique.

Mariella opina, mâchoires serrées. Le portrait craché de Matthew, constatai-je malgré moi.

— C'est ce que j'ai dit à la directrice. C'est ce que maman m'a conseillé de répondre. J'aurais dû le dire à Lindsay. Cette fille est odieuse.

J'attribuai un bon point à Iona pour avoir préparé Mariella à la cruauté des autres enfants.

— À ta place, j'aurais sans doute frappé Lindsay, moi aussi. D'un autre côté, chaque fois que tu tapes quelqu'un, tu risques d'être punie.

— Donc, j'ai eu tort ?

— Ce n'est pas le meilleur moyen de résoudre un problème. Qu'aurais-tu pu faire d'autre ?

— J'aurais pu en parler avec ma maîtresse. Mais alors, il aurait fallu que je lui parle de mon père biologique et elle aurait fait la grimace.

— Mmm...

— J'aurais pu lui tourner le dos et m'en aller mais Lindsay aurait recommencé.

— En effet.

Mariella était plus perspicace que je ne l'avais imaginé. Et elle était heureuse de pouvoir discuter avec quelqu'un qui ne remettait pas systématiquement ses préoccupations entre les mains de Dieu.

— J'aurais pu... je ne sais pas.

— Moi non plus. Tu as agi selon ton instinct et cela n'a pas joué en ta faveur. Et Lindsay ?

— Elle a été privée de quatre récréations.

— Pas mal, non ?

— Oui. Mais ça aurait été mieux si elle avait tenu sa langue dès le départ.

— Tu as raison. Ce n'est pas ta faute si ton père biologique se droguait. Tu en es consciente. Toutefois, certains enfants ont du mal à comprendre ce que c'est d'avoir des parents qui font des bêtises. Ils ont de la chance, ils ne se rendent pas compte à quel point. Quand ils veulent faire du mal, c'est la première chose à laquelle ils pensent. Nous avons vécu cela aussi, Mariella. Tolliver et moi. Quand tu étais toute petite. Tout le monde à l'école savait que notre père et notre mère étaient de mauvais parents.

— Même les enseignants ?

— Sans doute pas. Ils ont dû deviner. Mais les enfants étaient tous au courant. Certains des adolescents venaient chez nous acheter de la drogue.

— Ils vous disaient des méchancetés ?

— Parfois. D'autres étaient persuadés que nous nous droguions, nous aussi. Ceux-là nous connaissaient mal. Nous avions des amis, aussi.

Pas beaucoup.

— Tu sortais avec des garçons ?

Du calme ! Elle n'avait même pas encore ses règles ! Je faillis paniquer.

— Oui. Mais jamais avec un garçon qui voulait coucher avec moi tout de suite. Plus tu seras prudente, plus tu auras la réputation d'être une fille qui...

— Tient bon, compléta solennellement Mariella.

— Pas exactement. Parce que si tu « tiens bon », cela signifie qu'un jour ou l'autre tu céderas, que tu attends celui qui saura quoi dire pour que tu écartes les cuisses. Dans ton esprit, ce ne doit même pas être une *possibilité*.

Si Iona entendait cette conversation, elle sauterait au plafond. C'est justement pour cela que ma sœur s'adressait à moi, pas à Iona.

— Mais alors, personne ne voudra sortir avec moi.

Au secours !

— Qu'ils aillent au diable ! Rien ne t'oblige à fréquenter un garçon qui n'a que cette idée en tête. Il faut qu'il apprécie ta compagnie, que vous vous intéressiez aux mêmes choses, que vous riiez ensemble.

Du moins, en théorie. Quant à la pratique... Mariella était bien jeune pour s'interroger sur ce sujet, non ? Quel âge avait-elle ? Douze ans ?

— Il doit être d'abord un ami.

— Parfaitement.

— Tolliver est ton ami ?

— Mon meilleur ami.

— Mais vous êtes, tu sais bien...

— C'est notre affaire. Quand on s'aime, on n'a pas envie d'en parler avec les autres.

— Ah !

Mariella semblait songeuse. Je me sentais ridicule et maladroite.

Tolliver et Gracie nous attendaient et je me précipitai vers eux.

— Vite ! Les patins ! Les patins ! réclama Gracie, qui trépignait d'impatience.

Une fois dûment chaussés, nous les accompagnâmes sur la glace puis, voyant qu'elles s'accrochaient à la barre, nous nous éloignâmes pour un tour de piste en duo, main dans la main, lentement au début car nous n'avions pas pratiqué ce sport depuis au moins huit ans.

Lorsque nous rejoignîmes les filles, elles se chamaillaient déjà pour savoir qui était la meilleure des deux. Tolliver s'occupa de Mariella et moi de Gracie. Je ne pus l'empêcher de tomber une fois et la deuxième, elle m'entraîna avec elle dans sa chute, mais elle progressait vite.

Nous regagnions les gradins en riant quand je me rendis compte que quelqu'un nous observait : un homme aux cheveux gris d'environ un mètre soixante-dix, solidement musclé. Je m'attardai sur son visage. Je le connaissais. Je plongeai mon regard dans le sien.

— Bonjour, papa, dit Tolliver.

5

Nos sœurs se recroquevillèrent contre nous, les yeux rivés sur leur père biologique avec – du moins, de la part de Gracie – un mélange de haine et d'envie. Mariella paraissait plus hostile. Elle avait crispé les poings.

Il n'était pas *mon* père. Je demeurai relativement indifférente.

— Matthew ! Que fais-tu ici ?

Il contemplait Tolliver et Mariella avec avidité. Il daigna à peine me jeter un coup d'œil. Gracie se ratatina derrière moi.

— Je voulais voir mes enfants. Tous.

Il y eut un long silence. Je digérai le fait que sa voix était claire : pas de langue pâteuse, pas d'incohérences. Peut-être s'était-il repenti comme il l'avait prétendu à Mark. Selon moi, d'ici peu, il rechuterait.

— Mais nous ne voulons pas te voir, rétorqua Tolliver, tout bas.

Nous nous écartâmes pour ne pas gêner les autres patineurs.

— Tu as tâté le terrain à travers Mark et nous n'avons pas réagi. Je n'ai pas répondu à tes lettres. Je suis prêt à

parier qu'Iona t'interdira de rencontrer les filles maintenant qu'elle est légalement leur mère. Et Hank est légalement leur père.

— Mais je suis leur vrai père.

— Tu les as abandonnées, lui rappelai-je en pesant
mes mots.

— J'étais sous pression.

Il tendit la main comme pour caresser la joue de
Mariella mais elle eut un mouvement de recul, agrippée
à son frère comme si elle avait peur de le perdre.

La patinoire n'était pas bondée mais les gens
commençaient à s'intéresser à notre petit groupe. Je me
fichais des spectateurs mais il était hors de question de
créer un scandale devant les petites.

— Il faut que tu t'en ailles, dis-je. Nous ramenons
Mariella et Gracie chez elles. Tu as gâché notre plaisir.
N'envenime pas la situation.

— Je veux voir mes enfants, répéta-t-il.

— Tu les vois. Tu les as vus. À présent, va-t'en.

— Si je m'en vais, c'est à cause d'elles, grommela-t-il.
À bientôt, Tolliver.

Sur ce, il tourna les talons et quitta la patinoire.

— Il nous a suivis, constatai-je, stupidement.

— Il devait nous guetter autour de la maison d'Iona,
devina Tolliver.

Nous nous dévisageâmes et décidâmes par accord
tacite de nous arrêter là. Simultanément, nous reprîmes
notre souffle. C'eût été drôle si nous n'avions pas été
aussi déboussolés.

— Eh bien ! m'exclamai-je d'un ton enjoué… Je suis
contente que ce soit fini. Nous raconterons cet incident
à votre mère, d'accord ? Cela ne se reproduira plus.
Nous nous amusions bien jusque-là, n'est-ce pas ?

J'étais pitoyable mais au moins les filles se remirent à bouger, enlevèrent leurs patins. Elles n'avaient plus l'air de faons aveuglés par les phares d'une voiture.

Pendant le trajet, elles restèrent silencieuses, ce qui ne nous étonna guère. En arrivant devant chez elles, elles descendirent de la voiture et se ruèrent vers la maison comme si elles étaient poursuivies par des snipers. Tolliver et moi leur emboîtâmes le pas plus tranquillement. Bien que n'y étant pour rien, nous n'étions pas pressés de relater cet épisode à Iona et Hank.

Nous ne fûmes pas surpris de les découvrir sur le seuil de la cuisine.

— Que s'est-il passé ? s'enquit tante Iona.

À ma stupéfaction, elle ne semblait pas fâchée mais seulement inquiète.

Inutile de tourner autour du pot. Tolliver plongea :

— Mon père était à la patinoire. J'ignore combien de temps il nous a observés avant que nous ne l'apercevions.

Il haussa les épaules.

— Matthew n'était pas shooté. Il n'était pas agressif. Mais les filles ont accusé le choc.

— Nous passions un bon moment jusque-là, intervins-je.

Je ne sais pas pourquoi, je me sentais obligée de le souligner.

— Nous avons reçu une lettre de lui la semaine dernière, dit Hank. Nous n'avons pas répondu. Jamais je n'aurais imaginé qu'il ferait cela.

Ils se sentaient donc coupables de ne pas nous avoir avertis que Matthew était sorti de prison.

— Il est libre depuis un moment, répliquai-je. Mark nous l'a annoncé quand nous avons dîné avec lui. Mais il ne nous a fourni aucun détail hormis le fait qu'il a du travail et qu'il est sobre.

Sourcils froncés, Iona s'assit à la table.

— Ah, bon ? Mark a des contacts avec son père ?

Nous prîmes place en face d'elle. Incroyable ! Ils ne nous jetaient pas dehors ! Ils ne nous blâmaient en rien !

— Ce Mark, un vrai cœur d'artichaut en ce qui concerne son père, murmura Iona.

J'acquiesçai secrètement. Enfin, pas tant que ça car Tolliver me coula un regard noir. Il me connaît comme sa poche.

— Harper, as-tu réussi à deviner ce qu'il voulait ?

— Que veux-tu dire ?

— Avec ton sixième sens ?

Iona agita la main comme pour éloigner une mouche.

— Je ne suis pas voyante, Iona, sans quoi je saurais ce qu'il cherche. J'aimerais le savoir, moi aussi. Mon don consiste à retrouver les morts.

Trop tard, je vis Mariella par-dessus l'épaule d'Iona. Elle venait de surgir du couloir menant aux chambres. Elle avait les yeux écarquillés. Mais pourquoi ? Qu'avaient pu lui dire Hank et Iona ? Elle pivota sur elle-même et s'enfuit en courant.

La cerise sur le gâteau.

— Alors ? Que te dit ton sixième sens ? insista Iona.

— Rien pour l'instant. Il n'y a pas de morts ici, si c'est la question que tu me poses. Le cadavre le plus proche est si ancien qu'il devait être là avant la fondation de cet État et il est enfoui sous la pelouse de ton voisin. Un Indien, probablement. Il faudrait que je m'en approche pour en avoir la certitude.

Iona et Hank me fixèrent, ahuris. La discussion n'avançait guère.

— Mais ça n'a aucun rapport avec la venue de Matthew à la patinoire aujourd'hui, enchaînai-je. Vous devriez peut-être requérir un mandat contre lui ? Il n'a plus aucun droit sur les filles, non ?

— En effet, répliqua Hank, se remettant plus vite que sa femme. Nous les avons adoptées. Il a renoncé à ses droits.

— Quant à moi, je ne veux pas appeler la police, décréta Iona. Nous en avons par-dessus la tête des flics.

— Vous voulez qu'il revienne ? Qu'il terrorise de nouveau Mariella et Gracie ?

— Non ! Mais nous avons été harcelés par la police au moment de la disparition de ta sœur. Nous ne voulons plus en entendre parler.

Je sais ce que c'est de vouloir éviter les autorités, bien que la plupart de ses représentants soient avant tout des êtres humains qui s'efforcent de mener à bien un travail mal rémunéré. La venue de policiers risquerait de les affoler plus que nécessaire. Après tout, Matthew n'avait aucune raison de leur faire du mal.

— Dans ce cas, nous ne pouvons rien faire d'autre. Nous allons vous laisser, conclut Tolliver.

— Jusqu'à quand serez-vous en ville ? Vous avez un contrat ? s'enquit Iona.

C'était bien la première fois qu'elle ne nous chassait pas !

— Nous pouvons rester encore quelques jours.

Pour l'heure, nous n'avions aucune mission en attente. Mais cela pouvait changer du jour au lendemain.

— Entendu, approuva-t-elle comme si nous venions de signer un pacte. S'il réapparaît, nous vous appellerons.

Que faire ? J'ouvris la bouche pour protester mais Tolliver fut plus rapide que moi :

— D'accord. De toute façon, on se téléphone demain.

— Je vais prendre rendez-vous avec la directrice de l'école, décréta Iona. Ça m'ennuie, mais il vaut mieux que les enseignants soient au courant du retour de Matthew.

J'en fus soulagée. Je remarquai que ma tante paraissait à bout de forces et Hank, terriblement angoissé. Je me rappelai qu'elle était enceinte. Hank accrocha mon regard et me désigna la porte d'un signe de tête. J'en fus agacée car il semblait croire que nous n'étions pas suffisamment subtils pour partir le moment venu.

— À demain ! répéta Tolliver. Salut, les filles ! lança-t-il vers le fond du couloir.

Au bout d'une seconde, je les vis nous observer depuis le seuil de la chambre de Mariella et j'agitai la main dans leur direction. Elles en firent autant, timidement. Elles ne souriaient pas.

Nous montâmes dans notre voiture en silence. Je ne savais pas quoi dire.

— Nous ferions mieux de traîner dans les parages afin de nous assurer qu'il ne va pas les embêter, dit Tolliver au bout d'une centaine de mètres.

— Rien ne l'empêche de patienter deux jours et de ressurgir ensuite, arguai-je.

— S'il l'a décidé, il risque de les suivre partout. Que faire ?

— Il sera plus persévérant que nous. D'ailleurs, que sommes-nous, une armée privée ? En quel honneur serions-nous tout à coup devenus leur meilleure protection ?

— Je suppose qu'ils nous considèrent rompus aux usages du monde et beaucoup plus solides qu'eux, murmura Tolliver après réflexion.

— Sur ce point, ils ont raison. Mais où cela nous mène-t-il ?

— C'est mon père. Je me sens obligé d'être là.

76

— Je le conçois, répliquai-je avec autant de tact que possible. Je comprends aussi que tu veuilles prolonger notre séjour et je l'accepte. Toutefois, nous ne pouvons pas stationner ici indéfiniment, camper devant chez eux dans l'hypothèse où ton père voudrait approcher les filles. À moins qu'il ne se fasse arrêter – et c'est probable car il rechutera –, l'unique moyen de le tenir à l'écart, c'est que Iona et Hank avertissent la police. Et encore, les flics ne peuvent pas surveiller Mariella et Gracie vingt-quatre heures sur vingt-quatre.

— Je sais.

Le ton était abrupt. Je me tus et nous achevâmes notre parcours jusqu'au motel sans un mot.

Rien ne me perturbe plus que d'être en désaccord avec mon frère. Et il faut à tout prix que je cesse de l'appeler mon frère parce que c'est sordide – mais les habitudes sont souvent tenaces.

Dans notre chambre, je me demandai à quoi je pourrais bien m'occuper. Je n'avais pas envie de lire et à moins d'être passionné de sports, la télévision du dimanche soir est un désert. Impossible de me concentrer sur une grille de mots croisés. Je ramassai nos sacs de linge sale.

— Je pars à la recherche d'un Lavomatic !

Je sortis. Si Tolliver s'en offusqua, je ne l'entendis pas. Nous avions besoin d'air, l'un comme l'autre.

Le réceptionniste du motel eut la gentillesse de m'indiquer un vaste et propre établissement à environ deux kilomètres de distance. Nous conservons toujours dans notre coffre un stock de pièces de vingt-cinq cents, de la lessive et des lingettes sèche-linge. J'étais bien préparée.

Une femme rondelette d'un certain âge, aux cheveux d'un blanc immaculé, montait la garde au Lavomatic.

Assise à une petite table, elle était en train de lire. À mon arrivée, elle me salua d'un signe de tête. Comme nous étions en plein week-end, les clients étaient nombreux mais en cherchant bien, je repérai deux machines libres, côte à côte. Je m'emparai d'une chaise en plastique puis, après avoir lancé mes lessives, je m'installai et sortis mon livre de mon sac.

Éloignée de la présence maussade de Tolliver, je pouvais enfin lire. J'ignore pourquoi. Mais j'étais contente de sentir des gens s'affairer autour de moi et réconfortée à la perspective d'accomplir une tâche domestique.

J'étais en paix. Il n'y avait pas de cadavres alentour. Je profitai pleinement de ce merveilleux moment sans bourdonnements dans les oreilles.

De temps en temps, je levai les yeux pour m'assurer que je ne gênais personne. Le cycle d'essorage était presque terminé quand je remarquai une femme de mon âge qui m'observait.

— Vous êtes cette dame ? Cette voyante qui retrouve les morts ?

— Non, ripostai-je instantanément. Ce n'est pas la première fois que l'on me confond avec elle mais moi, je travaille au centre commercial.

C'est la réponse que je donne systématiquement lorsque je me trouve en zone urbaine. Jusqu'ici, ça a toujours marché. Les centres commerciaux y pullulent et l'inquisiteur en déduit généralement que c'est là qu'il m'a croisée.

— Lequel ? insista-t-elle.

Malgré sa tenue négligée, elle était jolie. Et surtout, obstinée.

J'affichai un sourire de circonstances.

— Je regrette mais je ne vous connais pas.

78

Je haussai les épaules comme pour ajouter : « Je suis sûre que vous êtes charmante mais je ne souhaite pas bavarder avec vous. »

Malheureusement, cette fille avait de la suite dans les idées.

— C'est fou ce que vous lui ressemblez ! s'exclama-t-elle, comme si je devais m'en réjouir.

— Ah !

J'entrepris de vider mes machines. J'avais déjà réquisitionné un panier à roulettes.

— Si vous étiez elle, votre frère serait là aussi. J'aimerais beaucoup le rencontrer. Il est très séduisant.

— Le hic, c'est que je ne suis pas elle.

Je jetai toutes mes affaires sur les vêtements mouillés et m'éloignai. Je ne pouvais pas déguerpir avant d'avoir séché mon linge. Je n'avais aucun désir de discuter avec cette inconnue de ma vie, de mes activités, de mon Tolliver.

Elle ne me quitta pas des yeux mais Dieu merci, elle me laissa tranquille. Je fis mine de lire pendant que les machines tournaient, puis d'être absorbée par le tri et le pliage. En ce qui me concernait, elle n'était pas là, tout simplement. Une technique efficace en général.

Je m'apprêtais à regagner la voiture, persuadée d'avoir échappé au pire. Mais non… elle m'emboîta le pas jusqu'au parking.

— Ne m'adressez pas la parole, menaçai-je, troublée et les nerfs à vif.

— C'est vous !

— Fichez-moi la paix !

Je grimpai dans l'habitacle et verrouillai les portières puis j'attendis qu'elle retourne à l'intérieur du Lavomatic pour démarrer. Elle méritait qu'on lui ait volé ses vêtements pendant qu'elle était sortie me reluquer.

Je n'avais plus rien à craindre. Pourtant, je ne pus m'empêcher de vérifier à plusieurs reprises dans mon rétroviseur, au cas où... C'est ainsi que je me rendis compte qu'effectivement, une voiture me suivait. Difficile d'en être certaine car la nuit était tombée. Mais la circulation était dense, les rues parfaitement éclairées et cette Miata grise ne disparaissait pas. J'appuyai sur la touche « raccourci » de mon portable pour prévenir Tolliver.

— Salut !

— Quelqu'un me file.

— Reviens immédiatement. Je t'attends dehors.

Je m'exécutai et comme promis, il était là, planté sur un emplacement vide juste devant notre chambre afin que personne ne nous pique la place. Je me garai, bondis hors du véhicule et me ruai à l'intérieur.

Au bout d'une minute, Tolliver m'appela. Je collai mon œil sur le judas. Il n'était pas seul.

— N'aie pas peur.

Il semblait mécontent. J'ouvris la porte et il entra, son père sur ses talons.

Merde !

Se plaçant à côté de moi, Tolliver pivota vers Matthew.

— Qu'est-ce que tu veux ? Pourquoi as-tu suivi Harper jusqu'ici ?

— Je veux juste te parler, fiston.

Matthew me regarda, essayant de paraître navré.

— Seul à seul ? Il s'agit d'une affaire de famille, Harper.

Il me chassait de ma propre chambre !

— Pas question ! rétorqua Tolliver en posant un bras sur mes épaules. La voici, ma famille.

80

— Je comprends. Voilà… je tiens à te présenter mes excuses. J'ai été un père épouvantable. Je t'ai déçu, de même que les filles de Laurel. Pire, j'ai déçu les enfants que nous avons eus ensemble.

Tolliver et moi demeurâmes immobiles, nos corps se frôlant. Inutile de me tourner vers mon frère car je savais ce qu'il ressentait. Matthew n'avait pas besoin de nous dire qui il avait déçu. Nous étions au courant.

Pourtant, de toute évidence, il attendait une réaction de notre part.

— Rien de nouveau à cela, grogna Tolliver.

— Laurel et moi étions accros à la drogue. Cela n'excuse en rien notre comportement mais c'est une sorte de… de confession. Nous vous avons fait du mal. Je suis ici pour vous demander pardon.

Était-ce une étape obligatoire du programme de réhabilitation de Matthew ? Si oui, il s'y prenait mal. Traquer ses enfants, me poursuivre pour atteindre Tolliver… drôle de façon d'exprimer sa contrition !

Après un long silence, je pris la parole.

— Tu te rappelles le soir où Mariella est tombée si malade ? Nous avons tenté de l'emmener aux urgences mais tu nous as barré le chemin parce que tu ne voulais pas que l'hôpital appelle les services sociaux. Nous étions prêts à ce qu'on nous sépare, tout ce qui comptait pour nous, c'était de la faire soigner.

— Elle s'est rétablie !

— Parce que nous avons passé la nuit à lui donner des bains froids et de l'aspirine !

Matthew parut éberlué.

— Tu ne te souviens de rien, lui reprocha Tolliver. Tu as oublié la fois où nous avons dû dormir dehors pour laisser la place à tes copains. Tu ne te rappelles pas que le jour où Harper a été frappée par la foudre, tu as refusé d'appeler une ambulance.

— Si, ça, je m'en souviens, protesta-t-il en regardant son fils droit dans les yeux. Tu lui as sauvé la vie. Tu l'as ranimée.

— Et toi, tu n'as rien fait, tançai-je.

— J'aimais ta maman.

— Oui, je suis heureuse que tu aies été là pour elle à la fin, raillai-je. Quand elle est morte toute seule, tu étais en prison.

— Et toi ? Tu étais auprès d'elle ? attaqua-t-il avec la vivacité d'un serpent.

— Je n'ai jamais prétendu l'aimer.

— As-tu assisté à ses obsèques ?

S'il croyait amasser des charbons ardents sur ma tête, il se trompait.

— Non. Je ne vais jamais aux enterrements. Pour des raisons évidentes.

Matthew ne comprenait toujours pas. Au fil des ans, il avait grillé quelques-uns de ses neurones. Il étrécit les yeux, l'air interrogateur.

— La présence des morts. Pour moi, c'est un vrai problème.

— N'importe quoi ! Inutile de faire semblant. C'est moi qui suis devant toi. Je te connais. Apparemment, tu réussis à duper les autres mais pas moi.

Matthew afficha une expression destinée à me signaler que nous étions tous au courant de la conspiration.

— Va-t'en ! ordonna Tolliver.

— Allons ! s'insurgea Matthew, sidéré. Fiston, tu ne vas pas me dire que ces histoires de lecture de dépouilles sont vraies ! Enfin quoi, tu peux feindre d'y croire devant des inconnus mais ta sœur est tout sauf une sorcière occulte.

82

— Harper n'est pas ma sœur, du moins pas par le sang. Nous sommes un couple.

Matthew s'empourpra. On aurait dit qu'il allait vomir.

— Vous me donnez la nausée, cracha-t-il.

Il le regretta aussitôt.

Tous ceux à qui nous avions annoncé la nouvelle avaient réagi de cette manière, à un degré plus ou moins fort. Si je m'étais souciée de leur opinion, je me serais sans doute inquiétée pour notre avenir ensemble.

Par chance, je m'en fichais éperdument.

— Il est temps de partir, Matthew, déclarai-je en m'écartant de Tolliver. Pour un junkie alcoolo réhabilité, tu te montres peu tolérant envers les différences de ton prochain.

J'ouvris la porte.

Matthew porta son regard sur son fils, s'attendant à ce que celui-ci me contredise. Tolliver lui indiqua la sortie d'un mouvement brusque de la tête.

— Je te conseille de disparaître avant que je me fâche vraiment, prononça-t-il d'une voix dénuée de toute émotion.

Matthew me fusilla des yeux avant de tourner les talons.

Je refermai la porte à clé derrière lui. Puis je m'approchai de Tolliver et l'étreignis.

— Dommage que personne ne se réjouisse de notre bonheur, murmurai-je pour briser la tension.

J'ignorais ce qu'éprouvait Tolliver. Remettait-il en cause notre relation ?

Maintenant qu'il faisait noir dehors, la fenêtre ressemblait à un gros œil fixant la pièce, d'autant que nous étions au rez-de-chaussée. Tolliver me serra brièvement contre lui avant d'aller fermer les rideaux. Je me sentirais plus à l'aise une fois isolée de la nuit, seule avec lui.

Il se tenait devant la vitre, les bras écartés pour attraper les tentures. J'étais derrière lui, légèrement sur le côté et je m'apprêtais à m'asseoir sur le lit pour délacer mes baskets. C'est alors que dix événements se produisirent en une poignée de secondes. Il y eut un bruit fracassant ; mon visage et ma poitrine me piquaient ; j'étais trempée. Une rafale de vent froid me balaya le visage tandis que Tolliver titubait en arrière, me renversant sur le matelas. Il atterrit sur moi avant de glisser comme une poupée de chiffons jusqu'au sol.

Je me catapultai sur mes pieds si vite que j'en chancelai. J'examinai mon torse glacé. Il était mouillé – non pas de pluie mais de gouttelettes rouges. Mon tee-shirt était bon à jeter à la poubelle. Je me demande pourquoi j'en étais attristée. Mais je dus crier car au fond de moi, j'avais compris qu'on avait tiré sur Tolliver, que j'étais couverte d'éclats de verre et de sang et que notre existence venait de basculer.

6

J'avais dû déverrouiller la porte en entendant frapper car Matthew était dans la chambre. Quant à moi, je n'aidais en rien Tolliver parce que j'étais clouée sur place, les mains tendues devant moi. Je m'étais frotté le visage et du coup, elles étaient pleines de sang. Je n'osais pas toucher Tolliver.

Matthew était agenouillé auprès de son fils. Je m'emparai de mon portable et composai le 911, un geste qui exigea une dose incroyable de concentration. Je criai le nom du motel et l'adresse, précisai que nous avions besoin d'une ambulance de toute urgence puis je prononçai le mot « sniper » parce qu'il venait de me traverser l'esprit.

Une autre pensée me vint et je regrettai d'avoir parlé de sniper au risque d'effrayer le chauffeur. Je la chassai aussitôt et rejoignis Matthew sur la moquette, face à lui, penchée sur le corps inanimé de Tolliver.

On m'avait déjà tiré dessus à travers une fenêtre ; c'est une expérience terrifiante. Cette fois-là aussi, je m'étais retrouvée couverte d'éclats de verre. Mais là, c'était bien pire, c'était la chose la plus horrible qui me soit jamais arrivée parce que la victime était Tolliver. Je songeai à l'étrangeté de la situation : comment un tel événement pouvait-il se produire deux fois ? Puis je m'arrachai à l'horreur pour essayer de me rendre utile. Matthew avait ôté sa chemise. Après l'avoir pliée, il l'appliqua sur l'endroit le plus ensanglanté.

— Tiens ça, imbécile, grogna-t-il.

Je posai les mains sur la compresse improvisée. Elle était déjà détrempée et écarlate.

S'il ne s'était pas rué aussi vite sur la porte, je l'aurais accusé d'avoir commis ce crime mais j'étais incapable de réfléchir. Si cette hypothèse m'était venue, je l'aurais sans doute adoptée sans hésitation.

Tolliver ouvrit les yeux. Il était blême, perplexe.

— Que s'est-il passé ? Que s'est-il passé ? Ma chérie, tu vas bien ?

— Oui, ne t'inquiète pas pour moi. Les secours arrivent, mon bébé.

Jamais, depuis tant d'années que nous vivons ensemble, je n'ai appelé Tolliver « mon bébé ».

— On va te soigner. Tu n'es pas gravement atteint, tu vas t'en sortir.

— Qu'est-ce que c'était ? Une bombe ? Une explosion ? Je... papa, que s'est-il passé ? Harper est blessée.

— Ne t'en fais pas pour Harper. Elle va bien.

Il le palpa, souleva sa chemise pour examiner son torse.

Soudain, les yeux de Tolliver se révulsèrent et son visage s'affaissa.

— *Oh mon Dieu !*

Je faillis déplacer mes mains mais malgré ma panique, je me rendis compte que je devais continuer d'appuyer pour arrêter l'hémorragie. Le temps semblait

86

s'être arrêté mais il ne fallait surtout pas que je me relâche.

— Il n'est pas mort ! brailla Matthew. Il n'est pas mort !

Il en avait pourtant l'air.

— Non. Il n'est pas mort. C'est impossible. Il a été touché à l'épaule droite, loin du cœur. Il ne peut pas mourir.

Je me comportais comme une idiote mais l'heure n'était pas à l'autocritique.

— Non, il ne mourra pas, dit son père.

J'ouvris la bouche pour hurler contre Matthew (je ne sais pas ce que j'aurais pu lui dire) puis la refermai parce que j'avais perçu le son d'une sirène.

Trois personnes firent irruption dans la pièce. Elles poussèrent des exclamations et l'une d'entre elles appela le conducteur de l'ambulance : *Vite ! Par ici !* En tournant la tête vers la gauche, j'apercevais le gyrophare dehors. Tout ce que je voulais, c'était qu'une personne compétente prenne les choses en mains et mette un terme à ce cauchemar.

D'autres cris me parvinrent de l'extérieur tandis que les flics, arrivés en même temps que l'ambulance, incitaient les badauds à reculer, reculer. Puis, enfin, les secouristes déboulèrent et Matthew et moi dûmes nous écarter pour les laisser travailler.

Un policier m'emmena dehors. Je ne me souviens pas d'un seul visage.

— On lui a tiré dessus à travers la fenêtre ! expliquai-je au premier individu qui semblait me poser une question. J'étais juste derrière lui et on lui a tiré dessus à travers la fenêtre.

— Qui êtes-vous ?

— Sa sœur, répondis-je machinalement. Lui, c'est son père. Pas le mien mais le sien.

J'ignore pourquoi je tenais à faire la distinction sinon que je répétais depuis des années à qui voulait l'entendre que je n'avais aucun lien direct de parenté avec Matthew Lang.

— Vous devez vous rendre à l'hôpital, vous aussi. Il faut vous enlever tous ces éclats de verre.

— Quels éclats de verre ? Tolliver a reçu une balle.

— Vous en avez sur la figure.

Je me rendis compte alors seulement que j'étais en compagnie d'un homme d'une cinquantaine d'années. Il avait des rides profondes autour de ses yeux bruns, une grosse bouche et les dents de travers.

— Il faut nettoyer tout ça.

Si ça continue, je vais devoir porter des lunettes de protection tout le temps !

Puis je me retrouvai à l'hôpital, assise dans un box. On avait pris mon portefeuille dans mon sac pour vérifier mon numéro de sécurité sociale. Les questions fusaient de partout mais j'étais incapable de prononcer un mot. J'attendais qu'on me donne des nouvelles de Tolliver et je ne voyais aucun intérêt à parler tant que je ne saurais pas ce qui lui était arrivé. Le médecin qui s'occupait de moi semblait me craindre. Elle papotait sans arrêt, pensant peut-être que le son de sa voix finirait par me détendre.

— Baissez les yeux, s'il vous plaît.

Comme je m'exécutai, je sentis son corps se décontracter. Je me rendis compte que c'était mon regard fixe qui l'avait intimidée. Je rêvais de pouvoir m'échapper de ma carcasse et flotter jusqu'au bout du couloir voir dans quel état était mon frère. Devais-je promettre de rompre avec lui pour lui garantir la vie sauve ? Les sacrifices que l'on accepte quand on a peur reflètent sans doute notre véritable caractère. À moins que ce ne soit celui de notre nature primitive, la représentation de ce que l'on serait si l'on n'avait jamais mis les pieds dans un centre commercial, ou perçu un chèque ou compté sur un tiers pour nous nourrir.

Une femme en blouse rose me demanda si je souhaitais qu'elle joigne quelqu'un de ma famille. Je répondis non car je savais que je me mettrais à hurler si Iona ou Hank se précipitaient à mon chevet.

Matthew avait eu le droit d'accompagner Tolliver. Pas moi ! Il fallait d'abord me soigner ! J'étais tellement en colère que j'avais l'impression que le sommet de mon crâne allait se soulever sous l'effet de l'explosion de mon cerveau. Mais je ne criai pas. Je me maîtrisai. Quand le médecin et l'infirmière eurent terminé, j'eus droit à deux cachets pour soulager la douleur. Je les acceptai en silence et partis à la recherche de Tolliver. Je découvris Matthew dans une salle d'attente, en pleine conversation avec un policier.

Il leva les yeux vers moi tandis que je franchissais le seuil de la pièce. Il avait l'air méfiant.

— Voici Harper Connelly. Elle était dans la chambre avec Tolliver, juste derrière lui, annonça Matthew d'un ton de maître de cérémonie.

À en juger par sa tenue (pantalon, chemise et coupe-vent), le policier était inspecteur. Il était très grand et avait l'allure d'un ex-joueur de football – ce qui s'avéra être le cas. Parker Powers avait été un membre célèbre de l'équipe du lycée de Longview, Texas. Il s'était blessé au bout de sa deuxième année de contrat avec les Dallas Cowboys. Ce qui faisait de lui sinon une star, du moins un notable. J'obtins toutes ces informations dans les dix minutes qui suivirent notre rencontre, grâce à Matthew Lang.

L'inspecteur Powers avait les cheveux châtain clair, bouclés et coupés court, et les yeux bleus. Il portait une alliance.

— Qui a tiré sur vous, à votre avis ? attaqua-t-il d'emblée.

— Je n'en ai aucune idée. J'aurais accusé Matthew, ici présent, s'il n'avait pas ressurgi aussi vite dans la chambre.

— Pourquoi son père ?

— Qui d'autre pourrait vouloir se débarrasser de nous ? ripostai-je, car c'était la manière la plus cohérente d'expliquer mon point de vue. Certes, certains nous reprochent notre métier mais nous sommes honnêtes, nous n'avons pas d'ennemis. Du moins, pas à ma connaissance. Apparemment, je me trompais.

J'ignore comment le flic interpréta cette déclaration mais à un moment ou à un autre, j'avais dû lui décrire notre activité professionnelle. Je n'en ai aucun souvenir.

L'inspecteur Powers se lança dans une interminable séance de questions-réponses : Comment gagnions-nous notre vie ? Depuis combien de temps ? Combien gagnions-nous ? Quelle avait été notre dernière mission ? Là, je dus réfléchir quelques instants avant de me rappeler la visite des Joyce et de la lui relater. Il parut contrarié que nous soyons en bons termes avec un clan riche et puissant.

Un médecin apparut, un homme plus âgé aux cheveux épars et aux traits tirés. Je me levai d'un bond.

— Vous êtes les proches de M. Lang ?

Je fus incapable de répondre. J'attendais la suite. Matthew opina.

— Je suis le Dr Spradling, chirurgien orthopédiste. Je viens d'opérer M. Lang. Dans l'ensemble, les nouvelles sont plutôt bonnes. M. Lang a été touché par une balle de petit calibre, probablement un .22 long rifle. Elle a traversé sa clavicule.

Je poussai un cri. Je ne pus m'en empêcher. Je me comportais comme une idiote.

— J'ai donc agrafé la clavicule. Il a eu de la chance – si l'on peut dire – car ni les nerfs ni les vaisseaux n'ont souffert. Il a parfaitement supporté l'intervention. Je pense qu'il se remettra sans trop de mal. En ce qui concerne la suite, il va devoir rester ici deux ou trois jours. Si tout va bien, s'il n'y a pas de complications, nous le libérerons. Il devrait probablement prendre des antibiotiques par intraveineuse pendant une semaine après sa sortie. Nous pourrons nous arranger pour qu'une infirmière lui prodigue les soins nécessaires mais vous devrez demeurer dans les parages et j'ai cru comprendre que vous n'êtes pas de la région.

Il fixa un point plus ou moins entre nous deux, guettant notre réaction.

Je hochai la tête vigoureusement.

— Nous respecterons vos instructions à la lettre, docteur.

— Où habitez-vous, mademoiselle Connelly ? Je crois savoir qu'il vit avec vous ?

Observant Matthew à la dérobée, je crus qu'il allait prendre le contrôle de la situation. Une terreur intense me submergea. M'autoriserait-on à le voir si Matthew s'y opposait ? Je devais couper à l'atout sa carte de paternité. J'ouvris la bouche et me surpris à proclamer :

— Nous sommes mariés devant la loi. Ce que vous appelez une union informelle.

Le Texas reconnaît l'union informelle et j'étais à peu près sûre que c'était le terme employé. Avec un minimum de chance, le statut d'épouse l'emporterait sur celui de sœur par alliance.

— Nous avons un appartement à Saint Louis. Nous sommes ensemble depuis six ans.

Le médecin s'en fichait complètement. Son but était simplement de me mettre en garde. Il pivota pour s'adresser à moi tout spécialement :

— Il serait plus simple que vous vous installiez à proximité de l'hôpital, le temps qu'il reprenne des forces. Il n'est pas encore tiré d'affaire mais je crois sincèrement qu'il va s'en sortir.

— Entendu.

Je me répétai tout ce qu'il venait de m'expliquer en espérant tout me remémorer. Clavicule fracturée, balle de petit calibre, pas d'autres blessures graves. Trois jours en observation. Antibiotiques par intraveineuse administrés par une infirmière à domicile. Prendre une chambre plus proche de l'établissement.

— Ils peuvent séjourner avec moi et leur frère, proposa Matthew.

Le Dr Spradling acquiesça distraitement, indifférent aux détails. J'aurais pu lui assurer qu'il n'en était pas question mais ce n'était pas le moment de régler nos différends familiaux.

— La seule condition, c'est qu'il soit accompagné d'une personne responsable. Il aura besoin de tranquillité et de confort. Il devra se lever et se déplacer plusieurs fois par jour, prendre ses médicaments à l'heure, éviter l'alcool et manger sainement. J'insiste : si tout va bien. Nous en saurons davantage demain.

J'opinai avec enthousiasme, tremblante d'angoisse.

— Je dormirai auprès de lui cette nuit.

Le médecin, qui se détournait déjà, arbora une expression forcée de compassion.

— Comme il sort du bloc, il sera surveillé de très près. Et il ne se réveillera pas. Je vous conseille de rentrer, de vous changer, de vous reposer et de revenir dans la matinée. Laissez-nous un numéro de téléphone, on vous contactera au moindre problème.

Je m'examinai. J'étais couverte de sang séché. J'étais dans un état pitoyable. Pas étonnant que tout le monde regarde ailleurs en passant devant moi ! J'empestais le sang et la peur. Et j'avais besoin de notre voiture. Aussi, contre mon gré, je priai Matthew de me ramener au motel.

À mon retour, les techniciens avaient passé notre chambre au peigne fin. Lorsque je pénétrai dans le hall d'entrée, je fus accueillie par la directrice, une Afro-Américaine cinquantenaire à la coupe courte et aux manières affables. Afin d'épargner d'éventuels clients, elle m'entraîna dans une petite pièce sombre derrière le comptoir de réception où elle m'invita à m'asseoir avant de me présenter un café que je ne me rappelais pas lui avoir demandé. D'après son badge, elle s'appelait Denise.

— Mademoiselle Connelly, déclara-t-elle avec sérieux et sincérité, si vous me donnez votre consentement, j'enverrai Cynthia rassembler vos affaires.

Elle reprit son souffle avant de poursuivre :

— Veuillez accepter nos regrets quant à cet incident abominable. Nous voulons vous faciliter au mieux les choses. Nous sommes conscients que vous avez d'autres soucis.

Je saisis enfin où elle voulait en venir. Denise tâtait le terrain pour savoir quelles étaient nos intentions vis-à-vis du motel. Je pense qu'elle était réellement bouleversée par l'incident.

Dès que Cynthia fut expédiée dans notre chambre pour récupérer ce qui pouvait l'être (à mon immense soulagement, Matthew décida de s'y rendre avec elle), Denise entra dans le vif du sujet :

— Vous n'avez peut-être pas envie de rester ici une nuit de plus, mademoiselle Connelly, mais dans le cas contraire, nous nous réjouirions de vous garder.

Je n'y croyais pas une seconde mais je ne pouvais guère lui en vouloir.

— Naturellement, si vous décidez de prolonger votre séjour, nous vous proposerons à nos frais une chambre comparable en guise de réparation pour... le dérangement, bredouilla-t-elle.

Je faillis sourire.

— C'est un euphémisme. J'accepte votre offre mais je partirai dès demain matin. Je dois me rapprocher de l'hôpital.

— Comment va M. Lang ?

J'expliquai à Denise qu'il allait le mieux possible.

— Quelle bonne nouvelle ! s'exclama-t-elle.

Elle semblait rassurée à plus d'un égard et je pouvais difficilement le lui reprocher.

Ce problème étant réglé, j'étais pressée d'intégrer ma nouvelle chambre et de me laver. La directrice appela Cynthia sur son portable et lui donna l'ordre de transférer nos bagages au 203.

— J'ai pensé que vous vous sentiriez plus en sécurité à l'étage, annonça-t-elle en raccrochant.

— Vous avez raison.

Je repensai au trou noir de la fenêtre et un frémissement me parcourut. J'avais mal au visage et aux épaules, j'étais maculée de taches de sang séché et tout à

94

coup, je me mis à frissonner, maintenant que le choc était passé.

Matthew reparut.

— Tes affaires sont au 203 et rien ne semble manquer dans ton sac.

L'idée que Matthew ait ouvert mon sac me déplaisait mais il nous avait été d'un précieux secours ce soir, et je lui étais redevable. Je remerciai Denise et, munie de ma nouvelle carte à puce, me dirigeai vers l'ascenseur en compagnie de Matthew.

— Merci, marmonnai-je tandis que les portes s'ouvraient sur le coin des distributeurs de boissons, d'en-cas et de glaçons.

Un couple nous croisa et accéléra en me voyant.

— De rien, répondit Matthew. Le coup de feu a éclaté, puis je t'ai entendue crier. J'ai couru comme un malade.

Il rit tout bas. Je ne m'étais pas rendu compte que j'avais hurlé.

— Tu n'as vu personne sur le parking ?

— Non. Et ça me rend fou parce que le tireur était forcément tout près de moi.

Je décidai de réfléchir à cela plus tard.

— Je te verrai sans doute à l'hôpital demain si tu peux prendre du temps sur ton boulot.

À cet instant, tout ce que je voulais, c'était me retrouver seule.

— Veux-tu que je téléphone à Iona ?

— Non !

Il s'esclaffa, d'un rire un peu rauque semblable à celui de Tolliver.

— Désolé de te le dire mais tu es très dépendante de mon fils.

J'eus l'impression qu'il avait déchiffré mes pensées et éprouvai un sursaut de colère.

— Ton fils est mon amant et ma famille. Nous ne nous sommes pas quittés depuis des années. Tu n'étais pas là pour nous aider.

— Mais tu dois pouvoir te débrouiller sans personne, déclara-t-il de ce ton moralisateur commun à tous ceux qui suivent une thérapie.

Ce commentaire ne fit qu'accroître ma fureur. Je ne suis pas une fille ordinaire mais je suis moins fragile qu'il n'y paraît. Ou peut-être que si, mais ce n'est pas le problème de Matthew Lang.

— Tu n'as pas le droit de me sermonner sur ma façon de vivre ou d'être. Tu n'as aucun pouvoir sur moi. Tu n'en as jamais eu. Tu n'en auras jamais. Merci d'être intervenu ce soir. Je suis heureuse que tu aies enfin fait quelque chose pour ton fils bien qu'il ait fallu qu'il reçoive une balle dans l'épaule pour cela. À présent, j'aimerais que tu t'en ailles car j'ai besoin d'une bonne douche.

J'insérai ma carte dans la fente et la porte s'ouvrit. Toutes les lampes étaient allumées, le chauffage aussi. Nos valises étaient par terre au pied du lit.

Matthew me salua d'un signe de tête et s'éloigna sans un mot de plus. Tant mieux. Je regardai le bagage de Tolliver et me mis à pleurer. Mais je m'obligeai à bouger, à pénétrer dans la salle de bains, me déshabiller. Je pris un bain et mis mon pyjama.

Je téléphonai à l'hôpital : l'état de Tolliver était stable. J'insistai pour qu'on me prévienne immédiatement en cas de changement. Je branchai le portable pour le recharger et me couchai, l'oreille aux aguets.

Il ne sonna pas de toute la nuit.

Le lendemain, sur le chemin du *McDonald's*, je m'aperçus que je devais appeler Iona pour lui raconter les événements. Sans quoi, elle apprendrait la nouvelle par les journaux. Je n'attendais rien de sa part et trouvai étrange de devoir rapporter les faits à quelqu'un. Tolliver et moi sommes habitués à notre indépendance. Si nous n'avions pas été dans la même zone urbaine, je n'aurais pas envisagé une seconde d'avertir Iona. J'arrivai tôt à l'hôpital. Tolliver dormait, aussi je regagnai le hall pour pouvoir utiliser mon portable. La réception étant mauvaise, je dus sortir avec les fumeurs. La journée était froide et claire, le ciel d'un bleu intense.

Je consultai ma montre et me dis qu'Iona n'était pas encore partie pour son travail. Elle n'était pas contente de m'entendre à une heure pareille et me le fit savoir.

— Tolliver s'est fait tirer dessus hier soir.

Il y eut un long silence.

— Comment va-t-il ? demanda-t-elle enfin, à contrecœur.

— Il va s'en sortir. Il est dans une chambre normale à l'hôpital God's Mercy. On lui a opéré l'épaule. Il devra y rester encore deux jours, d'après le médecin.

— Bon... inutile de le dire tout de suite aux filles. D'ailleurs, Hank les a déjà emmenées à l'école. Nous en parlerons avec elles quand elles rentreront.

— À ta guise. Je dois téléphoner à Mark.

Je raccrochai brusquement, excédée et déçue. Non pas que j'aie voulu inquiéter mes demi-sœurs, surtout après l'incident à la patinoire... mais je me rendais compte que mon interaction avec elles serait toujours réglée par le troll accroupi de l'autre côté du pont-levis qui me menait à elles. La métaphore était méchante : je devrais me féliciter *chaque jour* qu'elle et Hank aient eu le courage d'élever deux fillettes issues d'un milieu aussi difficile.

Mais passer par Iona équivalait à soulever des montagnes.

Pour la première fois, je songeai que Tolliver avait peut-être raison. Nous ferions mieux de nous éclipser, de nous contenter de leur envoyer des cadeaux à Noël et des cartes pour leurs anniversaires.

Mark répondit d'une voix pâteuse et je m'empressai de revenir sur terre. Il avait travaillé tard dans la nuit, il n'était donc pas très cohérent mais je fis en sorte qu'il saisisse l'essentiel et note le nom de l'hôpital. Il me promit de passer dès que possible, sans doute en fin de matinée.

Il ne me restait plus qu'à remonter dans la chambre regarder Tolliver dormir. Bien entendu, j'avais un livre avec moi. J'essayai de m'y plonger un moment mais je perdais constamment le fil de la narration. Pour finir, je le rangeai et contemplai Tolliver.

Il n'est jamais malade et jamais il n'a été aussi gravement blessé. Entre les bandages, la perfusion et la pâleur de son teint, il avait l'air d'un étranger, comme si un être venu d'ailleurs avait usurpé son corps. Je le fixai, priant pour qu'il se réveille, qu'il se redresse, qu'il reprenne toute sa vigueur.

Peine perdue, vous l'imaginez bien.

Désormais, je devais prendre les choses en main. Vu l'état de mon frère, c'était à moi de m'occuper de lui, de nous. Heureusement que nous avions prévu de rester plusieurs jours au Texas ; nous n'avions aucune mission qui nous attendait. Toutefois, il faudrait que je vérifie si nous avions de nouveaux messages sur l'ordinateur. Il faudrait que je fasse *tout*. Aussitôt, je m'inquiétai : et si j'oubliais quelque chose de fondamental ? Quelle importance ? Tant que je réussirais à maintenir les rendez-vous et surveiller la jauge d'essence de la voiture, je pourrais être fière de moi.

Le Dr Spradling arriva enfin. Tolliver bougeait depuis quelques instants, il était sur le point de se réveiller. Le médecin paraissait encore plus harassé que la veille. Il me salua d'un signe de tête avant de s'approcher du lit.

— Monsieur Lang ? s'enquit-il d'une voix pénétrante.

Tolliver ouvrit les yeux. Ignorant le Dr Spradling, il posa son regard sur moi et sa bouche se décontracta.

— Comment vas-tu, mon bébé ? murmura-t-il en me tendant le bras.

Je me plaçai de l'autre côté du lit et pris sa main gauche entre les deux miennes.

Le Dr Spradling se concentra sur la fiche de Tolliver tout en écoutant notre conversation.

— J'ai mal à l'épaule. Que t'est-il arrivé ? La fenêtre a explosé. Quelqu'un l'a fracassée avec une brique ? Tu as des coupures sur le visage.

Tant pis si je manquais de tact !

— On t'a tiré dessus, Tolliver. J'ai reçu quelques éclats de verre, c'est tout. Ne t'inquiète pas. Tu vas guérir vite.

Il parut troublé.

— Je ne me souviens de rien. On m'a tiré dessus ?

— Sa mémoire va revenir, tenta de me rassurer le Dr Spradling, tandis que je clignais des yeux et tentais de ravaler mes larmes. C'est un effet secondaire relativement commun. Monsieur Lang, je vais examiner votre plaie.

Une infirmière surgit et les minutes qui suivirent furent franchement désagréables. Une fois son pansement refait, Tolliver paraissait épuisé.

Le Dr Spradling se déclara satisfait :

— Monsieur Lang, vous évoluez comme je l'avais espéré.

— Je me sens si mal, murmura-t-il.

Il ne se plaignait pas vraiment, il semblait surtout inquiet.

— Recevoir une balle n'est pas anodin, monsieur Lang, expliqua Spradling en m'adressant un demi-sourire. Ce n'est pas comme à la télévision où les protagonistes bondissent de leur lit et se lancent à la poursuite des méchants.

Tolliver le dévisagea, perplexe. Spradling pivota vers moi.

— Il devra encore rester demain. Nous aviserons ensuite. Il aura peut-être besoin de suivre une kinésithérapie.

— Mais il récupérera l'usage complet de son bras ? m'exclamai-je en prenant conscience tout à coup de la gravité de la situation.

— Probablement, si tout se passe comme prévu.

— Ah ! marmonnai-je, abasourdie. Que puis-je faire ?

Le Dr Spradling parut soudain aussi désemparé que Tolliver. De toute évidence, il estimait que je ne pouvais pas grand-chose sinon payer la facture.

— Tout dépend de lui. Votre partenaire.

Ce jour-là, j'en voulais à tous les médecins du monde car aucun ne pouvait me fournir une réponse claire et nette. Au fond de moi, je savais que le Dr Spradling faisait preuve de logique et de réalisme et que je devais lui en être reconnaissante. Malheureusement, mes émotions l'emportaient sur la raison.

Je parvins à me maîtriser et le Dr Spradling nous quitta en nous saluant d'une main. Tolliver était toujours aussi déboussolé mais il s'assoupit. Ses paupières tressautaient au moindre bruit dans le couloir mais il ne se réveilla pas. Que faire ? J'étais penchée sur lui, en train d'essayer d'échafauder un plan, n'importe lequel, quand Victoria Flores entra après avoir frappé légèrement à la porte.

Victoria a trente-sept, trente-huit ans. Ex-officier de la police de Texarkana, elle est à la fois belle et voluptueuse. Je l'ai toujours vue en tailleur et talons. Elle a un code vestimentaire bien à elle. Ses cheveux noirs sont lissés en une coupe au carré mi-longue. Ce jour-là, elle arborait un tailleur rouge terne sur un chemisier blanc cassé et de grosses boucles d'oreilles en or.

— Comment va-t-il ?

Pas d'étreinte, pas de poignée de main, pas de préliminaires. Victoria va toujours droit au but.

— Fracture de la clavicule, énonçai-je en tapotant la mienne pour illustrer mon propos. Mais le médecin, qui vient de passer, nous affirme qu'avec quelques séances de kinésithérapie, il devrait récupérer l'usage de son bras. À condition qu'il n'y ait aucune complication.

— Que s'est-il passé ?

Je lui relatai l'incident.

— Quelle a été votre dernière mission ?

— Celle que nous avons accomplie pour les Joyce.

— Je les rencontre plus tard dans la matinée.

Je me gardai d'expliquer ce que j'avais vu au cimetière car les Joyce ne m'en avaient pas donné l'autorisation. Toutefois, j'esquissai pour Victoria les moments que nous avions passés ensemble. Elle était au courant de leur visite à notre motel.

— Ceci pourrait expliquer cela. Et votre contrat précédent ?

— Vous vous rappelez ce serial killer, ces garçons torturés et tués en Caroline du Nord ? Tous enterrés au même endroit ?

— C'est vous qui les avez trouvés ?

— Oui. C'était affreux. De surcroît, cette affaire nous a valu beaucoup de publicité – de la pire espèce.

Le bouche à oreille est nettement plus efficace. Faire la manchette des journaux suscite un intérêt éphémère mais essentiellement de la part de gens intrigués par l'inexplicable et le macabre, pas de ceux prêts à payer beaucoup d'argent pour qu'on en parle dans leur quartier.

— Cette fusillade pourrait donc être la conséquence de l'épisode en Caroline du Nord ?

— Maintenant que je l'ai dit tout haut, cela me paraît absurde.

Tolliver n'était pas rasé. Je devrais m'en charger puis le peigner. Je ne voyais pas ce que je pouvais faire d'autre pour me rendre utile.

Il paraissait si vulnérable. Il l'était. J'étais la seule à pouvoir le protéger. À moi d'être à la hauteur.

— Les meurtres de Caroline du Nord ont bouleversé de nombreuses personnes, murmura Victoria, songeuse.

— On a arrêté les assassins. Pourquoi tenterait-on de nous abattre alors que nous avons aidé à rattraper les coupables ?

— Vous êtes sûre qu'ils sont tous derrière les barreaux ? Ces deux hommes étaient les seuls tueurs ?

— J'en ai la certitude, la police aussi. Croyez-moi, l'enquête a été menée avec la plus grande méticulosité. Ils n'ont pas encore été jugés mais le procureur affirme qu'ils seront inculpés.

— Bien.

Victoria contempla Tolliver quelques secondes.

— Dans ce cas, soit vous avez un harceleur sur le dos, soit cela a un rapport avec les Joyce.

Elle marqua une pause.

— Il n'y a rien de nouveau au sujet de votre sœur depuis longtemps. Je doute que l'on puisse établir un lien entre l'enlèvement de Cameron et cet événement.

— Je suis d'accord. La piste des Joyce me paraît la plus plausible. S'ils m'autorisent à vous en parler, je le ferai avec plaisir. À vrai dire, je n'ai pas grand-chose à en dire.

Victoria s'empara de son portable et passa un appel, ce qui, me semble-t-il, est parfaitement interdit dans un établissement hospitalier. Après une brève conversation, elle me tendit l'appareil.

— Allô ?

— Ici Lizzie Joyce.

— Bonjour. Acceptez-vous que je parle à Victoria ?

— J'admire votre sens de l'éthique. Vous avez ma permission.

Elle semblait *amusée* ! Je n'en revenais pas.

— Je suis désolée pour votre manager, continua Lizzie. J'ai cru comprendre que c'était arrivé au motel où nous vous avons rendu visite. Mon Dieu ! Que s'est-il passé, selon vous ? L'agresseur a-t-il tiré au hasard ?

Un souvenir refit surface.

— L'un des policiers m'a signalé qu'il y avait eu une autre fusillade à quelques pâtés de maison de là. C'est donc possible. Mais j'ai du mal à le croire.

— En tout cas, j'en suis navrée pour vous. Si je peux vous aider, n'hésitez pas.

Je me demandai dans quelle mesure son offre était sincère. L'espace d'un éclair, je faillis rétorquer : « Ce séjour à l'hôpital va nous coûter une fortune parce que nous sommes mal assurés. Pourriez-vous régler la note ? Ah ! Et pendant que vous y êtes, auriez-vous la gentillesse de payer la rééducation ? » Je me contentai de la remercier et rendis le cellulaire à Victoria.

J'avais été trop bouleversée jusque-là pour m'appesantir sur l'aspect financier de cette mésaventure. Je plongeai dans le désespoir tandis que Victoria Flores concluait sa conversation avec Lizzie Joyce. Pour la première fois, je pris conscience de l'énormité du problème auquel j'allais être confrontée. Cet épisode marquait la fin de notre rêve d'acheter une maison, du moins dans un avenir proche.

Jamais je ne m'étais sentie aussi déprimée.

Je racontai à Victoria notre visite au cimetière Pioneer Rest. Elle me posa toutes sortes de questions auxquelles j'étais incapable de répondre mais parut enfin satisfaite de m'avoir fait tout cracher.

— J'espère me montrer à la hauteur de leurs espérances, conclut-elle, en proie à son tour à un coup de blues. Je suis stupéfaite qu'ils s'adressent à moi plutôt qu'à une grosse agence mais maintenant que je connais tous les détails, je comprends mieux.

— Vous installer dans la région n'a pas été facile, devinai-je.

— Les propositions abondent mais la compétition est rude. Je suis contente de m'être rapprochée de ma mère. Elle garde souvent ma fille. Et l'école de MariCarmen est d'un niveau bien supérieur à celle qu'elle fréquentait à Texarkana. De plus, j'ai encore du boulot et des contacts là-bas. En fonction de la circulation et de la météo, j'en ai pour deux, trois heures de route maximum.

— Nous ne retrouverons jamais Cameron, n'est-ce pas ?

Victoria ouvrit la bouche, la referma.

— Je ne dirai pas cela. On ne sait jamais quand une piste peut se présenter. Je ne vous mènerai pas en bateau. Vous le savez bien.

104

— Oui.

— Je l'ai toujours à l'esprit. Je me rappelle encore quand je suis passée chez vous interroger Tolliver... je débutais dans mon métier de flic. J'étais persuadée que j'allais vous la ramener très vite, me faire un nom. Ça ne s'est pas produit. Maintenant que je vole de mes propres ailes, je continue à la chercher partout où je vais.

Je fermai les yeux. Moi aussi.

7

Après le départ de Victoria, je m'installai dans le fauteuil près du lit de Tolliver. Ma jambe droite était faible. C'est celle le long de laquelle la foudre a couru ce fameux après-midi alors que le tonnerre grondait dehors. Je me préparais à sortir. C'était un samedi ou peut-être un vendredi. Je m'aperçus tout à coup que mes souvenirs s'estompaient et ce fut un choc.

Je me rappelle que j'étais devant la glace de la salle de bains et que je tenais un fer à friser à la main, dont la prise était branchée près du lavabo. La foudre est entrée par la fenêtre ouverte. L'instant d'après, je me retrouvais à plat dos, à moitié dedans, à moitié hors de la pièce et Tolliver me réanimait. Puis les secouristes ont pris le relais et Matthew leur hurlait dessus. Mark essayait désespérément de le faire taire.

Ma mère s'était évanouie dans sa chambre. En tournant la tête vers la gauche, je l'ai vue affalée sur le lit. L'un des bébés braillait, sans doute Mariella. Cameron était collée contre le mur du couloir, le visage ravagé par les larmes, l'air complètement désemparé. Une odeur bizarre imprégnait l'atmosphère. Les poils de mon bras droit étaient comme des flocons croustillants. J'étais incapable de bouger.

— Votre frère vous a sauvé la vie, m'a dit un homme d'un certain âge, penché sur moi.

Sa voix était lointaine, une sorte de bourdonnement.

J'ai voulu lui répondre mais ma bouche refusait de fonctionner. Je me suis contentée d'opiner.

— Dieu soit loué ! s'est écriée Cameron d'une voix étranglée.

Cette scène me semblait plus réelle que cette chambre d'hôpital à Dallas. Je distinguais parfaitement Cameron : longs cheveux blonds, le regard brun comme celui de papa. Nous ne nous ressemblions pas beaucoup : nos visages et nos yeux étaient de formes différentes. Cameron avait des taches de rousseur sur le nez ; elle était plus petite, plus compacte que moi. Nous étions toutes deux bonnes élèves mais Cameron avait plus de succès que moi. Elle y travaillait.

Je pense que Cameron s'en serait mieux sortie si elle n'avait pas eu le souvenir de la jolie maison de Memphis où nous avions grandi, avant que nos parents ne se laissent entraîner dans une spirale infernale. D'un autre côté, peut-être était-ce précisément cela qui l'avait encouragée à nous pousser de l'avant. Elle ne supportait pas que nous ne paraissions pas propres, bien arrangés et prospères. Elle sautait au plafond quand quelqu'un avait le malheur de soupçonner que tout n'était pas rose à la maison. Parfois, ce désir frénétique de sauver les apparences à l'école la rendait excessive. En toute franchise, elle n'était pas facile à vivre. Cependant elle était d'une loyauté infaillible envers ses frères et sœurs, vrais ou faux. Elle avait décidé coûte que coûte d'élever Mariella et Gracie en accord avec ses réminiscences de notre passé respectable. Cameron s'acharnait constamment à maintenir l'ordre dans notre taudis et j'étais son adjointe dans cette lutte.

Revoir Victoria avait réveillé ma mémoire. Tandis que Tolliver dormait, je repensai aux années durant lesquelles je m'attendais sans cesse à tomber sur ma sœur, où que nous allions. Je m'étais imaginé qu'un jour, je me retournerais dans un magasin et qu'elle serait derrière la caisse. Ou qu'elle serait l'une de ces prostituées que nous croisions un soir. Ou cette jolie maman poussant un landau, celle avec les longs cheveux blonds.

Ce n'était jamais elle.

Un jour je me permis même de demander à une inconnue si elle s'appelait Cameron tant j'étais convaincue qu'elle était ma sœur, avec quelques années de plus. La pauvre a eu très peur. J'ai dû m'éloigner rapidement avant qu'elle n'appelle la police.

Dans tous ces fantasmes, pas une fois je ne m'étais expliqué comment Cameron s'était lancée dans cette seconde vie ni pourquoi elle n'avait donné aucune nouvelle pendant toutes ces années.

Au début, j'étais convaincue qu'elle avait été enlevée par un gang ou des spécialistes de la traite des Blanches, quelque chose d'horrible et de violent. Plus tard, je me suis dit qu'elle en avait peut-être tout simplement eu assez de son existence : les parents inaptes, le logement sordide, la sœur qui boitait, perdue dans son monde, les deux bébés qui réclamaient tant de soins.

Mais la plupart du temps, j'avais la certitude que Cameron était morte.

Je fus arrachée à ma rêverie par l'apparition soudaine d'un des policiers de la veille. Il entra sur la pointe des pieds et jeta un coup d'œil sur Tolliver.

— Comment allez-vous aujourd'hui, mademoiselle Connelly ? chuchota-t-il.

Je me levai car son excès de discrétion me rendait nerveuse. Il n'était pas particulièrement grand, peut-être un mètre soixante-seize, épais et affublé d'une moustache grisonnante. Rien à voir avec son partenaire Parker Powers. Cet inspecteur était d'une banalité à pleurer. J'essayai de me rappeler son nom. Rudy quelque chose. Rudy Flemmons.

— Très bien en comparaison de mon frère, répondis-je en l'indiquant d'un signe de tête. Savez-vous qui a pu lui faire ça ?

— Nous avons ramassé des mégots de cigarette sur le parking mais ils pourraient appartenir à n'importe qui. Toutefois, nous les avons envoyés au laboratoire, au cas où nous aurions à établir des comparaisons ADN. En supposant que les gars du labo réussissent à en identifier une.

Nous contemplâmes le patient un moment. Tolliver ouvrit les yeux, me sourit vaguement, se rendormit.

— Croyez-vous que c'était lui que l'on visait ?

— C'est lui qui a reçu la balle, en tout cas, ripostai-je, troublée par la question.

Évidemment que l'agresseur visait Tolliver !

— Mais c'est peut-être vous que l'on voulait atteindre, suggéra Rudy Flemmons.

— Pourquoi ? m'écriai-je stupidement. Enfin, je veux dire… pourquoi moi ? Sous-entendez-vous par là que Tolliver a été touché par accident, que ça aurait dû être moi ?

— Ça aurait *pu* être vous.

— Et vous basez ce raisonnement sur… ?

— Vous êtes l'élément principal de votre petit groupe de deux. Votre frère n'est que votre personnel de soutien. Vous êtes le talent. Les chances sont nettement plus élevées qu'on vous en veuille plus qu'à M. Lang. Si j'ai bien compris, il n'a pas de petite amie ?

Cet inspecteur était vraiment très étrange.

Je poussai un soupir. *Et on recommence !*

— Si, il en a une.

— Qui est-ce ?

Il ouvrit son carnet.

— Moi.

Flemmons me dévisagea, surpris.

— Pardon ?

— Nous ne sommes pas liés par le sang, expliquai-je pour la millième fois.

— Exact. Vous n'êtes pas issus des mêmes parents.

Un point pour lui. Il s'était documenté.

— Non. Nous sommes partenaires dans tous les sens du terme.

— Bien, bien. J'ai reçu un appel téléphonique intéressant ce matin.

Aussitôt, je fus sur mes gardes.

— Ah, oui ? De qui ?

— D'un inspecteur de la police de Texarkana. Un certain Peter Gresham. C'est un ami.

— Que vous a-t-il dit ?

Au secours ! Je n'avais aucune envie de ressasser une fois de plus l'histoire de la disparition de ma sœur. J'avais déjà assez pensé à elle pour aujourd'hui.

— Qu'il y avait eu un coup de fil concernant votre sœur.

— De quel genre ?

Vous n'imaginez pas le nombre de mauvais plaisantins qui peuplent le monde.

— Quelqu'un l'aurait aperçue au centre commercial de Texarkana.

Je retins ma respiration. Puis j'émis un petit cri.

— Cameron ? Qui ? Quelqu'un qui la connaissait autrefois ?

— La personne n'a pas révélé son identité. C'était un homme appelant d'une cabine téléphonique.

J'avais l'impression d'avoir reçu un coup de poing dans l'estomac.

— Mais... comment savoir si c'est la vérité ? Comment inciter cette personne à se dévoiler ? Existe-t-il un moyen ?

— Vous vous souvenez de Peter Gresham. Il était chargé de l'enquête.

J'acquiesçai. Je me souvenais de lui mais pas distinctement. Les journées terribles qui avaient suivi la disparition de Cameron n'étaient plus qu'un brouillard d'angoisse.

— Un type plutôt grand, bredouillai-je. Toujours en bottes de cow-boy ? Chevelure dégarnie. Il était un peu jeune pour les perdre.

— C'est lui. Aujourd'hui, il est complètement chauve. Je crois qu'il rase le peu de cheveux qui lui restent.

— Qu'a-t-il fait ? À propos de cette communication ?

— Il a visionné les vidéos de sécurité.

— Ils filment l'intérieur du centre commercial ?

— À certains endroits. Et surtout le parking.

— Où était-elle ?

S'il ne me répondait pas, je pousserais un hurlement.

— On a repéré une femme qui correspond à la description de votre sœur. Mais on distingue mal son visage, il est donc impossible d'affirmer s'il s'agit ou non de Cameron Connelly.

— Je peux voir l'enregistrement ?

— Je vais m'arranger. Le mieux serait que vous vous rendiez à Texarkana mais vu l'état de santé de M. Lang, nous devrions pouvoir organiser un rendez-vous dans nos bureaux.

— Ce serait formidable. L'aller-retour m'éloignerait trop longtemps de lui, marmonnai-je en m'obligeant à rester calme.

Je ne pus m'empêcher de m'approcher de Tolliver et de lui prendre la main. Elle était froide et je me promis de quérir une autre couverture auprès de l'infirmière.

— Dis donc, toi... tu as entendu ce que vient de m'annoncer l'inspecteur ?

— Mmm...

— Je vais peut-être pouvoir visionner l'enregistrement. Imagine que nous ayons enfin une piste !

Je n'en revenais pas : Victoria et moi en avions discuté moins d'une heure auparavant !

— N'y compte pas trop, répliqua-t-il plus clairement. C'est déjà arrivé.

Je refusai de considérer tous nos espoirs déçus.

— Je comprends. Mais peut-être que cette fois-ci sera la bonne, non ?

Tolliver ouvrit les yeux.

— Elle aura changé. Tu en es consciente, n'est-ce pas ? Elle n'est plus comme avant.

— Je sais.

Elle ne serait plus jamais comme avant. Trop d'années étaient passées. Trop de souffrances avaient été endurées, trop de... de tout.

— Si tu veux aller à Texarkana...

— Il n'est pas question que je te laisse.

— Si tu en éprouves le besoin, vas-y, insista-t-il.

— C'est gentil mais je n'irai nulle part tant que tu es à l'hôpital.

Je n'en revenais pas de ce que je venais de dire. J'attendais des nouvelles de ma sœur depuis des années.

À présent que nous avions une piste – si bizarre et fumeuse fût-elle – voilà que je rechignais à la suivre immédiatement.

Je me rassis, posai mon front sur le drap blanc. Jamais je ne m'étais sentie aussi attachée à un être.

L'inspecteur Flemmons avait écouté notre échange, impassible. Il semblait réserver son jugement à notre égard et je lui en savais gré.

— Je vous préviens dès que nous sommes prêts.

— Merci, murmurai-je.

— Ce n'est que justice, décréta Tolliver dès qu'il fut sorti.

— Quoi ?

— Tu as pris une balle à ma place. Cette fois, c'est mon tour, apparemment. Tu crois que le tireur te visait ?

— Tu parles ! La différence, c'est que dans mon cas, le coup a raté et la balle n'a fait que m'effleurer. Celui qui s'est attaqué à toi a été plus habile.

— Conclusion : j'ai été la cible d'un tireur plus habile.

— J'ai l'impression que les médicaments qu'on te donne sont efficaces.

— Les meilleurs, convint-il, rêveur.

Je souris. Ce n'est pas souvent que Tolliver est aussi détendu. Je ne voulais plus penser à Cameron car je ne savais plus quoi espérer.

Matthew frappa et entra avant que nous ne puissions réagir. Notre moment de paix s'envola.

Il était hagard, ce qui n'était pas très étonnant vu la nuit que nous avions passée. D'autant qu'il m'avait prévenue qu'il était du premier service chez *McDonald's*. De toute évidence, il avait pris le temps de se doucher après le boulot car il ne sentait pas le graillon.

— Tolliver, ton père m'a aidée pendant que nous attendions l'ambulance, annonçai-je car je me sentais obligée de lui rendre justice. Et il est resté à l'hôpital jusqu'à ce qu'on nous assure que tu étais hors de danger.

— Tu es sûre que ce n'est pas lui qui m'a tiré dessus ?

Si je n'avais pas vécu avec Matthew Lang pendant plusieurs années, j'aurais été outrée.

Quant à lui, il afficha un air profondément blessé.

— Comment peux-tu croire cela, fils ? s'insurgea-t-il, à la fois offensé et furieux. Je sais que je n'ai pas été un père exemplaire…

— Un père exemplaire ? Tu te rappelles la fois où tu as pointé le canon d'un pistolet sur la tempe de Cameron en me disant que tu lui exploserais la cervelle si je ne te révélais pas l'endroit où j'avais caché ta drogue ?

Matthew se voûta. D'après moi, il avait réussi à oublier cet incident mineur.

— Et tu me demandes comment je te peux te croire capable de me tirer dessus…

Si la voix de Tolliver n'avait pas été aussi faible, elle aurait été brûlante de rage ; en fait, il semblait si triste que j'en aurais sangloté.

— … c'est très facile, *papa*.

— Je ne l'aurais jamais fait ! protesta Matthew Lang. J'aimais cette fille. Je vous aimais tous. J'étais un putain de junkie, Tolliver. J'étais devenu un minable et je le sais. J'aimerais que tu me pardonnes maintenant que je suis sobre. Je ne sombrerai plus, fils.

— Il faudra plus que des paroles pour nous en convaincre, rétorquai-je, le regard sur Tolliver qui paraissait épuisé au bout de cinq minutes de présence de son père. Tant qu'à raviver des souvenirs heureux, j'en ai tout un lot que nous n'avons pas évoqués depuis un moment. Tu étais là hier soir... tant mieux. C'est bien. Mais ce n'était qu'une goutte d'eau dans l'océan.

Matthew était abattu. Ses yeux bruns d'épagneul étaient brillants d'émotion.

Réhabilité, lui ? Je n'y croyais pas une seconde. Pourtant, je l'avoue, j'en avais envie. Si le père de Tolliver pouvait vraiment se remettre dans le droit chemin, essayer d'aimer Tolliver comme il le méritait, de le respecter comme il le méritait, ce serait merveilleux.

Aussitôt, je me bombardai de reproches : quelle imbécile j'étais de tomber dans son piège ! Vu la fragilité de Tolliver, je me devais d'être doublement vigilante. Je veillais sur nous deux, pas uniquement sur moi.

— Harper, je conçois ton mépris. Il faudra du temps pour vous persuader de ma bonne foi. J'ai tout gâché, encore et encore. Je ne me suis pas comporté en père. Je ne me suis même pas comporté en adulte responsable.

Je jaugeai la réaction de Tolliver. Je ne vis qu'un jeune homme qui avait reçu une balle dans l'épaule quelques heures auparavant, un jeune homme exténué par les exigences de son père.

— Tolliver a besoin de se reposer. Nous n'aurions pas dû engager cette conversation. Merci de nous avoir aidés hier soir. À présent, il faut partir.

À son crédit, Matthew dit au revoir à Tolliver et disparut.

— Ouf ! soupirai-je pour combler le silence.

Je serrai brièvement la main de Tolliver mais il n'ouvrit pas les yeux. J'ignorais s'il dormait vraiment ou s'il faisait semblant mais cela ne me gênait pas. Le flot de visiteurs s'était atténué et nous eûmes droit aux heures d'ennui que j'avais anticipées. J'en étais presque soulagée. Nous visionnâmes des vieux films, je lus quelques pages. Personne ne téléphona. Personne ne vint.

116

Quand la grosse pendule afficha 17 heures, Tolliver insista pour que j'aille prendre une chambre d'hôtel et me reposer. Après avoir consulté son infirmière, j'acceptai. J'étais un zombie et je mourais d'envie de prendre encore une douche. Les petites coupures sur mon visage me piquaient.

Je conduisis prudemment et finis par trouver un hôtel qui pouvait me louer une chambre propre et prête à m'accueillir au troisième étage. Je hissai mon bagage sur mon épaule et traversai le hall jusqu'à l'ascenseur, pressée de m'allonger. J'avais faim mais me coucher était ma priorité. Quand mon portable sonna, je décrochai, pensant que c'était l'hôpital.

— À vous entendre, vous êtes à bout de force, déclara d'emblée l'inspecteur Rudy Flemmons.

— En effet.

— Nous aurons les enregistrements demain matin. Voulez-vous passer au poste ?

— Volontiers.

— Parfait. Je vous y attends à 9 heures, si cela vous convient.

— Entendu. Où en est l'enquête ?

— Nous quadrillons le quartier au cas où quelqu'un aurait aperçu un individu sur le parking hier soir lorsque votre frère a été touché. L'autre fusillade s'est déroulée rue Goodman et il s'agissait d'un règlement de comptes entre escrocs. Il est possible que le tireur impliqué dans cet incident ait été tellement remonté après avoir descendu son copain qu'il ait décidé de recommencer en passant devant votre motel. Nous pensons avoir trouvé l'endroit où il se tenait.

— Excellent, marmonnai-je, incapable de m'enthousiasmer davantage.

Les portes de la cabine s'ouvrirent à mon étage et j'en émergeai.

— C'est tout ce que vous aviez à me dire ? m'enquis-je en glissant ma carte à puce dans sa fente.

— Il me semble que oui. Où êtes-vous ?

— Je m'installe au *Holiday Inn Express*.

— Rue Chisholm ?

— Oui. À proximité de l'hôpital.

— À plus tard.

À son ton, je compris que l'inspecteur Flemmons était un croyant.

Dans mon activité, je rencontre trois sortes d'individus : ceux qui ne me croiraient pas si je leur présentais une attestation signée de la main de Dieu ; ceux qui ont l'esprit suffisamment ouvert pour accepter l'inexplicable (je les surnomme les « Hamlet ») ; et ceux qui croient absolument en mon don, voire *aiment* cette connexion que j'ai avec les morts.

Les croyants sont du genre à aller voir *Chasseurs de fantômes*, assister à des réunions sur les phénomènes paranormaux ou employer des médiums comme notre collègue décédée, Xylda Bernardo. S'ils ne vont pas jusque-là, ils ne rechignent pas à tenter de nouvelles expériences. Nombre de représentants de la loi figurent dans cette catégorie, ce qui n'est guère surprenant dans la mesure où ils croisent des menteurs jour après jour.

Je suis une manne pour les croyants. Je suis convaincante parce que je ne suis pas une frimeuse.

Je savais d'ores et déjà que l'inspecteur Rudy Flemmons me contacterait de plus en plus souvent. J'étais la confirmation vivante de tout ce en quoi il croyait secrètement.

Tout ça, parce que j'ai été frappée par la foudre.

J'étais pressée de me mettre sous la douche mais j'enlevai mes chaussures et m'étendis sur le lit. Je téléphonai à Tolliver pour le prévenir que je ferais un saut au poste de police avant de me rendre à l'hôpital pour tout lui raconter. Il semblait aussi vaseux que moi. Je renonçai à me laver, branchai mon portable pour le recharger, me débarrassai de mon pantalon et me glissai entre les draps.

8

Je me réveillai en sursaut. Je demeurai immobile un instant, m'efforçant de comprendre pourquoi j'étais si malheureuse, puis me rappelai que Tolliver était à l'hôpital. Je revécus le moment fatidique avec une clarté macabre.

Ayant déjà subi le même choc auparavant, je ne pus m'empêcher de me demander ce qui clochait entre nous et les fenêtres. Si nous restions loin des bâtiments, serions-nous plus en sécurité ? Tolliver a été scout, il a campé mais sans grand plaisir et je suis certaine que je détesterais cela.

Il était 4 h 30 du matin. J'avais dormi comme une marmotte. À présent, j'étais parfaitement réveillée. J'empilai les oreillers derrière mon dos et allumai le poste de télévision en mettant le son au minimum. Pas question de regarder les informations : elles sont toujours tragiques et j'en avais par-dessus la tête du sang et de la cruauté. Je tombai sur un vieux western. Quel bonheur de voir les bons l'emporter sur les méchants, les poules des saloons révéler leur cœur d'or, de constater qu'à une époque, les gens qui recevaient des balles s'effondraient sur le sol sans verser une goutte de sang. Ce monde-là était bien meilleur que celui dans lequel je vivais et je pris plaisir à le visiter, surtout aux petites heures du matin.

Je dus m'assoupir sans m'en rendre compte car lorsque je rouvris les yeux, il était 7 heures et la télé marchait toujours. Je tenais la télécommande dans ma main.

Une fois douchée, habillée et coiffée, je descendis prendre mon petit déjeuner. Si je ne me nourrissais pas de façon plus régulière, je m'effondrerais. J'avalai un grand bol de flocons d'avoine et des fruits, puis deux tasses de café. Je remontai dans ma chambre me brosser les dents. Impossible de mettre du fond de teint à cause des coupures mais je réussis à appliquer une touche d'ombre à paupières et du mascara. Je grimaçai devant le résultat dans la glace. J'étais en piteux état. Poursuivre mes efforts ne servirait à rien.

Il était temps de me rendre au poste de police visionner les enregistrements du centre commercial de Texarkana. J'avais l'estomac noué. J'avais fait de mon mieux pour ne pas y penser mais mes mains tremblaient tandis que je gobai mes vitamines. J'avais appelé le bureau des infirmières pour avoir des nouvelles de Tolliver. Il avait dormi pratiquement toute la nuit.

Ces quelques heures de repos et ce repas m'avaient remontée. Malgré mon appréhension, je me sentais mieux. Le poste de police était un édifice d'un étage ; on aurait dit qu'il avait démarré modestement et pris des stéroïdes en cours de route. On l'avait agrandi au fil des ans mais ce n'était pas encore suffisant. J'eus un mal fou à trouver une place de stationnement et quand je descendis de la voiture, il se mit à pleuvoir. Une bruine fine tout d'abord, mais alors que j'hésitais à prendre mon parapluie, elle se transforma en une averse violente. Le déployant en un temps record, je déboulai dans le hall à peine mouillée.

J'ai eu souvent l'occasion de fréquenter les commissariats. Neufs ou anciens, ils se ressemblent tous, un peu comme les écoles et les hôpitaux.

Ne trouvant pas d'endroit où déposer mon parapluie dégoulinant, je l'emportai avec moi, laissant une traînée de gouttes de pluie derrière moi. L'homme de ménage aurait fort à faire aujourd'hui. La Latino-Américaine derrière le comptoir était mince, musclée et très affairée. Elle se servit d'un interphone pour avertir l'inspecteur Flemmons de mon arrivée. Il apparut au bout de deux minutes.

— Bonjour, mademoiselle Connelly. Suivez-moi.

Il me conduisit dans un labyrinthe de boxes créés par des cloisons à hauteur de poitrine et recouvertes de moquette. Au passage, je notai que chacun était décoré au goût de son occupant. Tous les ordinateurs étaient sales : maculés d'empreintes de doigts, les écrans gris de poussière. Un murmure de conversations s'élevait comme un nuage de pollution au-dessus de la salle.

Le bonheur n'avait pas sa place ici. Bien que les flics me prennent souvent pour un charlatan, ce qui signifie que j'ai parfois du mal à m'entendre avec eux sur le plan individuel, je suis toujours épatée qu'ils aient choisi un tel métier.

— Vous passez votre vie à écouter les gens mentir, constatai-je en suivant le fil de mes réflexions. Comment le supportez-vous ?

Rudy Flemmons se retourna pour me dévisager.

— Cela fait partie du boulot. Il faut bien que quelqu'un s'interpose entre les gens normaux et les méchants.

Il n'avait pas dit les « bons ». Si j'avais été flic aussi longtemps que Flemmons, aurais-je eu moi aussi l'impression que les « bons » n'existaient pas ?

Il m'entraîna tout au fond dans une sorte de salle de conférence meublée d'une longue table, de chaises abîmées et d'un système vidéo. Flemmons diminua l'éclairage tandis que je prenais place puis appuya sur un bouton.

J'étais tellement tendue que j'avais la sensation que la pièce bourdonnait. Je fixai l'écran, craignant de rater quelque chose.

Je vis une femme, la jeune trentaine, traverser le parking. Son visage n'était pas visible car il était légèrement détourné de l'objectif. Elle avait de longs cheveux blonds. Elle était petite. Compacte. Je plaquai une main sur ma bouche afin d'être sûre de ne m'exprimer que lorsque je serais sûre de ce que j'allais dire.

Dans la séquence suivante, elle déambulait dans le centre commercial. Elle portait un sac au logo du magasin Buckle. Cette fois, elle était face à la caméra. L'image n'était pas très nette et elle n'y apparaissait que brièvement mais je fermai les yeux, accablée.

— Ce n'est pas elle. Cette personne n'est pas ma sœur.

J'avais les yeux piquants de larmes mais je ne pleurai pas. Toutefois, le choc était rude.

— Vous en êtes certaine ?

— Pas complètement, admis-je en haussant les épaules. Comment le pourrais-je sans être devant elle ? Je ne l'ai pas revue depuis huit ans. Cependant, le visage de cette femme est plus rond et sa démarche n'est pas du tout celle de Cameron.

— Revoyons le film, au cas où, proposa Flemmons d'une voix neutre.

Je me redressai sur mon siège et me concentrai. Cette fois, je notai les détails.

Sur le parking, on la voyait porter une énorme besace : jamais ma sœur n'aurait acheté un truc pareil. Certes, les goûts évoluent au fur et à mesure que l'on vieillit mais je doutais que ceux de Cameron aient changé à ce point-là. Elle était en talons hauts sous son élégant pantalon. Or Cameron préférait les chaussures plates au quotidien. Cela ne prouvait rien, bien sûr. Je n'utilise pas les mêmes accessoires qu'à l'époque du lycée. Mais la forme de ce visage, cette démarche rapide, les épaules légèrement en avant... non. Ce n'était pas Cameron.

— Je persiste et signe.

J'étais beaucoup plus calme. J'avais surmonté le choc et la réalité d'un espoir déçu de plus m'avait submergée.

Rudy Flemmons baissa le nez et je me demandai quelle expression il dissimulait.

— Bien, murmura-t-il. Bien. Je le ferai savoir à Peter Gresham. À propos, il me charge de vous transmettre ses salutations.

J'opinai. Maintenant que j'avais vu la vidéo, que je savais que cette femme n'était pas ma sœur, j'étais curieuse d'apprendre qui était l'auteur de l'appel.

J'essayai de poser des questions mais l'inspecteur Flemmons ne me révéla rien.

— Je vous préviendrai dès que j'aurai davantage d'informations.

Tant pis pour moi si cette réponse ne me satisfaisait pas.

Je redéployai mon parapluie et courus jusqu'à la voiture. J'étais en train de m'y installer quand mon portable vibra dans ma poche. Je jetai mon parapluie sur la banquette arrière, claquai la portière et décrochai.

— Mariah Parish a bien eu un bébé, m'annonça Victoria Flores.

— Vous êtes autorisée à m'en parler ?

— J'ai déjà discuté avec Lizzie Joyce. Je suis à la recherche de l'enfant. Depuis que Lizzie m'a engagée, j'ai passé des heures devant l'ordinateur et multiplié les interrogatoires. Cette histoire est bizarre. Comme elle vous a donné la permission de vous adresser à moi, j'en déduis que l'inverse va de soi.

Victoria, en général si taciturne et prosaïque, bouillonnait d'excitation.

— Ce n'est pas forcément vrai mais vous savez que je ne le répéterai à personne.

Pour être franche, je mourais de curiosité.

— Si nous dînions ensemble ? Vous ne devez pas papoter avec grand monde depuis que votre chéri est alité.

— Excellente idée.

— Je vous propose le *Outback* ? Il y en a un tout près de l'hôpital.

Elle me communiqua l'adresse exacte et je lui promis de l'y rejoindre à 18 h 30.

J'étais très étonnée par l'attitude de Victoria. Son soudain intérêt pour moi me paraissait étrange. Mais elle avait raison : je me sentais seule et j'étais heureuse que quelqu'un ait envie d'échanger avec moi. Iona avait appelé une fois pour me demander comment allait Tolliver mais uniquement par devoir.

Les hôpitaux sont des mondes à part et celui-ci tournait sans relâche sur son axe propre. À mon arrivée dans la chambre de Tolliver, je découvris qu'on l'avait emmené effectuer des tests mais personne ne put m'expliquer lesquels ni dans quel but.

126

J'étais désemparée. Même Tolliver, confiné à l'hôpital, n'était pas là où j'espérais le trouver. Mon portable sonna et je le lorgnai d'un œil coupable. J'aurais dû l'éteindre. Je répondis.

— Harper ? Tu vas bien ?

— Manfred ! Quoi de neuf ? m'exclamai-je en souriant.

— J'ai eu le sentiment que tu avais des soucis, je n'ai pas pu me retenir de te téléphoner. Je tombe mal ?

— Au contraire, je suis ravie de t'entendre ! assurai-je avec un peu trop de ferveur.

— Dans ce cas, je saute dans le prochain avion.

Il ne plaisantait qu'à moitié. Manfred Bernardo, médium en voie de développement, a trois ou quatre ans de moins que moi mais il n'a jamais caché son attirance à mon égard.

— Je suis seule parce que Tolliver a reçu une balle dans l'épaule.

Aussitôt, je me rendis compte combien je devais paraître égocentrique. Je lui relatai les événements et il se mit dans tous ses états. Il était vraiment prêt à me rejoindre au Texas, « t'offrir mon épaule pour pleurer ». J'étais très touchée et l'espace d'une folle minute, je faillis accepter. La présence de Manfred avec ses piercings et ses tatouages me serait d'un grand réconfort. Mais je me ravisai en imaginant la tête de Tolliver quand je le lui annoncerais.

Je raccrochai après lui avoir promis de le contacter « si la situation s'envenimait », ce qui était suffisamment vague pour nous satisfaire l'un comme l'autre. Quant à lui, il m'avait juré de me joindre chaque jour jusqu'à ce que les médecins laissent sortir Tolliver.

J'étais d'humeur nettement plus enjouée. Pour éclairer encore plus ma journée, Tolliver surgit juste après dans un fauteuil roulant poussé par un aide-soignant. Il avait repris des couleurs mais je compris qu'il était encore faible à la manière dont il était tassé sur lui-même. Cela lui coûtait de l'admettre, mais il était prêt à se recoucher.

Quand il fut installé, l'aide-soignant s'éclipsa de cette démarche rapide et silencieuse commune à tous les membres du personnel hospitalier. Tolliver m'expliqua qu'on lui avait refait une radio de la clavicule et qu'un neurologue était intervenu pour vérifier qu'aucun nerf n'était atteint au niveau de son épaule.

— Tu as vu le Dr Spradling ?

— Oui, il est passé un peu plus tôt. D'après lui, tout va pour le mieux. Tu arrives tard.

Je l'avais pourtant prévenu que je devais me rendre au poste de police. Il l'avait complètement oublié.

Je parlai de l'enregistrement, de la jeune femme qui n'était pas Cameron.

— Je suis désolé, murmura-t-il. Je m'en doutais mais je suppose qu'au fond de moi, je garde toujours un mince espoir.

C'était exactement mon sentiment.

— Ce qui me tracasse, c'est la raison pour laquelle quelqu'un a cru que c'était elle. Pourquoi ce coup de fil anonyme à la police ? Qui a incité Peter à visionner les vidéos ? D'autre part, cette femme ressemblait suffisamment à Cameron pour que Peter se sente obligé de me les montrer. Le mystérieux interlocuteur est-il un ancien camarade de lycée ? Ou un crétin qui se joue de nous ?

— Et pourquoi maintenant ? ajouta Tolliver.

Il me fixa. Je restai muette.

— Je ne vois pas en quoi cela pourrait avoir un rapport avec Richard Joyce et sa gouvernante, marmonnai-je. Mais le timing est un peu suspect, non ?

128

Nous ne nous attardâmes pas davantage sur cette étrange coïncidence. Je dénichai le peigne de Tolliver dans la poche de son jean, accroché dans l'armoire. On avait dû découper sa chemise pour le soigner. Je me promis de lui en rapporter une propre pour le jour de son départ.

J'entrepris de démêler ses cheveux. Ils étaient sales, bien sûr. Comment faire pour les laver ? Je décidai d'improviser : un bassin hygiénique propre, une compresse qu'on nous avait laissée au cas où son pansement suinterait, le minuscule flacon de shampooing fourni dans la trousse d'admission et le tour fut joué. Je l'aidai ensuite à se raser et à se brosser les dents. Puis je le lavai au gant de toilette, ce qui nous fit rire tous les deux.

Il était détendu et fatigué – et heureux – quand tout fut fini et se déclara en pleine forme. Je le coiffai et l'embrassai sur la joue.

Une infirmière se présenta pour lui faire sa toilette. Elle haussa les épaules quand je lui expliquai que c'était inutile.

À l'hôpital, le temps s'éternise. Avant que je ne puisse rapporter à Tolliver le coup de téléphone de Victoria, il s'assoupit. Je n'osai pas le réveiller alors que nous avions une longue journée devant nous. J'en profitai pour m'offrir une petite sieste. Je me réveillai quand on apporta à Tolliver son plateau-repas aux alentours de 11 h 30.

Là encore, ce fut l'occasion de s'amuser. Je lui découpai sa nourriture – enfin, le peu qui devait l'être – et mis une paille dans sa boisson pour qu'il puisse manger d'une seule main. Il était tellement heureux d'avaler un repas consistant que même celui-là lui parut bon. Il se débrouilla plutôt bien. Lorsqu'il se déclara rassasié, je repoussai la table roulante et lui tendis la télécommande. C'était à mon tour de me restaurer.

— Tu n'es pas obligée de rester ici tout l'après-midi, me dit Tolliver.

— Je reviendrai dès que j'aurai déjeuné, répliquai-je d'un ton ferme. Ensuite, j'irai dîner avec Victoria. Je ne repasserai sans doute pas après.

— Parfait. Tu n'as pas besoin de t'enfermer à longueur de journée. Tu devrais aller courir ou t'entraîner dans la salle de gym de l'hôtel.

Il avait raison. À force de voyager en voiture, j'ai l'habitude d'être assise pendant de longues heures d'affilée mais j'ai aussi l'habitude de faire de l'exercice chaque jour.

Je commandai une salade dans un fast-food, enchantée par le brouhaha et tous ces gens qui grouillaient partout. Manger seule me parut bizarre mais je pus me distraire en observant (et en écoutant) une mère de famille avec ses trois enfants en bas âge à la table voisine. Tolliver souhaitait-il en avoir ? Moi, non. J'ai déjà élevé deux bébés, mes demi-sœurs, et je n'ai aucune envie de réitérer cet exploit. Si je regrette d'être bannie de leur existence, loin de moi l'idée de les reprendre à ma charge.

Même lorsque le cadet étreignit spontanément sa mère, je restai sur ma position. Le concept de porter un être humain dans mon corps ne m'inspire guère. Devrais-je m'en sentir coupable ? Mettre au monde un bébé n'est-il pas le rêve de toute femme ?

Pas nécessairement. Et Dieu sait que les enfants sont nombreux en ce bas monde. Je n'ai pas besoin d'en faire un de plus.

Tolliver était réveillé quand je le rejoignis. Il regardait un match de basket à la télévision.

130

— Mark a appelé.

— Tu as pu décrocher le téléphone ?

— Ce fut mon exploit de la journée.

— Qu'avait-il à te raconter ?

— Oh ! Que j'ai fait de la peine à mon père, que je suis un imbécile de ne pas le serrer dans mes bras.

J'hésitai avant d'exprimer mon avis sur la question.

— Mark a un faible pour votre père, Tolliver. Tu sais combien j'aime ton frère, c'est un type formidable mais il ne comprendra jamais.

— Tu as raison. Il était fou de maman et quand elle est morte, il a transféré ses émotions sur papa.

Tolliver évoque rarement sa mère. Elle est décédée d'un cancer dans des conditions atroces.

— Mark est convaincu que papa a un bon fond, reprit Tolliver, avec lenteur. Car si papa est un homme mauvais, cela signifie qu'il n'a plus de famille. Or il a besoin de cette relation.

— Tu crois que ton père a un bon fond ?

Tolliver réfléchit longuement.

— J'espère qu'il a des restes. Mais en toute franchise, je pense qu'il rechutera, en admettant qu'il soit *clean* aujourd'hui. Il a si souvent menti à ce sujet. Il replonge chaque fois et tu dois te le rappeler, dans les pires moments, il achetait n'importe quoi. Je suppose qu'il souffre énormément pour éprouver le besoin de se perdre dans la drogue. Mais il nous a abandonnés à cause de cela. Non, je n'ai pas confiance en lui. Je me méfierai toujours car j'ai trop peur d'être déçu une fois de plus.

— C'est exactement ce que j'ai ressenti vis-à-vis de ma mère.

— Oui, Laurel était un sacré numéro. Sais-tu qu'elle a essayé de nous draguer, Mark et moi ?

131

Je crus que j'allais rendre tout ce que je venais d'avaler.

— Non, chuchotai-je, la gorge serrée.

— Cameron était au courant. Elle est arrivée au… euh… au moment crucial. J'ai cru que Mark allait mourir de honte et j'étais paralysé d'horreur.

— Que s'est-il passé ?

J'étais mortifiée. J'avais beau me dire que ce n'était pas mon problème, c'est difficile à digérer quand on entend de telles histoires impliquant les êtres de votre chair et de votre sang.

— Cameron l'a poussée dans sa chambre et obligée à se rhabiller. Laurel ne savait ni où elle se trouvait ni qui elle cherchait à séduire, Harper. Cameron l'a giflée plusieurs fois.

— Seigneur !

Parfois, les mots ne suffisent pas.

— Nous avons échappé à l'enfer, conclut Tolliver comme s'il essayait de s'en convaincre.

— Oui. Nous sommes là l'un pour l'autre.

— Le passé ne peut plus nous émouvoir.

— Non, mentis-je effrontément. Plus du tout.

9

Le restaurant où je retrouvai Victoria Flores était bondé et les serveurs allaient et venaient dans tous les sens. L'endroit me parut incroyablement vivant après l'ambiance feutrée de l'hôpital.

À ma grande surprise, Victoria n'était pas seule. Drexell Joyce, le frère de Lizzie et de Kate, était assis à la table avec elle.

— Coucou ! s'exclama Victoria en se levant pour m'étreindre.

J'en fus surprise, mais pas assez pour avoir un mouvement de recul. J'ignorais que nous étions aussi proches. En fait, c'était une mise en scène à l'intention de Drexell Joyce. J'avais imaginé un repas détendu entre deux femmes qui gagnaient leur vie en révélant des secrets, pas une mise en scène stratégique devant un inconnu.

— Monsieur Joyce, murmurai-je en prenant place et en posant mon sac à mes pieds.

— Je vous en prie, appelez-moi Drex, répliqua-t-il avec un large sourire.

Je ne fus pas dupe de son regard admiratif.

— Que faites-vous si loin de votre ranch ? m'enquis-je en lui souriant à mon tour (dans l'espoir de le désarmer).

— Mes sœurs m'ont envoyé aux nouvelles. Elles aimeraient savoir ce que Victoria a découvert jusqu'ici et comment se déroule l'enquête. Si nous avons un petit oncle ou une petite tante dans la nature, nous voulons retrouver cet enfant et nous assurer qu'il est élevé correctement.

— Vous partez du principe que le bébé de Mariah Parish est le fils de votre grand-père ?

J'étais sidérée et n'essayai pas de le cacher.

— Oui, c'est ce que je pense. Il était vieux mais il avait plus d'un tour dans son sac. Grand-Pa' a toujours eu un faible pour les dames.

— Et vous croyez que Mariah Parish aurait accepté ses avances ?

— Il avait beaucoup de charisme. Elle a peut-être craint qu'un refus ne lui coûte son emploi. Grand-Pa' détestait qu'on lui réponde « non ».

Charmant. À court d'inspiration, je me tus.

— Alors, comment va votre frère ? me demanda Victoria d'une voix chaleureuse.

J'étais déçue. J'étais persuadée que Victoria m'avait conviée ici parce qu'elle avait une idée derrière la tête, pas uniquement pour le plaisir de me rencontrer.

— Mieux, merci. Il devrait pouvoir quitter l'hôpital d'ici un jour ou deux.

— Où irez-vous ensuite ?

— Tolliver se charge en général de notre agenda. Je verrai cela avec lui quand il se sentira d'attaque. Au départ, nous avions prévu de rester ici au moins une semaine afin de profiter de notre famille.

— Vous avez des proches dans la région ? intervint Drexell.

134

— Nos deux demi-sœurs habitent ici.

— Qui les élève ?

— Une tante et son mari.

— Ils sont ici même ?

Peut-être Drex était-il fasciné par tout ce qui me concernait mais j'en doutais.

— Vous séjournez souvent à Dallas ? rétorquai-je. J'ai vu vos sœurs l'autre jour, vous êtes là maintenant. Le trajet est long, pourtant.

— Nous avons un appartement en ville et un autre à Houston. Nous sommes au ranch environ dix mois par an mais nous éprouvons tous le besoin d'un peu d'animation de temps en temps. Sauf Chip. Lui adore gérer la ferme. En revanche, Kate et Lizzie appartiennent chacune à une dizaine de comités, banques et autres associations caritatives, et les réunions se tiennent à Dallas.

— Et vous ? lança Victoria. Vous ne participez pas aux bonnes œuvres ?

Drex s'esclaffa en renversant la tête en arrière. Je le soupçonnai de vouloir nous montrer la ligne de son joli menton sous un autre angle. Comment ferait-il plus tard, quand sa mâchoire aurait perdu de sa fermeté ? Je sais par expérience que personne n'est beau six pieds sous terre.

— Victoria, aucun conseil d'administration un tant soit peu intelligent ne voudrait de moi ! assura-t-il, l'œil pétillant. J'ai du mal à rester assis sans bouger et je m'endormirais à force d'écouter leurs interminables discours.

Comment Victoria supportait-elle ces conneries ? Elle paraissait sincèrement ensorcelée par ce crétin.

— Mais revenons à nos moutons, ma chère... où en êtes-vous ? enchaîna-t-il avec cet air d'un homme qui doit se résoudre à laisser tomber la plaisanterie pour aborder les choses sérieuses.

— J'avance.

Aussitôt, je fus aux aguets. Victoria s'exprimait en femme calme, posée, compétente et terriblement méfiante.

— Je travaille sur une biographie approfondie de Mariah et c'est plus compliqué que je ne l'avais envisagé. Quelle sorte de renseignements avez-vous pris sur elle avant de l'embaucher pour aider votre grand-père ?

— Je doute que Lizzie s'en soit préoccupée, avoua-t-il, visiblement étonné. C'est mon grand-père qui l'a engagée, il me semble. Mariah était déjà dans la maison quand nous l'avons appris.

— Mais vous aviez l'intention de recruter quelqu'un ? insista Victoria.

— Il avait besoin d'une personne pouvant jouer à la fois les rôles d'aide ménagère et d'aide-soignante. Une assistante. Elle était comme une nurse : elle veillait à ce qu'il mange sainement, contrôlait ce qu'il buvait. Mais il se serait emporté si nous avions eu l'audace de la qualifier de nurse. Elle prenait sa tension chaque jour, aussi.

Victoria sauta sur l'occasion :

— Mariah avait-elle un diplôme d'infirmière ?

— Non, non. Pas à ma connaissance. Elle devait s'assurer qu'il prenait bien ses médicaments, lui rappeler ses rendez-vous, prendre le volant s'il était fatigué, prévenir le médecin s'il manifestait certains symptômes. En somme, elle était notre système vivant d'alerte médicale. En tout cas, c'était notre vœu à la base.

J'échangeai un bref regard avec Victoria et compris que je n'étais pas la seule à avoir détecté une pointe de ressentiment dans le monologue de Drex. À présent, j'étais moins convaincue de son intérêt personnel pour Drex. Son objectif était ailleurs.

— Elle se considérait comme autre chose ? demandai-je.

— Oui ! Un chien de garde.

Drew but une gorgée de bière et scruta les alentours pour voir si notre serveur était dans les parages. Nous avions commandé nos plats quelques minutes auparavant.

— Pourquoi votre famille a-t-elle payé pour ses obsèques ? Pourquoi est-elle enterrée parmi vos proches ? Où étaient les siens ?

Je m'étais posé la question à plusieurs reprises.

— Après son décès, nous avons fouillé ses affaires en vain. Pas un nom, pas une adresse. Lizzie nous a tous interrogés : avait-elle parlé de son passé ? D'où venait-elle ? Nous n'étions au courant de rien. Nous nous sommes adressés à Chip – ni lui ni ses parents n'ont pu nous aider.

— Et son numéro de sécurité sociale ? Votre grand-père était son employeur, il devait l'avoir noté quelque part.

— Il la payait au noir.

Qu'un personnage aussi riche que Richard Joyce opte pour une telle solution me stupéfiait. Les Joyce avaient sûrement des comptables et des hommes d'affaires à leur service.

— Quand Lizzie a rencontré Mariah, elle a déclaré à Grand-Pa' qu'il avait commis une erreur, qu'elle ne resterait pas. Grand-Pa' était persuadé du contraire mais il voyait bien que nous ne l'apprécions guère. Il ne voulait pas s'embêter à la mettre sous contrat au risque de devoir la licencier, argua Drex, sur la défensive.

J'observai Victoria à la dérobée.

— Donc, votre grand-père a embauché une femme qu'il ne connaissait pas, il l'a payée au noir, il ne savait absolument rien de son passé et pourtant, il l'a installée dans sa demeure, résumai-je, incrédule. Vous dites que vous avez questionné Chip après la mort de Mariah ?

J'entendis un grondement de tonnerre et me tournai vers la fenêtre : il pleuvait à torrents.

— Oui. C'est lui qui avait encouragé Grand-Pa' à l'engager.

Il y eut un long silence pendant lequel Drex chercha de nouveau des yeux notre serveur tandis que Victoria et moi nous réfugiions dans nos pensées. J'ignore ce qui traversait l'esprit de Victoria mais de mon côté, je priai pour que les miens prennent mieux soin de moi que les Joyce de leur patriarche.

— Depuis combien de temps Lizzie fréquente-t-elle Chip ? s'enquit Victoria comme si elle changeait complètement de conversation, s'autorisant quelques instants de mondanités.

— Ma foi, des années ! Ils se sont connus au ranch, bien sûr. Ils se voyaient aussi dans les rodéos. Après quelques années, quand Chip a divorcé, ils se sont mis ensemble. Ils s'étaient tous deux inscrits au rodéo d'Amarillo, lui à l'épreuve de *calf roping*[1], elle, de *barrel riding*[2]. Elle avait un souci avec l'attelage de sa remorque et il lui a donné un coup de main.

— Si je comprends bien, Mariah avait travaillé pour la famille de Chip ?

— Chip et Mariah ont vécu un temps dans la même famille d'accueil. Dès qu'elle a pu voler de ses propres

---

1. Le cavalier doit attraper le veau avec un lasso. *(N.d.T.)*
2. Une course sur un parcours entre trois tonneaux disposés en triangle. *(N.d.T.)*

ailes, il l'a recommandée à un cousin lointain dont le nom était Arthur Peaden, si je ne m'abuse. Le cousin est mort à peu près à l'époque où les médecins nous ont annoncé que Grand-Pa' ne pouvait plus rester seul chez lui. Chip l'a adressée à Grand-Pa', elle lui a plu. Passé notre première surprise, nous avons été soulagés de ne pas avoir à recevoir des dizaines de candidates. Grand-Pa' était satisfait : elle avait de l'expérience, un physique agréable, elle souriait constamment. Cerise sur le gâteau, c'était une excellente cuisinière.

Drex réussit enfin à attirer l'attention du serveur pour qu'il lui apporte une seconde bière et Victoria se débrouilla pour le faire parler de lui. Contrairement à Victoria qui était aussi intelligente que perspicace, Drex n'était pas une lumière. Je pouvais donc me contenter de les écouter. Son père avait dû avoir du mal à accepter que son fils unique soit incapable de conduire les affaires familiales. Lizzie était non seulement l'aînée mais la plus brillante des trois. Katie, entre les deux, était la plus excentrique. Du moins de l'avis de Drex.

Je fus soulagée quand on nous apporta nos plats. N'étant pas détective privée, je n'étais pas payée pour absorber l'historique du clan Joyce. Le temps que je me rassasie, j'en avais par-dessus la tête de Drex Joyce et j'étais mal à l'aise de me retrouver dans le camp de Victoria pour extorquer des informations à cet abruti. Ses tactiques m'irritaient mais j'avais saisi la raison pour laquelle elle avait convié Drex à ce dîner. Il nous était plus facile de diversifier les sujets de conversation afin de brouiller les pistes : en d'autres circonstances, il se serait moins livré.

De surcroît, je posai plusieurs questions auxquelles Victoria n'avait pas songé.

Je décidai qu'elle avait voulu offrir à Drew une alternative entre deux jolies femmes et j'étais soulagée de constater que Victoria lui plaisait plus que moi. Je pris un malin plaisir à m'excuser juste avant qu'on ne vienne nous proposer la carte des desserts. Victoria parut légèrement décontenancée mais elle se ressaisit aussitôt et me promit de me contacter le lendemain.

Si je le pouvais, je ferais de mon mieux pour l'éviter. Je déteste que l'on se serve de moi et j'étais sûre que Victoria avait délibérément planifié cette soirée avant de m'y inviter. Elle aurait pu être honnête avec moi. Pourquoi recourir à un tel procédé ? Si la famille Joyce l'avait engagée, c'est qu'elle était prête à coopérer, non ? Pourquoi Victoria n'avait-elle pas déjà obtenu toutes ces précisions ?

Je rentrai à l'hôtel de mauvaise humeur. La pluie s'étant arrêtée, je décidai de me défouler. Je n'aime pas courir après la tombée de la nuit mais j'éprouvais le besoin de me dépenser physiquement. Je n'avais pas eu le temps d'explorer les alentours mais j'avais aperçu un lycée non loin de l'hôtel. Si le portail n'était pas fermé à clé, je pourrais peut-être courir sur la piste d'athlétisme. Sinon, je me rabattrais sur le parking des bus scolaires, juste en face.

Contre toute attente, Parker Powers, l'ex-joueur de football devenu flic, était assis dans le hall de réception.

— Vous m'attendiez ?

— Oui. Pouvons-nous parler ?

Il me dévisagea longuement.

— De quoi ?

— J'ai quelques questions à vous poser au sujet de votre frère. Il y a eu une autre fusillade à proximité de votre motel hier soir et j'essaie de savoir s'il existe un lien entre les deux incidents. Il paraît qu'il va mieux ?

140

S'il n'avait pas dit cela, je n'aurais pas mordu à l'appât. J'avais décelé la lueur dans ses prunelles. Mais, s'il enquêtait vraiment sur cet événement, je voulais l'aider. Je désirais savoir qui avait tiré sur mon frère. Toutefois, il n'était pas question d'en discuter dans un lieu public et vu son regard lascif, je n'osais pas inviter Powers à monter dans ma chambre.

— Je vais courir. Vous m'accompagnez ?

— Volontiers ! répondit-il après une brève hésitation. J'ai un short dans ma voiture. Si quelqu'un en veut à votre frère, ce n'est pas prudent de sortir seule. Nous ne nous expliquons pas cette affaire.

— Je vous rejoins dans dix minutes, promis-je.

J'accrochai autour de mon cou une pochette transparente dans laquelle j'avais mis ma clé et ma carte d'identité puis revêtis ma tenue de footing. J'étais prête. Je dissimulai la pochette dans mon tee-shirt et sautillai sur place pour vérifier qu'elle ne tomberait pas. Puis je mis mon portable dans la poche à fermeture Éclair de mon bermuda.

Parker m'attendait en tenue de sport dépenaillée. Je le saluai d'un signe de tête et nous sortîmes sur le parking effectuer quelques exercices d'échauffement. J'eus l'impression qu'il n'avait pas couru depuis longtemps. En revanche, il devait faire de la musculation, malgré son tour de taille un peu enveloppé. J'ignore si la perspective le réjouissait ou non mais en tout cas, il semblait prendre plaisir à me regarder.

— Prêt ?

Il opina, lèvres pincées. On aurait dit qu'il s'apprêtait à affronter la guillotine, pas à courir par une belle soirée.

Nous longeâmes le trottoir, passant devant un premier pâté de maisons, puis un deuxième avant d'atteindre les terrains du lycée. Les lampadaires étaient nombreux et tout le monde semblait avoir décidé de passer la soirée chez soi. Il faisait frais et il restait encore quelques flaques d'eau après l'averse. Les voitures se succédaient à un rythme assez régulier, certaines dépassant allègrement la vitesse autorisée, d'autres avançant à une allure d'escargot. Je me demandai si l'un des conducteurs avait reconnu mon partenaire.

La fraîcheur me faisait du bien. J'avançai tranquillement, allongeant mes foulées, attentive aux battements de mon cœur. La piste d'athlétisme était entourée par une immense clôture et le portail était fermé à clé. Rien d'étonnant à cela. J'entraînai mon compagnon sur l'aire de stationnement réservée aux cars scolaires. Parker resta à ma hauteur et je m'aperçus qu'il souriait, content de lui. J'accélérai et il s'assombrit rapidement. Après quelques centaines de mètres, Parker était à bout de souffle. Il ne persévérait que par orgueil.

Au kilomètre suivant, même son orgueil accusait le coup. Nous avions remonté la première rangée de cars, redescendu la deuxième et nous nous apprêtions à remonter la troisième. J'étais en pleine forme mais Parker s'arrêta, haletant, les mains sur les genoux. Je fis du surplace. Il agita la main pour me signaler de continuer sans lui.

— Restez dans ma ligne de mire ! prévint-il.

Je repartis. Je suis beaucoup moins douée que mon frère mais ce soir-là, je me sentais vive et légère comme un oiseau – surtout comparée à Parker. Je filai entre les deux alignements de cars, humant les parfums de l'asphalte après la pluie. Jetant un coup d'œil derrière moi, je constatai que Parker me suivait en marchant d'un bon pas mais j'allais beaucoup plus vite que lui. Avec regret, plutôt que de reprendre mon parcours en sens inverse, je fis demi-tour. Je perçus vaguement le bruit d'un moteur dans la rue. Soudain, une paire de phares s'illumina derrière moi, éclairant le visage de Parker et jetant mon ombre devant moi. J'eus un sursaut de frayeur et ralentis, ne sachant que faire. Le véhicule roulait très lentement mais il se rapprochait.

Bien qu'aveuglé, l'inspecteur piqua un sprint dans ma direction. Ce faisant, il souleva son sweat-shirt et dégaina son pistolet. Je ne réagis pas sur l'instant, puis je crus qu'il allait m'abattre. Je m'arrêtai.

— Attention ! aboya-t-il.

Je fonçai vers lui sans réfléchir. Il me poussa entre deux autocars et pivota sur lui-même pour faire face à la voiture, l'arme au poing. Le conducteur dut l'apercevoir et effectua une embardée puis, dans un crissement de pneus, redémarra et disparut du parking.

— Quoi ? Quoi ? bredouillai-je en me précipitant vers mon sauveteur, les bras écartés. *Quoi ?*

— Menace de mort, souffla-t-il, car il n'avait pas encore recouvré sa respiration normale. Vous avez reçu une menace de mort aujourd'hui. Je ne voulais pas que vous sortiez seule. Vous êtes une cible facile.

— Pourquoi diable ne pas me l'avoir dit ? m'époumonai-je. C'est donc pour cela que vous avez accepté de courir avec moi ?

— Je n'imaginais pas que vous étiez une obsédée de la santé, riposta-t-il injustement. Je devais seulement vous mettre en garde, vous parler de la fusillade.

— Alors au lieu de…

Je bafouillais. Paupières closes, je me ressaisis, redressai les épaules.

— Cette menace a-t-elle un nom ?

— C'était une voix d'homme. Un malade qui délirait à propos de votre travail, l'œuvre de Satan et je ne sais quoi. Il a dit que vous n'aviez rien à faire au Texas et qu'il allait s'occuper de vous la prochaine fois qu'il vous verrait. Il a cité le nom de votre hôtel.

Ce détail suffit à me terrifier. Je me dis que je devais prendre l'affaire au sérieux.

— Était-ce lui ou avez-vous simplement effrayé une bande d'adolescents ?

Mes jambes s'engourdissaient, aussi je sautillai d'un pied sur l'autre puis m'immobilisai et me penchai en avant pour toucher le sol avec mes mains.

— Aucune idée, marmonna Parker. J'ai relevé une partie du numéro d'immatriculation. Je vais me renseigner.

Je pris soudain conscience que cet homme s'était jeté devant moi en croyant qu'on allait me tirer dessus. L'énormité de l'acte me fit l'effet d'une gifle.

— Merci, murmurai-je. Merci infiniment.

Tout à coup, mes genoux s'étaient mis à trembler.

— C'est notre métier. Nous sommes là pour protéger nos concitoyens. Dieu merci, ça n'a pas été trop long : j'aurais pu claquer d'une crise cardiaque.

Il me sourit et je fus rassurée de voir qu'il respirait de nouveau normalement.

— Si on rentrait ? proposai-je. Disons que c'était plus ou moins un non-incident ?

Je ne voulais pas l'offusquer, ce qui était absurde.

— En effet, nous n'avons plus rien à craindre, convint-il en rengainant son pistolet. Retournons à l'hôtel.

Nous quittâmes le parking d'un pas vif et repassâmes devant le lycée. Puis nous nous retrouvâmes dans le quartier résidentiel, pratiquement désert maintenant. La température avait baissé et je frissonnai. Nous n'étions plus très loin. Nous traversions une zone où le

144

jardinage est un hobby. Même en hiver, les jardins étaient parfaitement entretenus. Parker Powers me posait un flot de questions sans importance sur mes exploits sportifs, la durée de mes entraînements quotidiens, est-ce que mon frère courait avec moi...

À l'instant précis où j'aperçus derrière un arbre une ombre qui ressemblait étrangement à la silhouette d'un homme, elle se déplaça. Un individu surgit devant nous et la lueur du lampadaire illumina le canon d'un revolver. Parker Powers plongea en avant pour m'écarter et l'inconnu appuya sur la détente, le visant en pleine poitrine.

Hurler n'aurait servi à rien. Mon seul atout était la rapidité et je détalai comme un lapin shooté à la méthamphétamine. Je perçus des bruits de pas derrière moi, même dans l'herbe et contournai une maison mais le jardin était clôturé. Une barrière érigée pour la forme, que je n'eus aucun mal à enjamber. Je traversai la pelouse et sautai par-dessus celle du fond.

Ce n'est que beaucoup plus tard, en me remémorant cet épisode, que je m'en rendis compte : j'aurais pu tomber et me casser la jambe.

Je me retrouvai dans la cour du pavillon voisin, d'où j'avais une vue impeccable sur la rue, bordée d'habitations d'un côté seulement. De l'autre une étroite bande plantée d'arbres longeait un ravin. Je poursuivis ma course effrénée vers l'hôtel. J'avais peur de trébucher, peur que l'on me tire dessus, peur que l'inspecteur soit mort. Je savais que j'allais dans la bonne direction mais je ne voyais pas l'hôtel car la rue était en courbe. Je faillis frapper à une porte au hasard puis me ravisai par crainte de mettre d'autres personnes en danger. Croyant entendre un bruit devant moi, je me propulsai derrière une voiture garée dans une allée. Je demeurai immobile un moment, le cœur battant la chamade.

Je sortis mon portable et appelai le 911. Une femme décrocha.

— Je suis cachée dans le lotissement derrière le *Holiday Inn Express*, dis-je tout bas. L'inspecteur Parker Powers est à terre. Rue Jacaranda. Le tireur me pourchasse. Je vous en supplie, venez vite !

— Madame ? Vous dites qu'un officier de police est à terre ? Êtes-vous blessée ?

— Oui, l'inspecteur Powers. Je n'ai rien pour l'instant. Il faut que je raccroche.

Je ne pouvais pas m'éterniser au téléphone : je devais guetter le moindre son.

Maintenant que ma respiration était plus régulière, j'avais la certitude que quelqu'un se rapprochait. Quelqu'un qui ne voulait pas être vu au beau milieu de la chaussée. Les résidents n'étaient-ils pas conscients de ce qui se passait chez eux ? Les propriétaires armés ne sont jamais là quand on a besoin d'eux ! Que faire ? Prendre mes jambes à mon cou ? Rester où j'étais en priant pour que l'agresseur ne me retrouve pas ?

La tension était insupportable. Patienter ainsi, accroupie dans le noir, était un supplice. Je n'étais même pas certaine que la rue débouche quelque part. Peut-être étais-je dans une impasse ? Je devrais retourner sur mes pas pour regagner la rue Jacaranda. Il y aurait des barrières, voire des chiens... il y en avait un qui aboyait, justement.

Les pas cessèrent. Me voyait-il ? Allait-il m'abattre ?

Puis les hurlements des sirènes s'élevèrent dans la nuit. Dieu bénisse la police, Dieu bénisse leurs gyrophares et leurs armes. Le tireur battit en retraite et,

146

abandonnant toute précaution, s'enfuit le long de l'avenue que je venais d'emprunter.

Je tentai de me lever mais en fus incapable. Mes jambes refusaient de bouger. Le faisceau d'une lampe torche rebondit sur le sol, de plus en plus près, puis se fixa sur mon visage.

— Couchez-vous, les bras en croix ! rugit une femme.

— D'accord, d'accord.

Je m'exécutai. Sur le moment, cela me paraissait nettement plus raisonnable que de me redresser.

10

Pour finir, je retournai à l'hôpital et passai la nuit avec Tolliver. L'idée de me retrouver seule m'était insupportable et je me sentais plus en sécurité auprès de lui bien qu'on lui eût tiré dessus.

L'inspecteur Powers était vivant. Je fus sincèrement heureuse de l'apprendre, profondément reconnaissante que son courage soit récompensé sur cette terre et non dans l'au-delà. J'avais glané quelques bribes des conversations des flics autour de moi – ils m'avaient plus ou moins traitée comme si j'étais invisible.

— Powers va s'en sortir, me rassura la jeune flic, qui s'était enfin résolue à m'aider à me relever. C'est un dur à cuire.

— Après toutes ces années sur les terrains de football, il est solide, répliqua le secouriste chargé de m'examiner.

Satisfait de mon état, il prit tout son temps pour ranger son matériel.

— Oui, mais ces coups à la tête ne l'ont pas arrangé, argua un autre policier, un chauve. Powers a joué une saison de trop.

— Hé ! Respect pour l'inspecteur ! protesta l'ambulancier. Il bonifie l'image du département.

Lisant entre les lignes, j'en déduisis que sa réputation de sportif de haut niveau avait aidé Powers à gagner ses galons d'inspecteur. Les gens étaient tellement épatés d'être interrogés par une ex-star du football qu'ils lui crachaient tout, juste pour maintenir son attention. On ne l'estimait pas tant pour son intelligence et son habileté que parce qu'il était un atout, qui plus est toujours prêt à partager ses succès. Et parce qu'il était foncièrement gentil.

Je pris plaisir à vanter son courage auprès de ses camarades et à voir combien ils étaient fiers de lui. S'ils lui reprochaient d'avoir été assez idiot pour aller courir avec moi, ils se gardèrent d'en parler.

J'avais un peu de sang sur la figure, je fis donc un saut à l'hôtel pour me nettoyer. L'officier Kerri Sauer m'accompagna et proposa de me suivre jusqu'à l'hôpital, un geste que j'appréciai.

— Vous avez déjà vu Parker jouer ? me demanda-t-elle alors que je me frottais les joues avec un gant de toilette.

— Non. Et vous ? Vous étiez encore enfant…

— En effet. Il était formidable. Sa blessure a été un drame pour l'équipe. Il participe à toutes sortes d'événements pour les enfants en difficulté. C'est un type épatant. Vous avez pu nous indiquer précisément où il se trouvait quand vous avez appelé. C'est ce qui l'a sauvé. Il devrait se remettre.

Je jugeai inutile de lui signaler que Powers avait été touché *parce qu'*il était avec moi. J'opinai et m'emparai d'une serviette pour dissimuler mon expression.

Je me garai sur le parking de l'hôpital, me dirigeai vers l'entrée et me retournai sur le seuil pour la saluer de loin dans son véhicule de patrouille. Une pensée farfelue me traversa l'esprit : si je ne pouvais plus gagner ma pitance en découvrant les morts, pourrais-je devenir policier ? Réussirais-je seulement l'examen médical ? Ma jambe droite va beaucoup mieux mais elle est parfois capricieuse. Et je souffre de migraines abominables. Non, ce n'était pas une carrière pour moi. Je secouai la tête et vis ce mouvement se refléter dans les glaces de l'ascenseur. Quelle sotte !

Je longeai le couloir sur la pointe des pieds et pénétrai tout doucement dans la chambre de Tolliver. Il faisait noir, bien que la lumière de la salle de bains fût allumée et la porte entrouverte.

— Harper ? murmura-t-il d'une voix empâtée par le sommeil.

— Oui, c'est moi. Tu m'as manqué, chuchotai-je.

— Viens ici.

Je m'approchai du lit et m'accroupis pour enlever mes chaussures.

— Je m'installe dans le fauteuil. Rendors-toi.

— Non. Allonge-toi près de moi.

— Tu es sûr ? Ce lit est terriblement étroit.

— Je suis sûr. Je préfère manquer de place avec toi que d'en avoir plein sans toi.

Je sentis les larmes rouler sur mes joues, ravalai un sanglot.

— Qu'as-tu ?

Il m'entoura de son bras valide tandis que je me glissai auprès de lui.

— Plus tard... Dors. Je ne voulais pas rester toute seule, c'est tout.

— Moi non plus.

Il s'endormit aussitôt et moi, quelques minutes plus tard.

L'infirmière qui déboula à 5 heures du matin fut assez surprise de me voir là avec Tolliver. Ayant constaté que nous étions tous deux habillés, elle en conclut que Tolliver n'avait rien fait qui puisse retarder la guérison de sa blessure et se décontracta.

Tolliver avait bien meilleure mine à la lueur du jour. J'étais requinquée, moi aussi. J'avais repris confiance en moi. J'attendis qu'il fût lavé, rasé et qu'il eût pris son petit déjeuner avant de lui relater l'épisode de la veille.

— Il faut que je parte d'ici ! déclara-t-il instantané-ment en se redressant.

— Pas question ! rétorquai-je d'un ton ferme. Tu ne bouges pas d'ici, où tu es en sécurité, tant que le méde-cin ne t'aura pas donné le feu vert.

— Tu es en danger, bébé. Nous devons te mettre à l'abri.

Je fus soulagée qu'il abandonne tout projet de s'en aller car ce seul mouvement avait suffi à le mettre en sueur.

— Excellent. Mais où ?

— Tu pourrais aller à l'appartement de Saint Louis.

— Sans toi ? Certainement pas.

— Tu pourrais quitter le pays.

— Tais-toi. Je ne vais pas dépenser une fortune pour me réfugier en Europe ou je ne sais où sous prétexte qu'un malade a tiré sur les gars qui m'entourent.

— Tu as reçu une *menace de mort*, insista-t-il comme si j'étais mentalement inapte ou malentendante.

— Je *suis au courant* ! ripostai-je en imitant sa voix. Sérieusement, Tolliver, tu t'inquiètes pour rien. Quelqu'un cherche à me déstabiliser, c'est tout. Certes, on t'a tiré dessus puis sur l'inspecteur Powers. Mais si j'avais été la véritable cible, c'est moi qui serais tombée, non ? Je n'ai pas simplement eu de la chance : le tireur essaie de m'effrayer, point.

— Le résultat ne me satisfait guère, grogna-t-il en indiquant son lit.

— Tu as raison.

Nous étions dans une impasse.

Le Dr Spradling apparut et interrogea Tolliver comme à son habitude. De toute évidence, il était hors de danger et le médecin était prêt à le libérer à condition que quelqu'un puisse prendre soin de lui à la maison. Je levai une main pour lui signifier que j'étais là.

— Et les voyages ? m'enquis-je.

— En voiture ?

— Oui.

— Je vous le déconseille. Il a besoin de se reposer deux jours au minimum. J'envisageais de lui prescrire des antibiotiques par perfusion mais si vous promettez de suivre mes instructions à la lettre, j'opterai pour un traitement oral et il pourra partir demain.

— D'accord. Vous pouvez compter sur moi.

— Donc, si son état continue à s'améliorer, s'il n'a pas de fièvre, il sortira demain.

J'étais enchantée. Tolliver aussi.

— Je ferais mieux de retourner à l'hôtel me changer et me restaurer, dis-je dès que le médecin eut disparu.

— Peux-tu patienter jusqu'à ce que Mark termine son service ? J'aimerais qu'il t'accompagne.

— J'irai seule. Je ne peux pas rester enfermée dans une pièce du matin au soir, Tolliver. J'ai des choses à faire.

En outre, je ne tenais pas du tout à ce que Mark se fasse tirer dessus à son tour.

— Qui est-ce, à ton avis ?

— Au risque de te paraître ridicule, je me demande si ce n'est pas un internaute, un fou furieux qui a décidé que je ne devais pas m'entourer d'autres hommes. À moins que ce ne soit qu'une coïncidence... Peut-être me visait-il, auquel cas, il est d'une maladresse incroyable. Ou encore, il veut me faire peur et voir comment je vais réagir.

— Pourquoi maintenant ? Il y a forcément une raison.

— Je l'ignore, grondai-je, agacée. Comment veux-tu que je le sache ? Espérons que la police parvienne à résoudre le mystère. Le fait qu'un des leurs ait été touché devrait les inciter à redoubler d'efforts. Dieu sait qu'ils m'ont interrogée sur mes moindres faits et gestes de ces deux derniers jours, encore et encore. D'autre part, je dois rendre visite à l'inspecteur Powers.

Tolliver acquiesça. Il tourna la tête vers la fenêtre. La journée était froide et claire, le ciel d'un bleu intense, presque aveuglant. Une journée magnifique. Et nous étions là, confinés dans une chambre d'hôpital, à nous chamailler.

Je m'approchai du lit, pris la main de Tolliver. Elle resta inerte.

— Je vais me laver, manger puis aller voir l'inspecteur. Ensuite, je reviendrai. Ne te fais aucun souci. On ne peut tout de même pas me filer vingt-quatre heures sur vingt-quatre ?

— Il faut que je fiche le camp d'ici.

— Oui. Le médecin te laissera sortir demain. Pas de bêtises d'ici là, d'accord ?

On frappa discrètement à la porte et un homme de petite taille apparut – tout en noir, les cheveux blond platine laqués en hérisson, il arborait des piercings aux sourcils, au nez et (je l'avais découvert dans le passé) à

154

sa langue. Il était plus jeune que moi, mince et étrangement séduisant.

— Bonjour, Manfred, murmura Tolliver. Je n'imaginais pas dire cela un jour, mais je suis heureux de te voir.

11

Manfred était vexé que j'aie protesté quand Tolliver avait insisté pour qu'il m'accompagne.

— Tu ne crois pas que je peux t'être utile ? me demanda-t-il, le regard triste.

— Manfred, commençai-je, excédée... je ne sais pas quoi faire de toi, voilà tout.

— J'ai mon idée, riposta-t-il en remuant des sourcils.

Il faisait le pitre mais il était sérieux. Au moindre encouragement de ma part, Manfred nous réserverait une chambre d'hôtel aussi vite qu'il dégainerait son portefeuille.

Le hic, c'est que c'est moi qui devrais payer parce qu'il n'avait probablement pas un cent sur lui. De quoi vivait-il ? Sa grand-mère, Xylda Bernardo, avait fait partie des charlatans flamboyants mais elle avait eu un véritable don. Simplement, il ne se manifestait pas toujours au bon moment et quand les voix ne lui parlaient pas, elle avait eu une fâcheuse tendance à improviser. Son activité ne lui avait pas rapporté grand-chose et son flair pour le drame l'avait entraînée à pousser son métier jusqu'à la caricature.

Manfred est beaucoup plus rusé. Lui aussi a un don. Je ne connais ni l'éventail ni la profondeur de ses capacités psychiques mais j'ai la sensation que le jour où il les aura aiguisées et affûtées, il deviendra riche.

Pour l'heure, ce n'était pas le cas.

— *Primo*, rétorquai-je, ignorant le sous-entendu, je dois faire un saut à ma chambre pour me changer. Ensuite, nous irons à l'autre hôpital, celui où l'on a transporté l'inspecteur Powers.

— Le Dallas Cowboy ? Parker Powers ? s'exclama Manfred, soudain rayonnant. J'ai lu un article sur lui dans *Sports Illustrated*, à l'époque où il est devenu flic.

— Je ne t'imaginais pas fan de football, avouai-je.

La vie n'est-elle pas un processus de réévaluation ?

— Tu rigoles ? *J'adore* le football. J'ai joué dans l'équipe de mon lycée.

Je le dévisageai, dubitative.

— Ne te fie pas à ma taille. Je cours très vite. Et c'était un petit établissement, ils n'avaient pas grand choix, ajouta-t-il en toute honnêteté.

— Quel poste occupais-tu ?

— J'étais *tight end* [1], m'annonça-t-il sans sourciller.

Décidément, pour Manfred, le football, c'était du sérieux.

— Intéressant, murmurai-je et j'étais sincère. Manfred, ce n'est pas pour changer de sujet mais pourquoi as-tu décidé de parcourir tout ce chemin alors que je t'avais dit que je me débrouillerais seule ?

— J'ai eu le sentiment que tu étais dans le pétrin.

Il m'observa à la dérobée puis se concentra sur le pare-brise de sa voiture. Si j'étais suivie (ce qui me paraissait

---

1. Receveur rapproché. *(N.d.T.)*

grotesque), la Camaro défoncée de Manfred brouillerait les pistes.

— Ah oui ?

— J'ai vu quelqu'un tirer sur toi, poursuivit-il d'un ton grave. Je t'ai vue tomber.

— Est-ce que… Quand tu es entré dans la chambre de Tolliver, tu n'étais pas sûr que je sois encore vivante, n'est-ce pas ?

— J'avais regardé les informations télévisées et rien n'indiquait que tu étais morte. En revanche, j'ai appris qu'un policier de Garland avait été touché. On n'avait pas encore révélé son nom aux journalistes. J'étais presque sûr que tu allais bien. Mais je voulais m'en assurer personnellement.

— Tu as donc sauté dans ta voiture, conclus-je, médusée.

— Je n'étais pas si loin que ça.

Il y eut un petit silence.

— D'accord, je mords à l'appât, concédai-je. Où étais-tu ?

— Dans un motel à Tulsa. J'avais un contrat là-bas.

— Tu es officiellement dans le métier, désormais ?

— Oui. J'ai un site Web, toute l'artillerie.

— Comment fonctionnes-tu ?

— Je demande vingt-cinq dollars pour une réponse à une question. Cinquante dollars pour une consultation si on me donne le signe astrologique et l'âge. Et si je dois me déplacer pour une séance privée c'est… beaucoup plus cher.

— Et ça marche ?

Je m'étais complètement trompée sur la situation financière de Manfred.

— Pas mal, avoua-t-il avec un demi-sourire. Bien sûr, je profite de la réputation de Xylda. Dieu ait son âme !

— Elle doit te manquer.

— Énormément. Ma mère est une femme charmante, précisa-t-il avec l'air de quelqu'un qui fait son devoir. Mais ma grand-mère m'a apporté plus d'amour et j'ai fait de mon mieux pour prendre soin d'elle. Ma mère travaillait sans arrêt, je ne me souviens pas de mon père, Xylda était donc ma... mon chez-moi.

Jolie métaphore, songeai-je.

— Je suis désolée que tu l'aies perdue. Je pense souvent à elle.

— Merci... Elle t'appréciait, tu sais.

Nous accomplîmes le reste du trajet en silence.

Pendant que je me préparais, Manfred se rendit à l'endroit où Parker Powers était tombé la veille. Il espérait y détecter des ondes et savait que je serais plus à l'aise s'il n'était pas dans la pièce. Lorsqu'il frappa à ma porte, j'étais habillée, maquillée autant que le permettait mon visage parsemé de minuscules coupures et d'attaque pour l'étape suivante. Manfred tapa l'adresse de l'hôpital sur le clavier de son GPS. Parker Powers était au *Christian Memorial*. Pourquoi ne l'avait-on pas transporté là où était Tolliver ? Tous deux souffraient de blessures par balle, ce n'était donc pas un problème d'équipement des urgences.

J'étais fascinée par le GPS de Manfred et comme j'envisageais d'en offrir un à Tolliver pour son anniversaire, nous discutâmes marques et modèles jusqu'à notre arrivée. Je ne voulais pas réfléchir à la visite que je m'apprêtais à faire.

Toutes les villes du monde prétendent subir les pires embouteillages. Dallas a grandi très vite et nombre de ses habitants récemment installés dans la ville n'ont jamais conduit en zone urbaine. Aussi, selon moi, Dallas l'emporte haut la main. La congestion s'étend

160

aux dizaines de faubourgs alentour au milieu desquels nous nous faufilions maintenant.

Ayant épuisé le problème des GPS, Manfred m'interrogea sur la mission que nous avions remplie avant de venir à Dallas.

— Raconte-moi ces derniers jours. Tu sais que cette fusillade est liée à tes activités récentes. Je ne vois pas comment il pourrait y avoir une connexion avec l'affaire de Caroline du Nord.

J'étais d'accord avec lui. Manfred étant un collègue, je lui racontai l'épisode au cimetière Pioneer Rest. J'avais des scrupules à rompre mon accord tacite avec les Joyce mais j'en étais venue à les soupçonner d'être impliqués dans cette histoire. Plus important, je savais que Manfred tiendrait sa langue.

— On peut envisager deux possibilités. Tu peux partir à la recherche du bébé volatilisé, dont l'un des hommes que tu as rencontrés pourrait être le père biologique… Remarque, ce gosse a grandi depuis, il doit être en âge d'aller à l'école… Ou explorer la thèse selon laquelle l'un d'entre eux est coupable d'avoir jeté le serpent à sonnette sur Richard Joyce, provoquant son arrêt cardiaque.

— Exact, approuvai-je, soulagée de pouvoir en discuter. Mais n'oublions pas le fait que le père de Tolliver est de retour et qu'il essaie désespérément de renouer avec son fils. Et nos demi-sœurs. On ne peut pas non plus écarter l'appel d'un inconnu qui, après toutes ces années, affirme avoir aperçu Cameron.

Je lui fournis un résumé de notre situation familiale.

— Cela signifie qu'il pourrait y avoir une relation avec tes demi-sœurs. Ou Cameron. Et si c'était elle, la clé ?

— En quel honneur ? m'exclamai-je, sidérée.

— Un type qui refuse de s'identifier téléphone pour dire qu'il a vu Cameron. Un autre pour te menacer de mort. Deux coups de fil anonymes... Plutôt louche, non ?

— Oui, répondis-je avec lenteur en y réfléchissant pour la première fois. Naturellement !

Si je n'avais pas encore fait le rapprochement, c'est parce qu'autour de moi, les gens tombaient comme des mouches.

— Cameron serait donc à l'origine de ces événements.

— Ou alors, ce type pensait que c'était le meilleur moyen de t'éloigner de Tolliver. Peut-être s'est-il imaginé que tu irais à Texarkana. Il n'avait sûrement pas envisagé que la police te montrerait les enregistrements.

Une longue minute de silence suivit.

— Euh... Harper... Tu es absolument certaine que cette femme sur la vidéo n'était pas ta sœur ?

— Sans aucun doute. Sa mâchoire était différente, sa démarche aussi. Certes, elle était blonde et la taille correspondait. J'ignore pourquoi quelqu'un déclarerait l'avoir vue alors que le dossier est classé et que plus personne ne la recherche.

— Tu... tu as toujours été convaincue qu'elle était morte, n'est-ce pas ?

— Oui. Elle ne m'aurait pas laissée m'inquiéter ainsi pendant toutes ces années.

— Pourtant, tu as dit que pour vous deux, c'était l'enfer à la maison.

— Oui.

Je pris une grande inspiration.

— Elle n'aurait pas fait ça. Elle nous aimait tous, tous les enfants.

— Ainsi ton beau-père refait surface et comme par hasard, un mystérieux individu a aperçu Cameron,

162

supputa-t-il, omettant la théorie d'une fugue. Là encore, drôle de coïncidence, non ?

— Oui. Et je ne sais pas quoi en penser. Je n'ai jamais imaginé qu'il l'avait tuée. J'aurais peut-être dû. Mais au moment des faits, Matthew se trouvait chez un de ses copains taulards avec qui il était en affaires.

— Quel genre d'affaires ?

— La drogue, tout ce qui pouvait rapporter du fric.

Je dus me taire pour me le rappeler. Incroyable ! Comment avais-je pu oublier les détails de cette journée ?

— Cet après-midi-là, Renaldo et Matthew devaient porter des chutes de métal à l'usine de recyclage pour renflouer leurs poches. Ils n'y sont probablement jamais parvenus. Ils ont commencé par jouer au billard.

— Quel est le nom de famille de son ami ?

— Simpkins. Renaldo Simpkins, bredouillai-je, furieuse contre moi d'avoir occulté ces éléments. Il était plus jeune que Matthew, il avait un physique agréable ; ça, je m'en souviens... Quant à son visage... Tolliver pourrait sans doute te le décrire.

J'avais la désagréable impression de trahir ma sœur. Pour la première fois, je me réjouis que la police et Victoria Flores aient conservé tous les rapports.

Nous nous garâmes sur le parking devant le *Christian Memorial*, un établissement un peu plus neuf que le *God's Mercy* bien que rien dans cette région ne fût très ancien. Nous entrâmes dans le hall et demandâmes à une jeune femme en blouse rose de nous indiquer le chemin. Elle braqua sur nous le sourire de circonstance qui se veut chaleureux et accueillant.

— L'inspecteur Powers est au quatrième étage mais je vous préviens, on s'y bouscule. Vous ne pourrez peut-être pas le voir.

163

— Merci, répondis-je en lui renvoyant un sourire à mille watts.

Nous nous dirigeâmes vers les ascenseurs, les ornements faciaux de Manfred attirant une certaine curiosité sur son passage. Il paraissait indifférent aux regards surpris et enchantés qu'il suscitait. Quand les portes s'ouvrirent sur le couloir du quatrième, nous fûmes confrontés à océan de visages et une forêt de tenues bleu marine. Des flics vêtus d'uniformes divers erraient çà et là ainsi que des hommes et des femmes qui ne pouvaient être qu'inspecteurs. Il y avait aussi un joueur de football ou deux.

S'il ne m'était pas venu à l'esprit de laisser Manfred au rez-de-chaussée, je me rendis compte immédiatement que j'avais commis une erreur en l'emmenant jusqu'ici. Il devint soudain le centre de toutes les attentions – négatives. Je me raidis. Manfred est mon ami ; il avait le droit d'être là au même titre que n'importe qui. Une femme aux épaules larges coiffée d'une tignasse brune m'aborda. C'était la chef. Elle respirait l'autorité.

— Bonjour. Je suis Beverly Powers, l'épouse de Parker. Puis-je vous aider ?

J'hésitai : je n'avais pas prévu une telle foule.

— Je l'espère. Je suis Harper Connelly et Parker a été touché alors que c'était moi qui étais visée. J'aimerais le remercier. Voici mon ami Manfred Bernardo, qui joue le rôle de mon chauffeur pendant que mon frère est à l'hôpital.

— Ah, c'est *vous* ! s'écria-t-elle en me dévisageant avec intérêt. Je suis si heureuse de vous rencontrer. Vous comprenez, les rumeurs les plus folles courent sur les raisons pour lesquelles vous étiez ensemble et je compte sur vous pour m'expliquer précisément ce qui s'est passé.

164

— Naturellement ! Je n'ai rien à cacher.

Elle patienta, les sourcils en accent circonflexe. Je compris qu'elle voulait une explication ici et maintenant.

Autour de nous, tout le monde tendait l'oreille tout en feignant le contraire. Du coin de l'œil, je vis Manfred s'éloigner vers un coin. Les mains croisées devant lui, il me fixait, prêt à bondir, le cas échéant. On aurait dit un agent infiltré. C'était sûrement son intention. Cet homme est un caméléon.

— On a tiré sur mon frère il y a deux jours, commençai-je en choisissant mes mots avec soin. L'inspecteur Powers est venu voir la scène du crime. Il était avec Rudy Flemmons. L'inspecteur Flemmons est passé me voir à l'hôpital. Hier soir, quand j'ai regagné mon hôtel, votre mari m'y attendait. Je lui ai annoncé que j'allais courir parce que j'étais restée enfermée toute la journée au chevet de mon frère. Il a décrété qu'il viendrait avec moi parce qu'il n'était pas certain que le tireur ait eu l'intention de viser mon frère.

Inutile de mentionner la lueur d'avidité dans les yeux de Powers.

— Il était d'avis que j'étais la cible, d'autant que dans la journée, il a reçu un appel anonyme me menaçant de mort. Nous n'avons ni l'un ni l'autre pris cet avertissement au sérieux, ce qui s'est révélé une erreur – j'en suis désolée. Ma seule excuse, c'est qu'on a souvent cherché à m'intimider sans y donner suite. Votre mari avait une tenue de sport dans son coffre ; il s'est changé dans sa voiture et nous sommes partis. Il s'est vite essoufflé – pardonnez-moi mais j'ai eu l'impression qu'il n'avait pas couru depuis longtemps.

Contre toute attente, mon public s'était considérablement détendu pendant que je renseignais Beverly

Powers sur le déroulement des événements et quelques rires fusèrent après ma remarque sur son état physique. Même Beverly esquissa un sourire.

Tout à coup, je saisis : Mme Powers et les collègues de Parker nous avaient soupçonnés d'entretenir une liaison. Mon discours sans fioritures venait de dissiper leurs craintes. Ils n'étaient pas tant amusés que soulagés

— Nous courions entre les rangées de cars scolaires garés en face du lycée, rue Jacaranda. Nous avons entendu une voiture arriver et avons tout de suite pensé qu'elle nous poursuivait mais elle est repartie en trombe. Nous avons décidé qu'il valait mieux rentrer à l'hôtel. Nous marchions dans la rue quand un type a surgi de derrière un buisson et tiré. J'ignore si c'est moi qu'il visait ou votre mari mais l'inspecteur Powers m'a poussée de côté. Du coup, c'est lui qui a tout pris. J'en suis navrée. Il a été si courageux et je regrette qu'il soit aussi gravement blessé. J'ai appelé les secours aussi vite que possible.

— C'est ce qui lui a sauvé la vie.

Le visage de Beverly était rond et doux mais son regard… quel que soit le sport qu'elle avait pratiqué, cette femme avait dû être une concurrente féroce.

Je me félicitai de ne pas être la maîtresse de son mari.

— Venez, je vous en prie.

— Il est conscient ?

— Non.

Je compris à son ton que peut-être l'inspecteur Powers ne reprendrait jamais conscience.

Me prenant par la main, elle me mena jusqu'à une chambre vitrée et je contemplai son époux. Il était horrible à voir et complètement hors circuit. À cause des médicaments ? Dormait-il profondément ou était-il dans le coma ?

— Je suis désolée, chuchotai-je.

Il allait mourir. Je me trompe parfois – la mort peut rester suspendue au-dessus des gens comme une ombre sans jamais les envelopper – mais là, j'étais assez sûre de moi. Je priai pour que ce ne soit pas le cas.

— Grâce à vous, j'aurai pu passer un petit moment de plus avec lui.

Nous demeurâmes un instant silencieuses.

— Il faut que j'aille retrouver mon frère. Merci de m'avoir parlé, de m'avoir autorisée à le voir. Et s'il vous plaît, dites-lui que je lui suis infiniment reconnaissante.

Je tapotai l'épaule de Beverly d'un geste maladroit et me frayai un chemin dans la foule pour rejoindre Manfred, qui m'attrapa par le bras et appuya sur le bouton de l'ascenseur. Les portes s'ouvrirent aussitôt et nous nous engouffrâmes dans la cabine. J'étais pressée qu'elles se referment sur cette scène cauchemardesque.

— Je suis contente que tu sois venu avec moi, Manfred. Cela a dû être une épreuve pour toi.

— Oh, non, j'adore me jeter dans la fosse aux lions avec une étiquette marquée *agneau comestible*.

Maintenant que nous étions seuls, son visage se détendit : il était aussi soulagé que moi.

Il me serrait très fort, trop fort. Sensible à ma douleur, il relâcha son étreinte.

— Quelle aventure ! soupira-t-il d'une voix redevenue normale. Qu'as-tu prévu pour la suite ? Un combat contre un alligator ?

— Non, j'ai pensé qu'on pourrait aller déjeuner. Ensuite, j'irai auprès de Tolliver.

Nous étions dans la voiture, en route pour l'hôtel, quand Manfred me demanda quand le médecin envisageait de laisser sortir Tolliver.

— Demain. Il aura besoin de soins. Je devrais peut-être demander une suite à la place de la chambre qu'on m'a attribuée. Nous risquons d'être là encore une semaine car Tolliver doit se reposer. Il sera couché le plus souvent et je ne veux pas le déranger.

— Tu n'as pas changé d'avis ? Tolliver est l'homme de ta vie ? s'enquit Manfred, soudain grave.

— Oui. Il l'est depuis que nous nous sommes connus. Bien sûr, tu étais ma solution de repli.

J'essayai de sourire. Il en fit autant.

— Je vais devoir déployer un filet plus large. Avec un peu de chance, je réussirai peut-être à pêcher une sirène.

— S'il existe une personne au monde capable de trouver une sirène, c'est bien toi.

— Tu ne quittes pas le rétroviseur des yeux. Tu n'aimes pas ma façon de conduire ?

— Je vérifie que nous ne sommes pas suivis. J'ai beau scruter, je ne vois rien. Heureusement que je ne rêve pas de devenir flic.

Manfred s'y mit aussi mais il ne remarqua aucune voiture effectuant systématiquement les mêmes manœuvres que nous. Vu la circulation à Dallas, cela ne prouvait rien mais je fus rassurée.

À l'hôtel, je rassemblai mes affaires et réglai ma note, non sans avoir d'abord téléphoné à un autre établissement au bout de la rue pour savoir s'ils avaient une suite disponible. Ils en avaient une et je la louai au nom de Tolliver. L'auteur des appels anonymes n'avait pas su où je m'étais réfugiée mais s'il le souhaitait, il n'aurait aucun mal à me localiser : autant lui compliquer la tâche. Je réservai pour six nuits en me disant que nous pourrions écourter notre séjour si Tolliver était en mesure de voyager. J'appelai aussi Mark pour lui transmettre nos coordonnées. Puis Manfred me conduisit à mon nouvel hôtel et m'aida à monter nos bagages.

Après cela, nous allâmes déjeuner dans un restaurant de type familial offrant un buffet de salades à volonté. Il était temps que je mange une nourriture saine et j'empilai fruits et légumes sur mon assiette. Manfred aussi.

Mon ami est un grand amateur de conversation. Plus exactement, il bavarda et je l'écoutai. Je me demandai comment il s'entendait avec ses pairs car il en avait gros sur le cœur depuis le décès de Xylda et n'avait pas grand monde à qui se confier. Il me parla surtout d'elle (elle lui manquait affreusement), de ce qu'elle lui avait enseigné, des objets bizarres qu'il avait découverts chez elle.

— Merci d'être venu, murmurai-je lorsqu'il marqua enfin une pause.

Il haussa les épaules, mi-fier, mi-gêné.

— Tu avais besoin de moi.

Il détourna son regard.

— J'aimerais te présenter quelques personnes afin que tu me dises ce que tu ressens. Si je peux m'arranger pour que la rencontre paraisse fortuite.

Il s'illumina à la perspective de me rendre service.

— Si tu es pressé de rentrer chez toi, je comprendrai, ajoutai-je.

— Non. Je travaille abondamment par Internet et je n'ai aucune séance prévue cette semaine. J'ai apporté mon ordinateur portable et mon cellulaire : j'ai tout ce qu'il me faut. Que dois-je guetter ?

J'avais en face de moi un jeune homme nettement plus mûr que celui que j'avais quitté la dernière fois.

— Tout ce que tu pourras me révéler à propos de ces gens. Quelqu'un a tiré sur Tolliver. Quelqu'un a tiré sur l'inspecteur Powers, bien que je sois convaincue que j'étais la personne à abattre. Et je soupçonne que le coupable est parmi eux. Je veux savoir pourquoi.

— Pas « qui » ?

— Si, évidemment. Mais le « pourquoi » est important. J'ai besoin de savoir si je suis ou non la véritable cible.

— Compris.

Manfred me déposa devant l'entrée latérale de l'hôpital pour plus de discrétion. Je me précipitai vers les ascenseurs. Personne ne semblait faire attention à moi, personne ne semblait traîner dans les parages. Tous ceux que je croisai paraissaient avoir un but précis. On ne m'adressa pas la parole.

En pénétrant dans la chambre, je découvris Tolliver assis dans le fauteuil. Un large sourire fendit mon visage.

— Tiens ! Tu as tenté une nouvelle aventure !

— Dis donc ! Je ne suis pas un flemmard, répliqua-t-il en souriant à son tour. La possibilité de m'en aller d'ici m'a remonté bien plus que les médicaments. Alors ? Cette escapade à travers la ville avec Manfred le merveilleux ?

Je lui relatai notre visite auprès de l'inspecteur Powers.

— Quand ils ont réalisé que nous n'avions pas couché ensemble, leur attitude a changé du tout au tout.

— Dès qu'il ira mieux, tu pourras leur dire que c'est un étalon.

— Je crains qu'il ne s'en sorte pas. Je suis presque sûre qu'il va mourir.

Tolliver me prit la main.

— Ce n'est pas à nous d'en décider, Harper. Tout ce que nous pouvons faire, c'est prier pour qu'il guérisse.

170

Comme c'était gentiment dit, pas tant par les mots que par la manière. Tolliver m'aimait. Je pleurai un peu et il me laissa faire sans me sermonner, puis je l'aidai à se recoucher car il était fatigué. Nous étions trop las pour aborder le sujet du tueur.

Mark et Matthew arrivèrent une heure plus tard.

Nous regardions un vieux film et y prenions grand plaisir mais j'éteignis le poste par politesse. Tandis qu'ils se plantaient côte à côte au bout du lit, je notai que Mark et Matthew se ressemblaient davantage que Tolliver et son père. La silhouette courte, épaisse, les visages carrés… tous trois avaient les cheveux de la même couleur mais hormis cela, Tolliver était incontestablement le portrait de sa mère. Je n'avais vu la première Mme Lang qu'en photo mais Tolliver avait ses traits fins et son allure élancée.

Souhaitaient-ils que je les laisse ?

Tolliver ne m'encouragea ni dans un sens ni dans l'autre. Je m'attendais plus ou moins à ce que Matthew me chasse sous prétexte de vouloir discuter seul avec ses fils mais il resta muet. Je restai.

Après un échange banal sur l'état de santé de Tolliver, Mark lui fit une proposition :

— J'ai pensé que tu pourrais revenir à la maison. Le temps de ta convalescence.

— Chez toi, murmura Tolliver.

Nous sommes allés chez Mark une fois. Il nous avait invités à dîner et il avait tout commandé chez le traiteur. Il possède un pavillon de plain-pied sans caractère avec un petit jardin clos à l'arrière.

— Oui. Pourquoi pas ? Puisque toi et Harper êtes…

Là, il eut un geste vague destiné à indiquer que nous formions un couple.

— … vous pouvez partager le même lit. J'ai la place de vous recevoir.

— Papa dort dans l'autre chambre ? s'enquit Tolliver, le regard rivé sur son frère.

— Oui. Après tout, c'est logique : il gagne peu d'argent et la pièce était libre.

— J'ai déjà réservé une suite dans un hôtel, intervins-je d'une voix calme, neutre car je voulais à tout prix éviter une confrontation.

Apparemment, mon vœu ne serait pas exaucé.

Mark s'empourpra comme chaque fois qu'il était en colère.

— Harper, mêle-toi de tes affaires. Tolliver est mon frère, j'ai le droit de l'inviter à séjourner chez moi. À lui de décider. Nous sommes en famille.

J'étais furieuse, moi aussi, mais surtout, blessée. Je me fichais d'appartenir ou non à la famille de Matthew mais Mark et moi avions partagé notre lot de malheurs. À mes yeux, nous, les enfants, avions constitué notre propre famille. Je sentis que je devenais écarlate.

— Mark ! dit Tolliver avec vivacité, Harper est ma famille depuis des années. La tienne aussi. Tu te rappelles comment nous avons dû nous serrer les coudes, *je le sais*.

Mark fixa le sol, en plein désarroi.

— Ce n'est pas grave, Mark, dit Matthew. Je comprends ce qu'ils veulent dire. C'est vrai que vous aviez formé un clan. Laurel et moi n'étions pas à la hauteur de la situation. Nous vivions tous sous le même toit mais nous ne formions pas une famille. Tolliver a raison.

Matthew en faisait trop.

— Papa, grommela Mark comme s'il avait de nouveau dix-sept ans. Tu as fait de ton mieux pour que nous restions ensemble.

— Exact. Mais mes addictions l'ont emporté sur le reste.

Je dus lutter pour ne pas lever les yeux au ciel. Impassible, Tolliver observait son frère qui se confessait – une fois de plus. Par moments, j'ai encore du mal à déchiffrer ses pensées et là, j'étais perdue. Se laissait-il apitoyer par le sort de son père ou échafaudait-il un plan pour l'éliminer ? À cet instant précis, j'aurais voté pour la deuxième solution.

— Je t'en supplie, Tolliver, offre-moi une chance de renouer avec toi.

Il y eut un silence interminable.

— Tol, murmura Mark. Tu te souviens du jour où Gracie est tombée si malade ? Rappelle-toi : papa l'a emmenée aux urgences. Les médecins lui ont donné des antibiotiques et elle est rentrée en bien meilleure forme.

J'avais oublié cet incident. Il s'était produit des années auparavant. Gracie n'avait que quelques mois. Et moi ? Quinze ans ? La venue de cette petite sœur m'avait mortifiée car c'était la preuve que ma mère et son mari entretenaient des relations sexuelles.

Ah ! L'adolescence ! Un rien vous met mal à l'aise.

Je savais m'occuper d'un bébé car nous avions déjà dû prendre soin de Mariella. Toutefois, ma mère allait un peu moins mal au moment de sa naissance et elle avait assuré le minimum au quotidien. Par exemple, nous pouvions lui laisser Mariella pendant que nous allions à l'école. Avec Gracie, c'était impossible car elle était née frêle et maladive. Pourquoi a-t-on laissé ma mère quitter l'hôpital avec cette petite ? Mystère. Nous avons presque prié pour qu'on la lui enlève ou qu'elle la fasse adopter.

En vain. Nous nous sommes serré les coudes : Cameron et moi avons fait du baby-sitting à tour de rôle pour d'autres familles ; les garçons ont multiplié les jobs d'étudiant pour gagner un peu d'argent ; Matthew a participé aussi. Nous nous sommes débrouillés pour mettre les filles à la garderie en notre absence.

Puis l'état de Gracie, qui avait toujours souffert de problèmes respiratoires, s'était sérieusement dégradé. Je ne me souviens pas de grand-chose sinon que nous étions terrifiés. Nous avons tellement insisté que Matthew a fini par l'emmener à l'hôpital.

— Es-tu en train de me dire que je dois renouer avec papa parce qu'il s'est comporté en père digne de ce nom une fois, une *seule et unique fois* ?

Je poussai un soupir de soulagement : Tolliver n'était pas dupe.

Matthew secoua la tête, attristé.

— Tolliver, je m'efforce de ne pas replonger. Ne sois pas si dur avec moi.

Je dus me retenir de toutes mes forces pour ne pas réagir et me félicitai de savoir tenir ma langue. L'espace d'une seconde, ma gorge se serra car je crus que Tolliver allait capituler.

— Au revoir, Mark, papa. Merci d'être passés.

Ouf !

Les deux visiteurs se regardèrent puis pivotèrent vers moi. De toute évidence, ils voulaient que je sorte mais je m'y refusai. Ils ne tardèrent pas à comprendre que je tiendrais bon.

— Harper, dit Matthew, si tu as besoin d'aide pour conduire Tolliver à l'hôtel, laisse un message sur le répondeur de Mark. Nous serons heureux de vous aider.

Je hochai la tête. Mark prit la parole :

— Je suis désolé que nous ne... Merde ! Je regrette que vous soyez incapables de pardonner.

174

J'étais sidérée. Je n'avais rien à lui répondre ; en revanche, j'avais quelque chose à dire à son père.

— Grâce à ta négligence, Matthew, j'ai appris les règles de base de la survie. Je ne te déteste pas mais je n'oublierai jamais. Ce serait stupide de ma part.

Matthew me dévisagea et je décelai dans ses yeux une lueur de mépris mais il s'empressa de remettre son masque de repentant.

— C'est dommage, Harper. Fils, je prierai pour toi.

Tolliver resta muet. Son père et son frère tournèrent les talons et quittèrent la pièce.

— Il me hait, marmonnai-je.

— Moi aussi. Si je dévale les escaliers, ne les appelle surtout pas. J'aime Mark et c'est mon frère mais il est de nouveau sous la coupe de papa et je me méfie de lui comme de la peste.

12

Je quittai l'hôpital après la tombée de la nuit et roulai un moment au hasard jusqu'à ce que je sois certaine que personne ne me suivait. J'étais si peu habituée à ce que l'on me file que cinq véhicules auraient pu me traquer sans que je m'en rende compte mais je fis de mon mieux. Je me garai le plus près possible de l'entrée de l'hôtel et me ruai à l'intérieur au pas de course. La suite était au deuxième étage. Dans le couloir, je vérifiai que personne ne pouvait voir quelle porte je poussais.

Je défis mes bagages et m'occupai à repasser un peu de linge. Avec optimisme, je choisis une tenue pour ramener Tolliver le lendemain. Il aurait sans doute du mal à tendre le bras pour enfiler un tee-shirt ou un polo, aussi j'optai pour un jean et une chemise. Je rangeai le tout dans un sac. J'étais prête.

Après avoir regardé les informations télévisées, je décidai de commander un repas à la réception. J'étais ravie qu'un restaurant soit rattaché à l'établissement car je ne voulais pas sortir seule. J'étais un peu étonnée que Manfred ne m'ait pas appelée pour me proposer de dîner avec lui mais seule ou en compagnie, j'avais faim.

Je choisis un minestrone et une salade César en me disant que ce devrait être mangeable même si le cuisinier n'était pas doté d'un talent immense.

Quand on frappa, je m'approchai pour ouvrir mais tergiversai. D'après mon expérience, le room service s'annonce systématiquement. Or là, je n'avais rien entendu.

Je tendis l'oreille en songeant que la personne à l'extérieur devait en faire autant.

Curieusement, j'avais peur d'utiliser le judas. Je craignais que le tueur ne se tienne de l'autre côté, armé d'un pistolet, et qu'il appuie sur la détente dès qu'il aurait la preuve de ma présence. Quand on est sur ses gardes, on sent que la personne dans la pièce vous observe et je n'aurais pris ce risque pour rien au monde.

Je perçus le bruit de l'ascenseur au bout du corridor et le « ping ! » annonçant l'ouverture des portes. Un bruit de vaisselle tintinnabulant sur un chariot se rapprocha, et je discernai un mouvement, puis mon visiteur s'éloigna. Je me précipitai sur le judas mais il était trop tard. Impossible d'identifier le visiteur importun.

La seconde d'après, on frappa de nouveau, plus fermement et une voix féminine s'éleva :

— Room service !

À travers l'œilleton, je vis une femme en uniforme. Je l'accueillis sans hésitation.

— Avez-vous aperçu quelqu'un dans le couloir ? lui demandai-je. Je faisais une sieste et j'ai cru entendre frapper juste avant vous, mais le temps que je me lève, il n'y avait plus personne, expliquai-je, histoire de ne pas passer pour une paranoïaque.

— Oui mais il repartait dans l'autre sens. Désolée.

Apparemment, l'incident était clos.

J'étais furieuse contre moi-même. J'aurais dû me servir du judas. J'aurais peut-être découvert qu'il s'agissait tout simplement d'un inconnu qui s'était trompé de chambre. Ou Manfred, puisqu'il savait que je logeais ici. Ou encore, j'aurais pu enfin mettre un visage sur mon ennemi.

Déçue par mon comportement ridicule, j'allumai le poste pour visionner une rediffusion de *New York Police Judiciaire* en dégustant ma soupe et ma salade. Le soleil ne se couche jamais sur *New York Police Judiciaire* et si c'était un épisode que je connaissais par cœur, je pouvais me rabattre sur l'une des multiples incarnations des *Experts* – Miami, Manhattan ou Las Vegas. La justice a toute sa place à la télévision, moins dans le monde réel. Peut-être est-ce pour cela que tant d'entre nous adorons la télévision.

Je mangeai lentement et m'aperçus que je mastiquais tout doucement au cas où il y aurait du bruit derrière ma porte. C'était absurde. Je mis la chaîne et poussai le verrou. Cette mesure de précaution me rassura et je me sentis mieux. Mon repas terminé, je scrutai soigneusement les alentours avant de pousser mon chariot dans le couloir puis m'enfermai de nouveau à double tour. La suite n'était pas pourvue de portes menant à des chambres adjacentes et à cette hauteur, on pouvait difficilement passer par la fenêtre. Cependant, je tirai les rideaux.

Et demeurai calfeutrée dans la suite jusqu'au lendemain matin.

Ce n'était pas une vie.

Tolliver paraissait encore mieux que la veille et le médecin lui annonça qu'il pouvait sortir. Il me remit une liste de recommandations. Interdiction de mouiller le pansement. Interdiction de soulever quoi que ce soit avec le bras droit. Consulter un kinésithérapeute dès son retour à la maison (j'en déduisis que dans notre cas, ce serait une fois rentrés à Saint Louis). Comme toujours, les formalités de départ durèrent un temps fou mais enfin, nous nous retrouvâmes à bord de notre voiture.

Je faillis lui faire part de ma réticence à prolonger notre séjour mais me ravisai car je ne voulais pas froisser Tolliver. Nous avions promis de respecter les ordres du médecin, nous ne devions donc pas bouger avant plusieurs jours. J'étais de plus en plus pressée de quitter le Texas. J'étais venue avec l'espoir de commencer à rechercher notre future maison et voilà que je n'avais plus qu'une envie : charger le coffre et fuir à toute allure.

Tolliver regarda défiler le paysage comme s'il venait de purger une peine de prison, comme si des années de confinement l'avaient privé de la vue de restaurants, d'hôtels et d'embouteillages. Il avait revêtu le jean et la chemise que je lui avais apportés – une tenue nettement plus seyante que la blouse d'hôpital.

— Je sais, bougonna-t-il, je suis dans un état lamentable. Inutile d'en rajouter.

— Au contraire, tu m'as l'air en pleine forme ! rétorquai-je d'un ton innocent.

Il rit aux éclats.

— Mais oui, bien sûr.

— Je n'ai jamais reçu une balle. Elle n'a fait que m'effleurer. Qu'as-tu ressenti ? Une sorte de coup de poing violent ? C'est la description que l'on donne dans les bouquins.

— Si le poing vous traverse le corps, vous fait saigner et provoque une douleur comme vous n'en avez jamais éprouvé, alors oui. J'ai eu tellement mal que j'ai voulu mourir.

180

— Mon Dieu !

Je tentai d'imaginer une souffrance d'une telle intensité. La foudre m'a gravement blessée mais j'ai perdu connaissance. Ma mère m'a souvent répété que l'accouchement est abominablement douloureux mais je n'ai encore jamais vécu cette expérience.

— J'espère que cela ne se reproduira plus jamais.

— Tu as eu des nouvelles ? s'enquit Tolliver.

La formulation me rendit perplexe.

— Qui, précisément ?

— Victoria a fait un saut à l'hôpital hier soir.

J'attendis de pouvoir adopter un ton léger.

— Tu veux que je te fasse une crise de jalousie ?

— Je ne t'en ai pas fait pour Manfred.

Aïe !

— Alors raconte !

Nous arrivions à l'hôtel, notre conversation fut interrompue pendant que je contournai la voiture pour ouvrir la portière de Tolliver. Il sortit ses pieds et je glissai une main sous son bras valide pour le hisser dehors. Il grimaça et je compris que l'exercice lui était pénible. Je verrouillai le véhicule et nous nous dirigeâmes vers l'entrée. Je n'osais pas montrer à quel point j'étais ébranlée par la fragilité de Tolliver.

Nous traversâmes le hall sans souci jusqu'à l'ascenseur. Je surveillais Tolliver de près au cas où il aurait besoin de mon soutien mais je m'efforçais en même temps de guetter d'éventuels agresseurs. Je devais avoir l'air d'une folle.

Quand nous fûmes enfin dans notre suite, je poussai un soupir de soulagement et aidai Tolliver à s'allonger sur le lit. J'approchai une chaise mais cette mise en scène me rappelait trop l'hôpital, aussi je décidai de m'étendre auprès de lui.

Lorsqu'il eut trouvé une position confortable, il tourna la tête vers moi.

— C'est divin ! souffla-t-il. Meilleur que tout.

J'étais d'accord. Pour lui souhaiter la bienvenue dans le monde non médical, je tirai sur la fermeture Éclair de son pantalon et lui offris une petite séance de kinésithérapie inattendue qui lui plut tant qu'il m'embrassa et sombra dans un sommeil profond. Moi aussi.

Nous fûmes réveillés par un coup à la porte. J'aurais dû accrocher la pancarte « ne pas déranger » sur la poignée. Tolliver remua, ouvrit les yeux. Je descendis du lit, défroissai mes vêtements et passai une main dans mes cheveux. Cette fois, je rassemblai tout mon courage et collai mon œil sur le judas.

À ma stupéfaction – car la police n'était pas au courant de mon déménagement –, je reconnus l'inspecteur Rudy Flemmons. Je retournai sur mes pas et m'immobilisai sur le seuil de la chambre.

— C'est l'inspecteur ! Rudy Flemmons, pas celui qui s'est pris une balle.

— Je m'en doute, répondit Tolliver en bâillant. Fais-le entrer.

Il remonta sa braguette, je boutonnai son jean et nous échangeâmes un sourire.

J'invitai l'inspecteur Flemmons à s'asseoir dans le salon puis aidai Tolliver à s'installer sur le canapé afin qu'il puisse participer à la conversation.

— Depuis quand êtes-vous ici ? attaqua Flemmons.

Je consultai ma montre.

— Nous avons quitté l'hôpital il y a environ une heure et demie. Nous sommes venus directement ici et avons fait une sieste.

Tolliver acquiesça.

— Avez-vous vu votre amie Victoria Flores ces deux derniers jours ?

— Oui, répliqua aussitôt Tolliver. Elle m'a rendu visite hier soir. Harper n'était pas là. Victoria a dû rester quarante-cinq minutes environ. C'était aux alentours de… mince, je n'en sais rien, j'étais gavé de médicaments contre la douleur. Il devait être 20 heures. Je ne l'ai pas revue depuis.

— Elle n'est pas rentrée chez elle hier soir. Elle avait laissé sa fille MariCarmen avec sa mère. Victoria ne venant pas la rechercher, la mère a alerté la police. En d'autres circonstances, on ne se serait pas affolés mais Victoria a appartenu au département de Texarkana et plusieurs d'entre nous la connaissent. Elle n'est jamais en retard quand il s'agit de son enfant, pas sans avoir téléphoné et fourni une explication. Victoria est une bonne mère.

À son expression, je compris qu'il était l'un des flics de Garland qui la connaissaient bien. Voire *très* bien.

— Vous n'avez trouvé personne qui l'ait vue après mon frère ?

— Non, avoua-t-il, visiblement désespéré.

Personne n'irait imaginer que Tolliver avait bondi de son lit, neutralisé puis dissimulé Victoria en attendant de pouvoir soudoyer l'homme de ménage pour qu'il se débarrasse du corps.

— Sa mère n'a eu aucune nouvelle ?

— Aucune.

— C'est épouvantable. Je… c'est épouvantable, bredouillai-je.

Je me rappelai soudain que Tolliver s'apprêtait à me rapporter son entretien avec Victoria à notre arrivée à l'hôtel. Installée près de lui, je tournai la tête et haussai les sourcils. Allait-il en parler maintenant ?

Il remua la tête d'un mouvement presque imperceptible. Non.

Très bien.

— De quoi avez-vous discuté ? Victoria a-t-elle évoqué son enquête en cours ? Vous a-t-elle signalé où elle comptait se rendre après cette visite ?

— Je l'avoue, nous avons essentiellement parlé de moi. Elle m'a assommé de questions : Est-ce que je connaissais le calibre de la balle ? Avait-on localisé l'endroit d'où ce type avait tiré ? Y avait-il eu d'autres fusillades du genre cette nuit-là – vous avez dit à Harper qu'il y en avait eu une tout près du motel, non ? Quand serais-je libéré de l'hôpital ? Des trucs comme ça.

— Elle n'a abordé aucun sujet personnel ?

— Si. Elle m'a raconté qu'elle était sortie un temps avec un membre de la police et qu'ils avaient rompu récemment. Elle avait réfléchi et comptait l'appeler dans la soirée.

Je ne m'attendais pas à une réaction aussi spectaculaire. L'inspecteur Flemmons devint blanc comme un linge. Je crus qu'il allait tomber dans les pommes.

— Elle a dit ça ? prononça-t-il d'une voix étranglée.

— Oui, confirma Tolliver, aussi sidéré que moi. Presque mot pour mot. J'ai été pris de court car nous n'avions jamais évoqué sa vie amoureuse auparavant. Nous n'étions pas assez proches et elle est plutôt secrète. Vous connaissez le flic qu'elle fréquentait ?

— Oui. C'était moi.

À court d'inspiration, nous demeurâmes muets.

Flemmons s'attarda un bon quart d'heure, interrogeant Tolliver avec acharnement, cherchant à lui arracher les moindres détails de sa conversation avec Victoria. Mais Tolliver refusa de s'expliquer. Je m'en inquiétai.

184

Je relatai à l'inspecteur l'incident du mystérieux inconnu qui avait cogné à ma porte juste avant qu'on ne m'apporte mon repas. Je ne pensais pas que ce pouvait être Victoria Flores mais je tenais à lui en faire part.

Enfin, Rudy Flemmons s'en alla. J'éprouvai un vif soulagement en refermant la porte derrière lui. Je restai plantée là, l'oreille aux aguets. J'entendis le « ping » annonçant l'arrivée de l'ascenseur, puis le chuintement des portes qui s'ouvraient et se refermaient. Je passai la tête dans le couloir pour m'assurer qu'il était désert.

J'étais de plus en plus paranoïaque mais il y avait de quoi.

— Je t'écoute, Tolliver.

Il paraissait épuisé et se leva péniblement pour regagner le lit. Je lui donnai un coup de main mais je tenais absolument à savoir ce qu'il s'apprêtait à me dévoiler juste avant l'interruption de Rudy Flemmons.

— Elle m'a demandé si je croyais que les Joyce voulaient vraiment retrouver le bébé de Mariah Paris ou si je pensais qu'ils avaient l'intention de l'éliminer.

— L'éliminer ? répétai-je, ahurie.

Bien entendu, je compris tout de suite l'enjeu.

— Un bébé Joyce hériterait d'un quart au moins des biens familiaux, je suppose. Dans ce cas-là, on parle d'héritier de sang, non ? Si c'est le terme employé par l'avocat qui a rédigé le testament, cela signifie que l'enfant a droit à sa part, qu'il soit légitime ou non. Richard Joyce n'a pas épousé Mariah Parish en douce, par hasard ?

— Non. Il aurait suivi les voies officielles. D'après Victoria, c'était un homme droit. Et si le bébé était de lui, il aurait pris ses responsabilités. À condition d'être au courant.

— Elle en avait la certitude ?

— Oui, car elle a interrogé beaucoup de gens qui ont bien connu Richard Joyce. Tous lui ont déclaré que Lizzie Joyce est comme son grand-père, pragmatique et fondamentalement honnête mais que Kate et Drew ne s'intéressent qu'à l'argent.

— Qu'en est-il de Chip ?

— Elle ne l'a pas mentionné.

— Victoria avait déjà découvert tout cela ?

— Elle n'a pas perdu son temps.

— Pourquoi t'en a-t-elle fait part ? Pas parce que tu es mignon, puisqu'elle envisageait de se réconcilier avec Rudy Flemmons.

— Parce que selon elle, c'est un Joyce qui m'a tiré dessus. Voilà pourquoi.

— D'accord mais j'ai du mal à suivre.

— Ils sont tous persuadés que tu en sais plus que tu ne l'as dit sur la mort de Richard Joyce. Ils sont boule-versés parce que tu as identifié la cause du décès de Mariah, soulevant du même coup la question de l'exis-tence même de cet enfant. Ils craignent peut-être que tu ne retrouves le corps.

— Victoria doute qu'il soit encore vivant ? Elle pense qu'on l'a tué ?

J'avais la nausée. Ce « cadeau » de la foudre m'a permis d'entendre et de voir des choses abominables, diaboliques. Autrefois, les bébés mouraient souvent à la naissance mais c'est de plus en plus rare. Je me suis tenue sur nombre de tombes minuscules, j'ai vu leur visage immobile, blanc, et chaque fois, c'est douloureux. Le meurtre d'un enfant est le pire des crimes, le comble du machiavélisme.

— C'est son hypothèse. Elle n'a trouvé aucun acte de naissance. Il est possible que Mariah l'ait mis au monde seule.

— Il faut être débile pour ne pas se rendre à l'hôpital quand on sent que l'heure approche.

— Imaginons qu'elle n'en ait pas eu la possibilité.

Je pinçai les lèvres de dégoût et d'horreur.

— Tu veux dire qu'on l'en aurait empêchée ? Ou qu'on l'aurait tout simplement laissée mourir en couches ?

Inutile d'insister sur la cruauté d'une telle attitude : Tolliver partageait mon sentiment.

— C'est plausible. En tout cas, cela expliquerait sa mort et comme il n'y a aucune trace de l'enfant ni d'un séjour à l'hôpital...

— Si je n'étais pas intervenue...

— Personne ne l'aurait jamais su.

Vu sous cet angle, je comprenais mieux qu'on en veuille à ma vie !

13

Je courus sur le tapis roulant de la « salle de gym » – une bien modeste concession de l'hôtel à l'égard des fans de fitness. Avantage : l'endroit était clos, c'est-à-dire « sûr ». Je m'étais réveillée tôt et à sa respiration, j'avais compris que Tolliver était loin, loin au pays des rêves.

Je commençais à comprendre pourquoi tous ces événements tragiques se déroulaient autour de moi mais que faire ? Je n'avais rien à soumettre à la police, absolument rien. Les Joyce étaient riches et ils avaient des relations. J'ignorais s'ils étaient tous impliqués dans cette affaire ou si le tireur et le meurtrier – pour moi, Mariah Parish et Richard Joyce étaient tous deux victimes de meurtre – n'étaient qu'un seul et même individu. Les trois Joyce et l'ami Chip savaient manier les armes, aucun doute là-dessus. J'usais peut-être de clichés mais un propriétaire de ranch comme Richard Joyce n'avait sûrement pas enseigné à ses petites-filles l'art du rodéo sans leur apprendre comment tirer. Quant à Drex, maîtriser ces deux disciplines allait de soi. Idem pour Chip Moseley. Je ne savais pas grand-chose de lui. Il semblait un bon parti pour Lizzie : il était aussi musclé et tanné qu'elle, il paraissait compétent et terre à terre. Mes affirmations le laissaient sceptique mais il était loin d'être le seul.

Je dégoulinais de transpiration quand j'attaquai la phase de récupération. Je marchai encore dix minutes puis essuyai ma figure avec une serviette et remontai dans notre suite. Je commençais à prendre les hôtels en horreur. Je n'aurais jamais imaginé posséder la fibre domestique mais je rêvais de plus en plus d'une maison, un vrai chez-moi. Je voulais un couvre-lit en tissu non synthétique. Des draps dans lesquels je serais la seule à dormir. Je voulais pouvoir laisser mes vêtements soigneusement pliés dans le tiroir d'une commode. Je voulais une bibliothèque, pas une boîte en carton. Nous avions tout cela dans notre appartement mais même là, nous nous sentions en transit. C'était une location un peu moins impersonnelle qu'une chambre de motel, voilà tout.

Dans l'ascenseur, j'inspirai profondément et chassai ces pensées dans le seau qui occupe un coin de mon esprit. J'y posai un couvercle et sur celui-ci, une grosse pierre. Je sais, ça fait beaucoup d'images mais je devais à tout prix rester concentrée sur l'essentiel tant qu'on serait à notre poursuite. Je devais être d'autant plus forte que Tolliver était blessé.

Rudy Flemmons était devant la porte, une main en l'air, sur le point de frapper.

— Inspecteur ! Une minute !

Il se figea, le poing levé et je compris à son allure qu'il s'était passé quelque chose de grave.

Je m'approchai de lui et examinai son profil. Il ne tourna pas la tête vers moi.

— Oh, non ! murmurai-je... Entrons.

Je tendis le bras pour glisser ma carte-clé dans la fente. Une fois à l'intérieur, j'allumai une lampe. J'avais peur de réveiller Tolliver mais je m'aperçus que la lumière de la salle de bains était allumée. Il était levé.

— Coucou ! Tout va bien ? Nous avons de la visite.

— Déjà ?

Il avait dû passer une mauvaise nuit.

— Sors de là, mon chéri.

Il comprit le message et moins de trente secondes plus tard, il nous rejoignait dans le coin salon. Je vis tout de suite à la manière dont il se déplaçait qu'il souffrait le martyre. Je me précipitai sur le mini-réfrigérateur pour lui offrir un jus d'orange. Je ne pris pas la peine d'offrir une boisson à l'inspecteur Flemmons car il était plongé dans un état soit de chagrin immense, soit d'extrême appréhension. Je ne le connaissais pas suffisamment bien pour le deviner. Je savais seulement que c'était grave.

La journée démarrait mal pour Tolliver mais il prit place sur le canapé.

— Expliquez-nous ce que vous faites ici, ordonna-t-il.

— Je pense que Victoria est morte. On a découvert sa voiture ce matin, dans un cimetière de Garland. Son sac était sur le siège.

— Mais vous n'avez pas retrouvé son corps ? intervins-je.

— Non. Je me demandais si vous pourriez venir jeter un coup d'œil.

La situation était triste. Elle était aussi fort délicate d'un point de vue professionnel. Vu l'intensité de son désarroi et notre amitié pour Victoria, je ne songeai pas à l'argent. Je pensais à tous les flics qui considéreraient mon arrivée sur le site comme la preuve que Rudy Flemmons perdait la tête.

191

— Accordez-moi dix minutes, dis-je car je pouvais difficilement refuser.

Je sautai dans la douche, me savonnai, me rinçai, brossai mes dents, m'habillai. J'enfilai des bottes sans talon, en caoutchouc. Le temps était à la pluie, je ne voulais pas prendre de risques. Je n'avais pas écouté la météo ce matin-là mais j'avais remarqué que Rudy portait un blouson épais. Je m'emmitouflai chaudement.

Il n'était pas question que Tolliver nous accompagne. Je m'apprêtais à franchir le seuil de la chambre quand cela me frappa comme une gifle. Mauvais temps, cimetière boueux : pas idéal pour un convalescent.

— Je reviens aussi vite que possible, annonçai-je, submergée par l'angoisse. Ne bouge pas. Enfin si, remets-toi au lit et regarde la télé. Je t'appelle s'il y a quoi que ce soit, d'accord ?

Tolliver, qui venait lui aussi de se rendre compte que j'allais travailler sans lui, était anéanti.

— Prends des bonbons dans la poche de ma veste. Et sois prudente ! ajouta-t-il d'un ton sévère.

— Ne t'inquiète pas pour moi.

Je me tournai vers Rudy Flemmons et lui déclarai que j'étais prête à partir, bien que ce fût loin d'être le cas.

Sur le trajet à travers la bruine et les embouteillages, nous fûmes silencieux. Rudy appela un collègue par radio pour l'avertir que nous étions en chemin. Ses premières paroles depuis un quart d'heure.

— Je sais combien vous demandez pour ce genre de mission, dit-il tout à coup en se garant derrière une longue file de voitures dans l'allée qui traversait un cimetière immense – un de ces cimetières immenses où les stèles sont interdites.

J'étais littéralement bombardée par les vibrations des dépouilles en provenance de toutes les directions. Le

192

lieu étant relativement récent, le bourdonnement était continu et soutenu. La sépulture la plus ancienne datait de vingt ans maximum.

— Ce n'est pas un problème. S'il vous plaît, n'en parlons plus, répliquai-je en descendant du véhicule.

Je n'allais tout de même pas négocier une rémunération tout en recherchant l'amie de ce pauvre homme !

On pourrait croire que la tâche m'est plus facile quand je connais la personne. Ce n'est pas le cas. Sans quoi, j'aurais retrouvé ma sœur depuis longtemps. Les morts réclament tous l'attention avec la même insistance et si Victoria était parmi eux, elle n'était qu'une voix du chœur. J'avais du mal à éviter les tombes qui m'appelaient et l'absence de Tolliver m'était incroyablement pénible. Je n'avais aucune ancre à laquelle me raccrocher.

Suis ton intuition. Je m'approchai le plus possible de la voiture abandonnée. Un technicien examinait les empreintes de pneus de manière nonchalante, ce qui signifiait que le gros du travail était achevé. J'aperçus des flics qui fouillaient le parc, qui s'étendait sur un terrain ondoyant. L'agencement était celui de tous ces lieux contemporains de repos éternel : les parcelles étaient définies par un grand monument en leur milieu, un ange ou une croix, par exemple, afin de guider les visiteurs jusqu'au site recherché. Je n'avais aucune idée de la méthode employée, si les fosses rayonnaient autour de la sculpture centrale ou si l'on avait le droit de choisir son lot. Je repérai au loin la cabane du gardien et une chapelle ainsi qu'une vaste structure en marbre qui abritait probablement un mausolée ou un columbarium. Un enterrement était en cours pendant que les policiers s'affairaient autour de moi.

Priant pour que personne ne me remarque, je fermai les yeux et tendis les mains devant moi. Que de signaux à tamiser ! Que de clameurs ! Je frissonnai mais persévérai.

Du neuf. Du neuf. Il me fallait du neuf, à savoir une personne décédée seulement depuis quelques heures. Là, devant moi. J'ouvris les yeux et me dirigeai vers une tombe encore recouverte de fleurs fraîches. Je refermai les yeux et me penchai.

— Non. Ce n'est pas elle.

L'inspecteur était à mes côtés.

— Ici, c'est Brandon Barstow. Tué dans un accident de la route, déclarai-je.

Je me concentrai. La cabane du gardien m'attirait comme un aimant.

— Allons-y ! soupirai-je en me mettant à marcher.

Je fixai mes pieds car lorsque je suis sur les traces d'un cadavre, j'ai tendance à oublier où je les pose. Rudy Flemmons était sur mes talons mais il ne savait pas comment m'aider. Aucune importance : je me débrouillerais seule.

L'herbe était humide et les aiguilles de pin la rendaient glissante par endroits. Je savais où j'allais. J'étais sûre de moi.

— Ils ont déjà vérifié, protesta l'inspecteur.

— Il y a quelqu'un, répliquai-je.

Je devinai d'avance la suite des événements.

— Ils vont mettre en doute mon don. Ils vont dire qu'on m'avait mise au courant, grommelai-je.

Le corps n'était pas dans la cabane ni juste derrière. À l'arrière de la bâtisse, le sol descendait en pente douce jusqu'à un tuyau de canalisation dissimulé sous une fine couche d'herbe et de terre. Victoria était dans la canalisation, parfaitement invisible. Mais je la voyais, je

194

voyais qu'on lui avait tiré dessus et qu'elle s'était vidée de son sang.

Rudy baissa le nez sans comprendre et je pointai le doigt sur l'ouverture du boyau. Je n'avais rien à dire. Il s'y précipita et se jeta à genoux.

Puis il poussa un hurlement.

— Ici ! Ici ! rugit-il.

Tous les policiers se ruèrent vers nous, y compris le type qui étudiait les empreintes de pneus. Rudy devait s'imaginer que Victoria était encore vivante. Malheureusement, il rêvait ou alors, il tentait de conjurer la vérité. Je ne retrouve pas les êtres vivants.

Je les laissai prendre le relais et remontai jusqu'à la voiture de Victoria.

Le coffre était ouvert. Malgré moi, je l'inspectai en feignant l'indifférence. Je vis des classeurs, certains éparpillés, d'autres rassemblés par un gros élastique. Celui du dessus était intitulé *Lizzie Joyce*. Sans réfléchir, je m'emparai de cette pile et la jetai dans la voiture de Rudy. Personne ne s'en rendrait compte car il en restait encore plein. D'ailleurs, n'était-ce pas notre devoir de nous renseigner sur nos ennemis ?

Au passage, force me fut de constater par la suite que j'avais commis une erreur. J'aurais dû tout laisser entre les mains des autorités. Pour l'heure, cela me semblait naturel, voire intelligent. C'est tout ce que je peux dire pour ma défense. Un membre de cette famille voulait notre peau ; à moi de découvrir lequel.

Je m'installai sur le siège passager du véhicule de Rudy. Il avait abandonné un vieux blouson sur la banquette arrière. Je le saisis et l'enroulai autour de moi comme si j'avais froid – ce qui n'était pas faux. Au bout de quelques minutes, un homme en uniforme apparut et m'annonça qu'on l'avait chargé de me ramener à l'hôtel. J'avais eu le temps de remonter la fermeture Éclair de l'anorak pour dissimuler les documents.

Mon chauffeur, âgé d'une trentaine d'années, avait le crâne rasé et le visage sombre – ce qui n'avait rien d'anormal vu les circonstances.

Sur le trajet, il ne m'adressa la parole qu'une fois :

— En ce qui nous concerne, nous l'avons trouvée en fouillant le cimetière.

Il me gratifia d'un regard destiné à me faire trembler de peur. J'opinai. Je devais avoir l'air terrifié car il ne prononça plus un mot après cela.

Je descendis maladroitement, gênée par le dossier. Il dut se demander si j'étais invalide mais cela ne radoucit en rien son attitude. Les bras croisés, je pénétrai dans l'hôtel, remerciant intérieurement le génie qui a inventé les portes automatiques.

Mes mains étaient glacées et je peinai à extirper ma carte-clé de ma poche et à l'insérer correctement mais la porte s'ouvrit et je bondis littéralement dans la pièce.

— Alors ? lança aussitôt Tolliver depuis la chambre.

Je courus le rejoindre. La femme de ménage était passée, elle avait changé les draps. Il portait un pyjama propre et s'était allongé sur le couvre-lit avec le plaid du canapé. Les rideaux étaient ouverts sur le ciel d'un gris plombé. Il s'était remis à pleuvoir pendant que je montais. Cela compliquerait la tâche des policiers restés au cimetière. Je m'approchai, me penchai, écartai les pans du blouson de Rudy Flemmons. Les dossiers atterrirent lourdement sur le matelas.

— Qu'as-tu fait ? s'exclama Tolliver davantage par intérêt que par reproche.

Il éteignit le poste de télévision mais je fus plus rapide que lui. J'arrachai l'élastique et lui tendis le premier dossier, celui étiqueté *Lizzie Joyce*.

— Elle était donc là, murmura-t-il. Merde ! Elle aimait tant sa petite fille ! Cette affaire tourne à la tragédie. Tu as mis longtemps à la trouver ?

— Dix minutes. Un officier m'a ramenée.

— Tu as volé ces documents ?

— Oui. Ils étaient dans le coffre de Victoria.

— Tu crois qu'ils vont nous soupçonner ?

— Impossible de connaître l'ampleur de leur fouille avant que tout le monde ne se précipite pour voir si l'on pouvait la ranimer. Peut-être avaient-ils déjà pris des photos.

Je haussai les épaules. Il était trop tard pour revenir en arrière.

— Que cherchons-nous ?

— Celui qui t'a tiré dessus.

— Dans ce cas, tu as toute mon attention.

J'ôtai mes bottes maculées de boue et m'installai près de lui sur le lit. Je m'attelai à la lecture du dossier de Kate pendant qu'il se plongeait dans celui de Lizzie.

Une heure plus tard, je dus m'accorder une pause. J'appelai la réception pour commander du café et un en-cas. Nous n'avions pas pris notre petit déjeuner et il était presque 11 heures.

Nous avions appris beaucoup de choses.

— Victoria était efficace.

Je ne l'avais jamais particulièrement appréciée mais à présent, je lui étais infiniment reconnaissante. Elle avait réussi à collecter une montagne d'informations et à interviewer un grand nombre d'individus en un temps record.

Tolliver dégusta son café et son muffin au son d'avoine. Exceptionnellement, je le lui tartinai de beurre. Il mastiqua, avala, but encore une gorgée de café.

— Mmm ! C'est exquis ! approuva-t-il. Lizzie Joyce est une femme haute en couleurs, encore plus que le jour où nous l'avons rencontrée au cimetière. C'est une véritable championne du *barrel riding* ; elle a remporté de nombreux autres titres de rodéo. Elle a même été élue reine du rodéo dans son adolescence, apparemment. Elle était brillante au lycée et est sortie trentième de sa promotion à Baylor.

Je connais peu de gens ayant suivi leurs études à Baylor mais ce résultat m'impressionnait.

— Simple curiosité : qu'a-t-elle obtenu comme diplôme ?

— Management. Son père la préparait à prendre la relève. Les Joyce possèdent un ranch gigantesque mais le gros de leur fortune provient du boom du pétrole dont une bonne partie a été investie à l'étranger. Ils ont une armée de comptables chargés de gérer leurs biens. Victoria signale qu'ils se surveillent les uns les autres afin d'éviter tout risque de fraude ; en tout cas, s'ils trichent, ils sont vite repérés. Les Joyce ont aussi des parts dans un cabinet d'avocats fondé par un oncle.

— Que font-ils, alors ?

Tolliver comprit ce que je voulais dire, ce qui était assez ébouriffant.

— Ils consacrent des sommes importantes à la recherche sur le cancer, maladie à laquelle a succombé l'épouse de Richard Joyce. Ils exploitent un ranch destiné à recevoir les enfants handicapés. C'est leur œuvre principale. L'établissement est ouvert cinq mois par an et les Joyce paient les salaires des employés, bien qu'ils acceptent aussi les dons. Ensuite, il y a la ferme, dont Chip Moseley, le petit ami, est le gérant. Ils vivent tous là quand ils ne sont pas dans leur appartement à Dallas ou à Houston. Je n'ai pas encore lu les documents concernant Moseley.

— Je les consulterai après, répondis-je. Kate, alias Katie, est moins douée que sa sœur. Elle a abandonné ses études à Texas A&M où elle faisait surtout la fête, d'après ce que j'ai compris. Dans son adolescence, elle a été arrêtée une première fois pour conduite en état d'ivresse, une deuxième pour avoir fracassé le pare-brise de la voiture de son copain après leur rupture. Elle participe au projet pour les enfants handicapés, orga-nise des bals de charité pour le financer... et elle fait du shopping. Ah ! Elle a travaillé comme bénévole au zoo.

La pauvre, elle avait dû s'ennuyer !

Chip Moseley était le plus intéressant de tous. Il avait gravi les échelons de la hiérarchie. Ses parents étaient morts dans son enfance et les services sociaux l'avaient confié à une famille d'accueil sur un ranch. Il avait appris l'art du rodéo et s'était rapidement fait un nom dans ce milieu. Dès sa sortie du lycée, il avait obtenu un emploi sur le ranch des Joyce. Après l'échec de son pre-mier mariage, il était tombé amoureux de Lizzie. Il avait franchi les étapes, pris des cours du soir et désormais, il gérait tout le bétail. Il « sortait » avec Lizzie depuis six ans. Hormis un accroc mineur dans sa jeunesse (une bagarre dans un bouge de Texarkana qui avait dérapé), il était irréprochable. Étonnamment, je reconnus le nom du bar. Ma mère et mon beau-père s'y rendaient de temps en temps.

J'en avais assez. Je me laissai tomber sur mon oreil-ler. Tolliver me fit part de ce que Victoria avait relevé au sujet de Drew – mais j'avais cerné le personnage au bout de dix minutes en sa compagnie. L'unique héritier mâle était le vilain petit canard de la famille. Il avait engrossé sa copine au lycée et ils s'étaient enfuis pour se marier en douce – et divorcer six mois plus tard. Drex entretenait le bébé et la maman. Le jour de ses dix-huit ans, il s'était enrôlé dans les Marines (« prends ça, papa ! ») et avait suivi ses classes jusqu'au jour où il avait commencé à souffrir d'ulcères. À moins qu'il n'en ait déjà eu auparavant et qu'ils se soient développés. Bref, il s'en était sorti honorablement. Désœuvré, il avait multiplié les petits boulots sur le ranch de son père, sur celui des enfants handicapés puis dans l'entreprise d'un ami de son père pendant deux ans (la description de son poste était floue).

— Il n'y faisait sans doute pas grand-chose et probablement pas bien, dit Tolliver. Je ne pense pas qu'il soit allé à l'université.

Je bâillai.

— Il me fait plutôt pitié. Je me demande quel âge a la mère de Victoria. Si elle va pouvoir élever la petite toute seule. Qui est le père ? Victoria te l'a-t-elle dit ?

— Je me suis demandé si ce n'était pas mon père.

Je me figeai.

— Tu ne plaisantes pas. Tu es sérieux.

— Oui. Après la disparition de Cameron, Victoria était souvent dans les parages. Mais en y réfléchissant bien, je me suis rendu compte que c'était impossible. Il me semble qu'il était déjà en prison quand le bébé a été conçu. Je n'ai jamais compris comment les femmes pouvaient le trouver attirant.

— Moi non plus.

— Tant mieux. Tu préfères les hommes grands et minces, n'est-ce pas ?

— Oh, oui, bébé ! J'ai un faible pour les haricots verts !

Nos mains s'entrelacèrent et je me blottis contre lui. Dans le silence qui suivit, je contemplai la pluie qui

200

dégoulinait le long des vitres. Les cieux étaient en colère. Je pensai à tous ces hommes sur la scène du crime ; ils pouvaient me remercier d'avoir trouvé Victoria aussi vite car ils avaient pu la sortir du tuyau avant la pluie. Je pensai aussi à la famille Joyce, ces enfants qui avaient grandi dans le luxe et l'opulence. Comme tous les riches, ils commettaient des actes estimables mais c'étaient les actes méprisables qui m'intéressaient. J'étais frappée qu'aucun d'entre eux n'ait réussi à maintenir un mariage heureux. Cela étant, ils étaient encore jeunes, tous les espoirs étaient permis. « L'argent ne fait pas le bonheur », songeai-je quand je pris conscience que Mark, Tolliver, Cameron et moi n'avions pas non plus de quoi pavoiser. À ma connaissance, Mark n'avait jamais eu une relation suivie ; quant à Tolliver et moi...

— Tu as vraiment envie qu'on se marie ?

— Oui, répliqua-t-il sans la moindre hésitation. Je t'épouserais demain si je le pouvais. Tu ne remets pas en cause notre couple, j'espère ? Nous sommes faits l'un pour l'autre, non ?

— Absolument. Tu n'as rien à voir avec ces garçons phobiques de l'engagement dont on entend parler dans les magazines.

— Toi non plus, tu n'as rien à voir avec les filles qu'on voit dans les magazines. C'est un compliment.

— Nous nous connaissons par cœur. Nous avons vécu le meilleur et le pire ensemble. Je n'imagine pas ma vie sans toi. Tu me trouves trop collante ? Je peux m'efforcer de prendre davantage d'indépendance.

— Tu es indépendante. Tu prends toutes sortes de décision jour après jour. Je me charge de l'organisation pratique, toi, tu exerces ta spécialité. Ensuite, je reprends le relais.

J'eus l'impression que ce n'était pas très équilibré.

— Où est Manfred ? me demanda-t-il tout à coup comme si on lui avait piqué le bras avec une aiguille.

— Ma foi, je l'ignore. Il m'a dit de l'appeler si j'avais besoin de lui. Il ne m'a pas précisé où il allait ni pour quoi faire.

— Il en pince vraiment pour toi.

— Je sais.

— À ton avis ? Si je devais disparaître, est-ce que tu te mettrais avec la Merveille du Piercing ?

Le ton était taquin mais il voulait une réponse. Je n'étais pas assez bête pour la prendre au premier degré.

— Tu plaisantes ? Ce serait comme manger un hamburger après avoir savouré une côte de bœuf !

Je l'avoue, il y a des jours où je crève d'envie d'un hamburger et je suis sûre que le regard de Tolliver se posera de temps en temps sur d'autres femmes. Du moment qu'il se contente de les admirer de loin, je peux en faire autant. Je sais qui j'aime.

— Donc, après avoir lu ces dossiers, qui vois-tu dans le rôle du tireur ? s'enquit-il d'une voix plus enjouée.

— Ce pourrait être n'importe lequel d'entre eux. Cette idée me déprime. Mais face à la possibilité de perdre une part substantielle de la fortune familiale, je suppose qu'ils ont tous un mobile. Même Chip Moseley. Après toutes ces années avec Lizzie, j'imagine qu'il espère l'épouser. Faire une croix définitive sur une telle somme, ce ne serait pas humain. C'est lui qui dirige le ranch principal et je parie qu'il a accès aux relevés financiers des autres entreprises.

— En effet. J'aurais tendance à éliminer Lizzie de la liste puisque c'est elle qui t'a sollicitée. Elle devait se douter qu'il y avait des chances pour que tu sois à la hauteur de ta réputation. Si c'était elle la meurtrière, elle n'aurait jamais pris ce risque. Elle est consciente que la mort de son grand-père – bon, d'accord, ce n'est pas un assassinat, mais le serpent a provoqué la crise cardiaque et il n'est pas tombé du ciel par hasard. Quelqu'un l'a jeté sur Richard Joyce. Cette personne n'avait peut-être pas escompté l'arrêt du cœur mais ça l'arrangeait bien. Il suffisait d'empêcher Richard de s'emparer de son portable. Mission accomplie.

— Quelle cruauté ! Il faut être d'une méchanceté redoutable pour commettre un acte pareil.

— Selon toi, qui le tireur visait-il ? Toi ou moi ? Nous n'avons aucun moyen de le savoir mais ce serait intéressant.

— Surtout pour toi.

Tolliver rit faiblement et je m'aperçus combien cela m'avait manqué.

Un coup à la porte m'interrompit en pleine réflexion.

Nous soupirâmes en chœur.

— J'en ai assez qu'on nous assomme de mauvaises nouvelles, marmonnai-je. Enfermés dans un hôtel, nous sommes trop vulnérables.

Ce serait probablement pareil si nous avions notre propre maison.

Je collai mon œil sur le judas. Manfred ! Quand on parle du loup... Je lui ouvris et l'invitai à entrer. Il me jeta un coup d'œil entendu comme s'il avait deviné qu'il était dans mes pensées.

— Comment se porte l'invalide ?

Tolliver surgit de la chambre à cet instant.

— Salut, mon vieux ! Alors ? C'est comment de recevoir une balle dans l'épaule ?

— Surfait.

Avant de nous asseoir, je proposai à Manfred un soda ou une bouteille d'eau. Il opta pour le soda.

— J'ai appris ce qui était arrivé au détective privé. Elle a travaillé pour vous à l'époque de l'enlèvement de votre sœur, non ?

Comment le savait-il ? Je ne me souvenais pas d'en avoir parlé en sa présence.

— Exact, murmurai-je. Comment l'as-tu su ?

— Aux infos. À propos de son bouquin.

Je le dévisageai, perplexe.

— Saviez-vous que Mme Flores était en train d'écrire un livre ? Elle ne vous l'a pas dit ?

— Non, grommelai-je.

Tolliver resta muet.

— Il devait s'appeler : *Détective privé dans l'État de l'astre solitaire*. Elle avait un éditeur.

— Vraiment ? m'exclamai-je, abasourdie.

— Oui, vraiment. C'est l'affaire de Cameron qui l'a incitée à quitter la police. L'essentiel de l'ouvrage est consacré à ses efforts pour retrouver votre sœur.

J'étais prise de court. Comment réagir ? Je n'avais aucune raison valable de me sentir trahie, pourtant c'était le cas. Il m'est particulièrement désagréable d'imaginer que, pour le prix d'un livre, le lecteur lambda ait accès à l'un des événements les plus douloureux de mon existence.

— Elle t'en a parlé hier soir ? demandai-je à Tolliver.

— Oui. Je m'apprêtais à te le dire quand Rudy Flemmons est passé te prendre.

— Tu en as eu tout le temps depuis.

— Je... je craignais vaguement ta réaction.

— Je regrette d'avoir volé les dossiers plutôt que le manuscrit.

Manfred se tourna vers moi.

— Quels dossiers ? La police sait qu'ils sont entre tes mains ? De quoi parlent-ils ?

— J'ai pris des classeurs dans le coffre de sa voiture. Si les flics le découvrent, ils me hacheront menu. Il s'agit de la famille Joyce.

— Il n'y a rien sur Mariah Parish ?

— Rien, répliqua Tolliver. Pourquoi ?

— Eh bien... en fait, c'est moi qui l'ai.

En digne petit-fils de Xylda Bernardo, il l'extirpa de l'intérieur de sa veste d'un geste théâtral.

— D'où vient-il ? interrogea Tolliver en se penchant en avant.

Il fixait Manfred avec un mélange d'horreur et d'admiration, comme si celui-ci venait de lui révéler qu'il cachait un bébé sous son manteau.

— Hier soir – assez tard – je suis passé devant son bureau. La porte était ouverte. Mon sixième sens me disait qu'il était important d'avoir un entretien avec elle. Malheureusement, j'arrivais trop tard. Je présume que c'était avant qu'on ne signale sa disparition. Je suis entré et j'ai questionné les esprits.

Nous étions bouche bée – et pas à cause de cette allusion aux « esprits ».

— On avait fouillé les locaux ?

— Oui. De fond en comble. Mais pas assez méticuleusement.

Il marqua une pause pour plus d'effet.

— J'ai été attiré vers son canapé, expliqua-t-il.

Tolliver brisa le charme de l'instant en ricanant.

— C'est la vérité ! protesta Manfred... Les coussins étaient par terre mais c'était un canapé-lit comme celui dans lequel je dormais chez Grand-mère. Je l'ai déplié et miracle ! Le dossier était là. Comme si Victoria l'y avait glissé à la hâte.

— Et tu n'as eu aucun scrupule à t'en emparer, railla Tolliver.

— Non, admit Manfred.

Il sourit – mon seul rayon de soleil de la journée.

— Nous avons dépouillé une morte ! déclarai-je, prenant soudain conscience de l'énormité de ma bêtise. Et nous avons privé la police d'indices.

— Nous essayons de sauver ta vie, rétorqua Manfred.

Tolliver le dévisagea d'un air sévère comme s'il allait l'insulter mais il se contenta de hocher la tête.

— Qui a pénétré dans son bureau ? Manfred, as-tu une idée ?

— En fait, oui. Pendant que j'étais là, j'ai piqué une lime à ongles qu'elle avait rangée dans son porte-crayons. C'est un objet personnel, imprégné de cellules dermiques. Je vais m'en servir comme support. Ça ne marchera pas forcément, on ne peut jamais être sûr. C'est pourquoi tant de gens dans ce métier sont malhonnêtes.

Nous nous gardâmes de le contredire. La plupart des voyants sont des charlatans, même ceux dotés d'un véritable don. Il faut bien gagner sa vie ; s'il faut certifier à Mme Sentimentale que Flocon ronronne au paradis, c'est la seule solution quand ce don vous fait défaut.

— De quoi as-tu besoin ?

Tous les praticiens que j'ai rencontrés ont leur propre procédé.

— Pas grand-chose, m'assura Manfred. Fermez les yeux pendant que je me concentre.

Ce n'était pas compliqué. Nous nous exécutâmes docilement et Tolliver posa une main sur la mienne. J'en profitai pour laisser errer mes pensées. Où Manfred en était-il dans le flux de l'altérité, cet état entre éveil et sommeil, entre ce monde et l'autre ? C'est là que je vais quand je scrute les ossements sous la terre et c'est ce lieu que Manfred explorait maintenant. L'atteindre n'est pas trop difficile mais en revenir est parfois infernal.

Seul le chuintement du système de chauffage troublait le silence. Au bout d'une minute ou deux, je jugeai que je pouvais rouvrir les yeux. Manfred avait renversé la tête en arrière. Il était tellement détendu qu'on aurait dit une poupée de chiffon. Je ne l'avais jamais vu en action. C'était passionnant et effrayant.

— Je suis inquiète, décréta-t-il subitement.

J'ouvris la bouche pour le rassurer mais me rendis compte qu'il ne faisait pas la conversation. Il exprimait les pensées de Victoria.

— Je suis devant mon ordinateur. J'ai collecté beaucoup d'informations en peu de temps et j'ai de quoi travailler. Je déborde d'hypothèses. Si Mariah est morte accidentellement, et c'est ce qu'a affirmé Harper, on peut supposer que le bébé est vivant. Qui l'a placé ? Où ? L'a-t-on confié à un orphelinat ? Je vais donc me renseigner auprès de tous les orphelinats de Dallas à Texarkana. Je leur demanderai s'ils ont reçu un bébé Doe aux alentours de la date du décès de Mariah. Je commencerai ce soir.

Chapeau ! Victoria avait été une remarquable enquêtrice.

— Je suis inquiète, répéta Manfred. J'ai interrogé tous les Joyce et Chip Moseley. J'ai compilé une liste des autres domestiques au service de Richard Joyce du temps de Mariah. Mais j'ignore où cela me mènera. J'en ai assez pour ce soir. J'ai l'impression qu'on m'a suivie jusqu'ici. Rudy ?

Manfred mima une personne tenant un cellulaire.

— Cela m'ennuie de te laisser un message : il y a si longtemps que nous ne nous sommes pas parlé. Mais j'ai la sensation que l'on me poursuit et quand on a la chance d'avoir un flic pour ami, c'est lui qu'il faut appeler. Je ne veux pas que l'on me file jusque chez maman où je dois aller chercher MariCarmen... Euh... au revoir. Je pars dans une dizaine de minutes. J'ai encore quelques coups de fils à passer.

À certains moments, Manfred semblait s'adresser à nous ; à d'autres, il s'exprimait comme s'il s'était glissé dans le corps de Victoria.

À présent, ses mains bougeaient. De toute évidence, il accomplissait une tâche mais laquelle ? Je pivotai vers Tolliver, sourcils arqués. Il désigna la pile de dossiers sur la table basse. Je compris. Victoria rassemblait ses documents, puis les insérait dans une chemise. Elle la posait sur une pile de dossiers, cherchait un élastique dans un tiroir...

— ... mettre tout ça dans le coffre... puis je reviendrai téléphoner.

Les pieds et les épaules de Manfred tressautaient : Victoria/Manfred sortait, ouvrait le coffre de sa voiture, y jetait les classeurs, refermait le coffre, retournait dans son bureau.

Quelle étrange expérience ! Instructive mais singulière.

— Quelqu'un arrive, marmotta Victoria/Manfred.

Je comprends mieux maintenant pourquoi je mets certaines personnes mal à l'aise quand j'entre en contact avec cet autre monde, invisible et inaccessible à la plupart d'entre nous. La main de Tolliver était crispée autour de la mienne.

De nouveau, les tressaillements du corps de Manfred illustrèrent ce qui se passait dans sa tête. Il tirait sur

208

quelque chose… la manette pour déplier le canapé-lit, certainement, pour y dissimuler le dossier concernant Mariah. Elle – non, Manfred – se retournait brusquement et…

Manfred ouvrit les yeux, terrorisé.

— Je vais mourir. Oh mon Dieu, je vais mourir ce soir !

14

Manfred mit un bon quart d'heure à émerger de sa transe.

— Qui a-t-elle vu ? lui demanda Tolliver.

— Je l'ignore. Je n'ai pas pu les distinguer.

— Tout ça pour rien, bougonna Tolliver.

Je posai une main sur son épaule (l'épaule valide, je tiens à le préciser) et la serrai brièvement.

— Au contraire, arguai-je. Nous savons ce qui se passait dans la tête de Victoria. Nous savons qu'on l'a tuée à cause de cette enquête, ou du moins que c'est ce qu'elle craignait puisqu'elle a pris la peine de cacher ce dossier en particulier. Elle craignait qu'on vienne fouiller son bureau, elle sentait qu'elle était poursuivie, elle avait donc mis le reste des documents dans le coffre de sa voiture. Elle n'imaginait pas qu'on s'attaquerait à elle personnellement, toutefois elle a appelé son ex-fiancé, Rudy Flemmons. Il n'a pas réagi, ou n'a pas écouté son message à temps, ce qui explique son état aujourd'hui.

— Mais savoir tout cela ne nous mène nulle part, insista Tolliver, qui avait décidé de jouer les oiseaux de mauvais augure.

— Peut-être la lecture du dossier sur Mariah nous éclairera-t-elle ?

Manfred paraissait fatigué, vieilli. Et terriblement seul. J'éprouvai un élan de compassion envers lui et dus me recommander de rester calme. La pitié et une vague attirance physique ne suffisaient pas pour mettre en péril ma relation avec Tolliver. Manfred devait à tout prix trouver quelqu'un d'autre.

Quelle serait la femme idéale pour Manfred ? *N'importe qui sauf moi*, songeai-je.

Il était presque 17 heures. Je commandai un en-cas et du café à la réception puis m'emparai du dossier. Je l'ouvris à la première page, la fiche résumant les antécédents de Mariah, et la parcourus attentivement. Puis je tendis cette feuille à Tolliver, qui l'examina à son tour. Pendant que nous nous concentrions sur les renseignements que Victoria avait amassés au sujet de Mariah, Manfred se plongea dans les parcours des Joyce.

— Mariah n'était pas celle que l'on croit, déclarai-je, ce qui était un euphémisme.

Tolliver hocha la tête.

— Loin de là. Si les Joyce avaient vérifié ses références, ils ne l'auraient jamais engagée.

Mariah n'avait pas menti. Elle était bien orpheline, comme elle l'avait affirmé. Elle s'était occupée d'un homme âgé et malade, Arthur Peaden, avant de travailler pour Richard Joyce. Apparemment, elle s'était montrée irréprochable car les membres de la famille d'Arthur Peaden étaient très élogieux quant à sa gentillesse et à son professionnalisme.

Parallèlement, elle avait suivi des cours par correspondance grâce à Internet. Plus tard, elle avait réussi à

212

prendre plusieurs soirées par semaine pour assister à quelques cours. Elle avait fini par obtenir un diplôme d'économie et gestion.

Mariah avait monté son propre compte d'exploitation en ligne. Au début, elle avait perdu de l'argent mais plus récemment, en dépit des caprices du marché, elle s'en sortait mieux que bien. La baby-sitter d'adultes faisait des bénéfices inimaginables.

— Incroyable ! s'exclama Tolliver avec une pointe d'admiration. Elle connaissait tous les trucs.

— Son « client » devait parler devant elle, ainsi que ses amis et ses proches ; elle enregistrait tout ce qu'elle entendait.

— Gouvernante le jour, *trader* la nuit, marmonna Manfred. On ne peut que s'émerveiller de son audace et de sa détermination.

— Et de sa ruse, ajoutai-je en fronçant le nez. C'est un peu trompeur, non ?

Tolliver réfléchit longuement avant de prendre la parole.

— Pas forcément. Elle n'a jamais déclaré qu'elle était une femme sans éducation, incapable de décrocher un emploi plus intéressant. Elle l'a laissé entendre à ses patrons, mais pour mieux incarner son personnage. Elle était très astucieuse et s'est débrouillée pour tirer profit de son intelligence.

— Sagace, conclut Manfred d'un ton approbateur.

— Hypocrite et pas tout à fait honnête.

— Tu es jalouse ! me lança Manfred avec un sourire. Tu n'as pas encore réussi à arracher des tuyaux financiers à tes cadavres.

— Quel dommage ! rétorquai-je, impassible. Vite ! Un cimetière afin que je recherche la tombe d'un magicien de la Bourse ! À travers les derniers instants de sa vie, je glanerai peut-être quelques idées !

— C'est un peu ce qu'a fait Mariah.

Il n'avait pas tort.

— Était-ce soigneusement planifié ou a-t-elle improvisé au fur et à mesure ?

Je contemplai la photo de Mariah avec ses cheveux roux coupés au carré et sa frange. Taches de rousseur, yeux noisette, un joli petit nez ; il ne lui manquait plus qu'un chapeau de paille, une salopette et un panier plein d'œufs au bras. Derrière cette apparence simple et mignonne, on percevait une volonté de fer.

— Je parie qu'elle avait un accent de paysanne, dit Manfred. Je parie même qu'elle le cultivait.

Plus profonde et plus maligne qu'il n'y paraissait, Mariah Parish avait conçu un moyen de survivre et de prospérer – tout en veillant attentivement sur ceux qui l'avaient embauchée.

— Pas mal, Mariah, murmurai-je en lui portant un toast avec ma tasse de café.

On nous avait monté nos sandwichs et nous nous étions jetés dessus comme si nous n'avions pas mangé depuis des jours.

— Jusqu'au jour où elle est tombée enceinte, dit Tolliver.

— Si seulement nous avions le nom du père. C'est la question à mille dollars.

— Pas tant le père de fait, objecta Manfred, que celui qui *croyait* l'être.

— Tu ne pourrais pas par hasard... bredouillai-je en désignant la photo... Est-ce que tu pourrais nous révéler des détails sur elle ?

— Non, il me faudrait un objet lui ayant appartenu car je ne l'ai jamais rencontrée de son vivant.

214

Je réfléchis tout haut :

— Le père pourrait être Richard Joyce. Ou Drexell. Ou même Chip Moseley...

— Ou un illustre inconnu, acheva Tolliver. Ce qui compte, c'est que cet individu ait cru être le papa.

— Nous partons donc du principe qu'elle a couché avec l'un d'entre eux. Si elle a eu des relations sexuelles avec Richard Joyce, imaginez le scoop le jour où elle a découvert qu'elle portait son enfant ! Certes, il avait souffert d'un AVC mais il s'en était remis ; il était actif et il avait toute sa tête. Ce bébé aurait eu droit à sa part d'héritage au même titre que les autres et Lizzie, Kate et Drexell auraient dû renoncer à plusieurs millions de dollars.

Je m'emparai d'un deuxième sandwich découpé en triangle et mordis dedans avec appétit, puis je dus épousseter les miettes tombées sur mon chemisier.

— Drexell était-il encore marié, il y a neuf ans ?

— Je ne m'en souviens pas. Une seconde, répondit Manfred en feuilletant quelques pages. Oui, il l'était. Chip aussi.

Tolliver allongea ses jambes devant lui et posa les pieds sur la table basse, maintenant jonchée de papiers, d'assiettes et de verres.

— Pourquoi maintenant ? Mariah et Richard sont enterrés depuis huit ans. Pourquoi maintenant ? répéta-t-il.

— Parce que Lizzie Joyce s'est amusée à consulter le site Web de Harper après l'affaire de Caroline du Nord, riposta Manfred comme si c'était une évidence. Elle voulait ce qu'il y avait de mieux. Et quand Lizzie Joyce veut quelque chose, elle s'arrange pour l'avoir. Combien de fois s'est-elle querellée avec ses proches avant l'arrivée de Harper ? Combien de fois l'a-t-on traitée de cinglée ?

— Si ce que j'ai vu est une estimation, renchérit Tolliver, elle a dû mal le prendre. Elle voulait faire venir Harper et elle avait de quoi la rémunérer généreusement. Puis elle a commis une erreur fatale. Elle n'a pas conduit Harper directement jusqu'à la tombe de Richard. Elle l'a laissée errer parmi les autres sépultures et Harper a atterri sur celle de Mariah. Lizzie pouvait soit la croire, soit mettre en doute ses paroles ; vu la somme qu'elle avait dépensée, elle a décidé de la croire. C'est ainsi qu'elle a découvert que Mariah avait été enceinte et que l'on aurait probablement pu la sauver ; ou du moins, que l'accouchement s'est déroulé dans des circonstances louches et qu'elle n'avait donc aucune chance de s'en sortir. Le bébé n'était pas dans le cercueil avec elle. Que lui est-il arrivé ? Par ailleurs, l'acte de décès mentionne une infection sans en définir l'origine : par conséquent, on peut en déduire que le médecin était dans le secret.

— Voilà un élément que nous pouvons vérifier, proposai-je. Il suffit de le retrouver. La copie de l'acte de décès est-elle dans le dossier ?

Je me rendis compte que Tolliver était fatigué. Ce fut Manfred qui extirpa le document du lot.

— Dr Tom Bowden, annonça-t-il.

J'appelai les renseignements téléphoniques de la petite ville voisine du ranch Joyce mais il ne figurait pas sur la liste des abonnés. Je tentai ma chance à Texarkana : là encore, il n'existait aucun Tom Bowden. Manfred s'éclipsa dans notre chambre et reparut un instant plus tard avec un énorme annuaire. Il ouvrit la section des Pages jaunes à la rubrique « médecins généralistes ».

— Je l'ai ! nous annonça-t-il, triomphant.

— Nous irons le voir demain. Tolliver a besoin de se reposer.

— Mais oui, bien sûr ! Pardon, Tolliver. J'avais oublié que tu étais convalescent.

Tolliver grogna.

— Mon état va s'améliorer de jour en jour.

— Naturellement. En attendant, puisque je suis en pleine forme, je vais repérer le cabinet de ce monsieur.

— Tu es sûr que c'est raisonnable ? m'inquiétai-je.

— Juste un coup d'œil, promit-il. J'ai un GPS désormais, autant m'en servir. Merci pour le repas.

Il poussa le chariot dans le couloir tandis que j'aidai Tolliver à se lever. Pour la première fois depuis des heures, il accepta de gober un antalgique avec le reste de ses médicaments. Je me reprochai intérieurement de ne pas m'être rendu compte à quel point il était épuisé.

Je lui donnai un coup de main pour se déshabiller et se coucher. Puis je m'installai près de lui et mis une rediffusion de *New York Police Judiciaire*. En moins de dix minutes, Tolliver sombra dans un profond sommeil.

Mon cerveau n'en pouvait plus. J'avais cogité sur les Joyce, sur Mariah Parish, sur cette pauvre Victoria et sa petite fille. Tous ces gens avaient occupé mon esprit pendant la journée entière, sans compter Rudy Flemmons et son chagrin. Je ne voulais plus penser, plus supporter le poids des émotions des autres. Je me rendis dans le coin salon avec le projet de regarder un film le plus débile possible. Je me vernis les ongles des mains et des pieds. Je téléphonai à mes demi-sœurs et discutai avec elles pendant vingt minutes avant que ma tante ne les expédie prendre leur bain. Iona tenta d'orienter la conversation sur ma relation avec Tolliver mais je refusai de mordre à l'appât. Je raccrochai, satisfaite de moi, un sentiment rafraîchissant après les événements tragiques de ces derniers jours.

Justement... je contactai l'hôpital pour avoir des nouvelles de l'inspecteur Powers. Le standard me passa la salle d'attente et je demandai à l'homme qui me répondit si je pouvais parler à Beverly Powers.

— Elle ne peut pas venir. Parker vient de mourir.

L'homme raccrocha. Il pleurait.

J'avais beau me répéter que je n'avais pas tué Parker Powers, je savais qu'il ne serait pas mort s'il n'avait pas cherché à me protéger.

Je n'avais pas de formule magique pour arranger la situation. La peine de sa famille et de ses amis était immense. Jamais je n'effacerais cette scène de ma mémoire : son corps gisant à terre, le sang giclant de sa plaie, la façon dont je m'étais réfugiée derrière une voiture. Le fait d'avoir dû me cacher pour éviter le salaud responsable de ce drame m'irritait plus que tout.

Mais ça, c'était surtout un problème d'orgueil : n'est-il pas normal de se cacher quand quelqu'un essaie de vous tuer ? Bien sûr que oui.

Cependant, j'avais cette image à laquelle je voulais coller, peut-être issue des bandes dessinées que j'avais lues dans mon enfance ou du roman que j'étais en train de parcourir. Toutes les femmes flics défendent les citoyens et abattent le méchant après l'avoir traqué. Toutes les héroïnes de bandes dessinées commettent des actes exceptionnels dans le seul but de venir en aide à l'humanité.

J'avais mis ma sécurité entre les mains d'un policier un peu simple, ex-star du football, et il en était mort.

Il savait qu'il était en danger. Il faisait son métier. Il était prêt à prendre tous les risques nécessaires, me dis-je.

Et moi, je l'ai accepté. Qu'aurais-je pu faire d'autre ? Si j'avais tenu à faire mon footing toute seule, m'aurait-il suivie malgré tout ? Peut-être. Et si j'avais décidé de rester à l'hôtel ? Il serait en vie. J'étais responsable du sort de Parker Powers.

Pourvu que cela ne se reproduise jamais.

15

Cette nuit-là, je dormis mal. Entendre la respiration régulière de Tolliver me rassura tandis que je me tournais dans tous les sens. Quand la lumière filtra entre les lourdes tentures et que je m'autorisai à me lever, je me sentis vidée, épuisée avant même d'avoir démarré la journée. Je m'imposai une séance de course sur le tapis roulant dans l'espoir d'y puiser de l'énergie. Cette stratégie tourna court.

Pensant que Manfred avait repéré le cabinet de Tom Bowden, je décidai d'y faire un saut. Je n'aurais sans doute aucun mal à franchir l'obstacle du bureau d'accueil car d'après mon reflet dans la glace, j'étais dans un état pitoyable. Nous n'avions pas fixé une heure de rendez-vous la veille, pourtant Manfred frappa discrètement alors que j'achevais de me préparer.

Tolliver, qui venait de se réveiller, était grognon comme un ours mal léché. Imbuvable. Manfred commit la maladresse de souligner son statut d'invalide en lui souhaitant mille fois un bon rétablissement, d'une voix odieusement allègre. Manfred était dans une forme éblouissante. Avec ses piercings qui accrochaient la lumière, il étincelait littéralement.

Manfred adore parler le matin.

Sur le trajet vers l'édifice qu'il avait localisé la veille, il me raconta que sa grand-mère lui avait légué la totalité de ses biens. Sa mère, la fille unique de Xylda, en avait été stupéfaite mais une fois le premier choc passé, elle s'était calmée. Après tout, ce n'était que justice : c'était Manfred qui s'était occupé de sa grand-mère les deux dernières années.

— Xylda avait des... ?

Je me tus brusquement, honteuse. J'avais failli m'étonner que Xylda ait eu des biens à lui transmettre.

— Elle avait quelques économies et elle était propriétaire d'une maison. Par chance, celle-ci était située en plein cœur de la ville et la municipalité souhaitait récupérer le terrain pour construire le nouveau gymnase du lycée. J'en ai tiré une somme coquette. Comme je te l'ai expliqué, j'ai découvert toutes sortes d'objets bizarres quand j'ai voulu trier ses affaires. J'ai mis tout ce que je voulais conserver en garde-meubles en attendant de décider où je vais m'installer.

— Si j'ai bien compris, tu vas exercer le métier de voyant comme elle mais essentiellement via Internet et le téléphone ?

— Exactement. Cependant, je suis ouvert à toutes les possibilités.

Il me jeta un coup d'œil en remuant les sourcils. Je ris à contrecœur.

— Dans tes rêves, grognai-je.

— Tu as mal dormi ?

— Pas assez, en tout cas. L'inspecteur Powers est mort.

— Merde ! Je suis désolé, Harper.

Je haussai les épaules. Je n'avais rien à dire et Manfred était assez fin pour le reconnaître.

Le cabinet du Dr Bowden était dans un bâtiment de quatre étages, un cube anonyme de verre et de briques qui aurait pu abriter n'importe quoi, société commerciale ou gang criminel. Nous courûmes sous la pluie battante jusqu'à l'entrée sud.

En entrant, j'aperçus un homme costaud aux cheveux gris qui quittait le hall par une autre issue en tenant son manteau bien au-dessus de sa tête. Tandis que les portes automatiques se refermaient sur lui, je me dis que je l'avais déjà vu quelque part. Je le suivis des yeux un moment puis haussai les épaules et rejoignis Manfred devant le tableau des renseignements. Le Dr Bowden – « médecin généraliste » – exerçait au troisième étage.

Il avait un modeste bureau dans un édifice modeste. La salle d'attente était minuscule et une femme s'activait derrière une cloison en verre coulissante. Son poste de travail était désordonné, presque chaotique. Elle semblait jouer à la fois les rôles de réceptionniste, gestionnaire des rendez-vous et secrétaire. Ses cheveux courts étaient teints en rouge foncé et elle portait des lunettes à monture noire de style années 1950. Peut-être était-elle fan du look rétro.

— Elle se croit originale, marmotta Manfred.

Je priai pour qu'elle ne l'ait pas entendu.

— Excusez-moi ! dis-je, car elle n'avait pas daigné quitter son écran des yeux.

Elle devait savoir que nous étions là puisqu'il n'y avait qu'une seule personne dans la pièce, un sexagénaire d'une maigreur extrême, plongé dans la lecture d'une revue.

— Excusez-moi, répétai-je, plus sèchement que je ne l'avais anticipé.

— Oh, pardon ! s'exclama-t-elle en retirant son oreillette. Je ne vous avais pas entendus.

— Nous souhaiterions voir le docteur.

— Vous avez rendez-vous ? On vous a adressés à nous ?

— Non, répondis-je avec un sourire.

Médusée, elle contempla Manfred par-dessus mon épaule comme si elle espérait qu'on lui explique le phénomène d'un patient essayant de voir un médecin sans rendez-vous.

— Je suis avec elle, précisa-t-il. Nous voulons tous les deux voir le docteur. Au sujet d'une affaire personnelle.

— Vous n'êtes pas la belle-fille… ?

L'expression de la rousse trahissait une sorte d'appréhension à la fois fascinée et horrifiée.

— Désolée, non.

J'avais des remords à percer sa bulle.

— Il ne vous recevra pas, nous confia-t-elle sur le ton de la confidence.

Peut-être était-elle séduite par les ornements faciaux de Manfred ? De toute évidence, elle avait un faible pour les styles affirmés.

— Il est débordé, ajouta-t-elle.

Je me tournai vers l'unique patient, qui faisait mine de ne pas nous écouter.

— Ce n'est pas mon impression.

— Toutefois, je vais me renseigner, enchaîna-t-elle comme si je n'avais rien dit. Votre nom, je vous prie ?

Je le lui donnai. Avant qu'elle ne pose la question, je poursuivis :

— Voici mon ami Manfred Bernardo.

— Le sujet de votre visite ?

Elle ne comprendrait rien à la version longue.

— Il s'agit d'un dossier qu'il a traité il y a huit ans. Nous voulons en discuter avec lui.

Elle se leva.

— Je vais voir. Il faudra attendre votre tour.

Nous patientâmes et quand l'homme d'une extrême maigreur fut parti, nous patientâmes encore.

Lunettes Rétro avait compris que nous ne bougerions pas de là et apparemment, le médecin avait renoncé à s'éclipser sans nous rencontrer. Au bout de quarante-cinq minutes, il surgit sur le seuil de la salle d'examen. Le Dr Bowden était âgé d'une soixantaine d'années, le crâne dégarni. Il était de ces êtres d'une telle banalité qu'on a du mal à les décrire. De ceux que l'on pouvait croiser six fois de suite sans jamais se rappeler leur nom.

— Bien, j'ai un moment à vous accorder.

Il nous précéda dans son bureau encombré de bibliothèques, de papiers, de broderies encadrées et de photos de lui en compagnie d'une femme trapue et corpulente ainsi qu'un jeune garçon à divers stades de son existence, jusqu'au jour de son mariage.

Bowden prit place dans son fauteuil, jouant à la perfection le rôle du médecin affairé et prospère qui vous concède quelques minutes de son précieux temps par pure bonté.

— Je m'appelle Harper Connelly et voici Manfred Bernardo. J'ai des questions à vous poser concernant un décès que vous avez certifié il y a huit ans, celui d'une certaine Mariah Parish.

— On m'avait prévenu que vous viendriez, déclarat-il, ce qui me décontenança. Je n'en reviens pas que vous ayez l'effronterie de vous présenter ici.

— Pourquoi ? bredouillai-je, désemparée. Si Mariah Parish a été assassinée, cela bouleverse complètement une situation fort compliquée.

— Assassinée ? rugit-il, aussi abasourdi que moi, à présent. Mais il paraît… que vous prétendez que Mariah Parish est encore en vie.

— Je n'ai jamais dit ça et je ne le crois pas. Qui vous a affirmé cela ?

Le médecin ne me répondit pas. Il paraissait soucieux mais pas hostile.

— Vous n'êtes pas ici pour contester l'acte de décès ?

— Non. Je sais que Mariah Parish est morte. Je me demande simplement pourquoi vous n'avez pas inscrit la véritable cause de son décès.

Tom Bowden devint cramoisi, ce qui ne lui seyait pas du tout.

— Vous représentez sa famille ?

— Elle n'en avait pas. Nous représentons le détective privé qui était à la recherche de son enfant.

En un sens, c'était vrai.

— Le bébé.

Bowden vieillit de cinq ans en trente secondes.

— Oui. Racontez-nous.

— Les Joyce ont une grande influence. Ils auraient pu mettre un terme à ma carrière ; ils auraient pu m'expédier en prison.

— Ils ne l'ont pas fait, répliqua Manfred d'un ton aussi sévère que le mien. Racontez-nous.

Nous nagions dans le mystère mais nous devions feindre le contraire.

— Cette nuit-là, la nuit où elle est morte, j'exerçais encore à Clear Creek.

Le Dr Bowden fit pivoter son fauteuil vers la fenêtre.

226

— Il pleuvait à torrents, comme aujourd'hui. Il me semble que c'était au mois de février. Je n'avais jamais soigné les membres de la famille Joyce : ils avaient leurs propres médecins à Texarkana et à Dallas et n'hésitaient pas à parcourir des kilomètres pour les consulter.

L'amertume avait ravagé son visage.

— Je savais qui était Richard Joyce. Tout le monde en ville le connaissait. Un de ces hommes fortunés qui se comportent comme s'ils étaient des nôtres, si vous voyez ce que je veux dire. Il portait un jean Levis, il conduisait un vieux pick-up. Comme s'il n'avait pas assez de fric pour s'acheter un véhicule de luxe !

Bowden secoua la tête, désespéré par les travers d'un type qui pouvait s'offrir ce qu'il voulait mais préférait la simplicité.

— C'est Richard Joyce qui est venu vous trouver ?

— Certainement pas ! Ce devait être l'un de ses hommes. Je ne me rappelle plus son nom.

Il mentait.

— Il m'a dit que la gouvernante de M. Joyce était souffrante, qu'elle avait besoin de soins et qu'il me paierait un supplément si je me déplaçais. Bien entendu, j'y suis allé. Je n'en avais aucune envie mais c'était mon devoir et c'était un moyen comme un autre de me faire bien voir par Richard Joyce. Je ne le cache pas, j'étais intéressé.

Il aurait pu essayer de faire semblant toute la journée, il ne m'aurait pas convaincue. Je sentis Manfred changer de position et me demandai s'il se retenait de rire.

— Que s'est-il passé ?

— Il m'a emmené là-bas dans son camion et nous sommes descendus sous la pluie. Nous avons traversé l'immense maison jusqu'à une chambre où était alitée cette jeune femme. Elle était en piteux état. Elle venait d'accoucher. De toute évidence, le travail avait commencé alors que personne ne s'y attendait et d'après ce que m'a expliqué cet homme, elle ne savait même pas qu'elle était enceinte.

De mieux en mieux ! pensai-je.

— Pourtant vous étiez prévenu que vous alliez soigner une femme enceinte, non ?

Il secoua la tête. Parce qu'il n'avait pas été au courant ou parce qu'il ne voulait pas en parler ? Je soupçonnai qu'il se sentait déjà assez coupable comme ça de s'être rendu chez les Joyce s'occuper d'une patiente dans des circonstances qu'il savait illégales ou à la limite de la légalité.

— Qu'a-t-elle dit ?

— Pas grand-chose. Elle était malade, très malade. Elle avait de la fièvre. Elle transpirait, elle tremblait. Elle délirait presque. Je ne comprenais pas pourquoi l'homme ne l'avait pas emmenée directement à l'hôpital. Il m'a affirmé qu'il ne voulait pas en entendre parler, qu'elle n'était pas censée avoir cet enfant, qu'elle était dans le pétrin. Il m'a avoué que le bébé était le fruit d'un inceste.

Le Dr Bowden eut une moue de dégoût.

— Il a déclaré qu'elle avait les faveurs du vieux M. Joyce et qu'elle voulait enfanter sans qu'il soit au courant, qu'ensuite elle ferait adopter le nourrisson et reprendrait son travail. Elle ne voulait pas le garder.

Et vous l'avez cru ? faillis-je exploser. Je me retins car je ne voulais pas rompre le flot de sa confession. Cet interrogatoire se déroulait beaucoup plus facilement que je ne l'avais prévu et je supposai que Tom Bowden rêvait depuis toutes ces années de se décharger de ce poids. L'espace d'un instant, je me demandai d'où il

228

venait pour être tombé dans un piège pareil. Bien sûr, il fallait prendre en compte son avidité.

— Elle n'avait pas de famille, déclara Manfred.

Le Dr Bowden fixa son bureau. J'aurais volontiers étranglé Manfred pour cette interruption. D'un autre côté, il n'avait fait qu'exprimer mes propres pensées.

— Je n'étais sûr de rien. Celui qui m'a conduit jusqu'au ranch – il m'avait semblé que c'était Drexell Joyce, le fils. J'en ai déduit que l'enfant était de lui. Peut-être avait-il honte d'avouer à son grand-père qu'il avait trompé sa femme. Il portait une alliance. Pas Mariah Parish.

— Elle vous a parlé ?

— Pardon ?

— Mariah. Elle vous a parlé ?

La question était simple mais Tom Bowden était visiblement mal à l'aise.

— Non.

Je poussai un soupir. Manfred leva un doigt. Il était persuadé que le médecin mentait une fois de plus.

— Et ensuite ? insistai-je.

— Je l'ai soignée comme je le pouvais. Je voulais appeler une ambulance mais l'homme s'est énervé. Je suis allé chercher mon manteau pour téléphoner avec mon portable mais il l'avait retiré de ma poche. Je devais m'occuper de ma patiente, je n'avais pas le temps de me quereller avec lui. Elle était à bout de forces. Quand bien même j'aurais pu l'envoyer aux urgences – sachez au passage que l'hôpital le plus proche était à presque une heure de route –, elle n'aurait pas survécu. Elle souffrait d'une infection massive.

— En d'autres termes, elle est morte cette nuit-là.

— Oui. Environ une heure et demie après mon arrivée. Elle a pu tenir le bébé dans ses bras.

Nous demeurâmes silencieux un moment.

— Et après ? s'enquit Manfred.

— L'homme m'a donné l'ordre d'examiner le nouveau-né. Elle avait un peu de température, mais rien de grave. Sinon, sur le plan physique, elle était en parfaite santé.

— C'était une fille.

— Oui, oui. Très menue mais à condition de recevoir les soins adéquats, elle avait toutes les chances de s'en sortir. Il m'a demandé si j'avais les médicaments nécessaires car il voulait la porter à ses parents adoptifs. J'avais des antibiotiques dans ma trousse, des échantillons que m'avait remis un visiteur médical. Je lui ai indiqué les doses à administrer et il est sorti de la chambre avec le poupon, que je n'ai plus jamais revu. La mère a rendu l'âme à ce moment-là.

— Qu'avez-vous fait ?

— J'ai dit à l'homme que nous devions signaler le décès. Nous nous sommes violemment opposés. Il ne semblait pas comprendre que c'était la loi et qu'il fallait la respecter.

Vous l'aviez déjà largement contournée ! songeai-je.

— Mais pour finir, il vous a laissé faire ?

— À condition que je ne mentionne pas le bébé. Les gars des pompes funèbres sont venus chercher cette pauvre femme et j'ai signé l'acte de décès.

Il se voûta. Il avait enfin admis le pire des crimes à ses yeux. Désormais, il pouvait se décontracter.

— Vous avez dit qu'elle était morte de… ?

— Infection massive suite à une péritonite.

— Personne n'a remis en cause ce diagnostic ?

— Aucun membre de la famille ne s'est manifesté. Les Joyce m'ont envoyé un chèque du montant exact de ma note et par la suite, si l'un de leurs employés tombait malade, c'est à moi qu'ils l'envoyaient.

Ils avaient eu la sagesse de ne pas soudoyer ouvertement le Dr Bowden. Il avait dû leur adresser une facture exorbitante et ils l'avaient honorée sans rechigner. Cela l'avait rassuré. Et comme ses affaires n'étaient pas florissantes, ils lui avaient fourni de la clientèle.

— Pourquoi avez-vous déménagé pour Dallas ? demanda Manfred.

Une fois de plus, j'aurais évité d'aborder le sujet mais là encore, j'avais sous-estimé l'élasticité du médecin.

— Mon épouse détestait Clear Creek. De plus, je dois admettre que personne ne s'entendait avec elle. Notre ménage en subissait les conséquences. Il y a six ans environ, j'ai bavardé avec un confrère que je ne connaissais pas au cours d'un séminaire. Il avait son cabinet à Dallas. Il m'a proposé de me louer son local qui allait bientôt se libérer. À un prix défiant toute concurrence. Il était même prêt à me laisser le matériel car il s'apprêtait à partir travailler pour le consulat des États-Unis à l'étranger – en Turquie, je crois.

Comment avait-il pu être naïf à ce point ? Comme si l'on avait traîné sur un trottoir un billet de un dollar au bout d'une ficelle dans l'espoir qu'un passant suivrait le chemin de l'argent.

— Ciel Marcel ! proclama Manfred.

Il faillit continuer mais, Dieu merci, eut la sagesse de se taire.

— Merci... Ah ! Euh... est-ce que vous avez reçu la visite d'une autre personne ce matin à propos de Mariah Parish ?

— Eh bien... oui.

Pourquoi n'avais-je pas emporté les photos des Joyce avec moi ? Jusque-là, je n'avais pu que me féliciter de mes dons d'enquêtrice novice. Quelle idiote !

— Qui était-ce ?

— Il a dit qu'il s'appelait Ted Bowman.

Rien à voir avec Tom Bowden. Rien du tout.

— Et il voulait… ?

Tom Bowden parut ennuyé ou plutôt, encore plus ennuyé.

— Il m'a posé les mêmes questions que vous mais dans un autre but.

— Lequel ?

— En fait, il était au courant de toute l'histoire. Il voulait juste savoir si j'avais connaissance des personnes impliquées.

— Que lui avez-vous répondu ?

— Que je n'avais pas la moindre idée de qui m'avait conduit chez les Joyce ; que selon moi, la dernière fois que j'ai vu la petite, elle était en bonne santé ; enfin, que je n'ai jamais parlé à quiconque de cet épisode.

— Et lui ?

— Qu'il était heureux de l'apprendre ; qu'il avait cru le bébé mort et était enchanté qu'il ait survécu. Il m'a vivement encouragé à effacer cette soirée de ma mémoire et je lui ai avoué que je n'y avais plus repensé depuis des années. Il m'a prévenu que quelqu'un viendrait sans doute m'interroger mais que cette personne cherchait seulement à semer la zizanie en affirmant que Mariah Parish était encore en vie.

— Que vous a-t-il conseillé ?

— De la fermer.

— Mais vous nous avez parlé malgré tout.

Pour la première fois, Tom Bowden rencontra mon regard.

— J'en ai assez de garder ce secret. De toute façon, ma femme et moi avons divorcé. Mon cabinet va à vau-l'eau

232

et mon existence n'est en rien telle que je l'avais imaginée. Le déclin a commencé dès ce fameux soir.

J'eus la conviction qu'il ne mentait plus.

— À quoi ressemblait cet homme ?

— Il était plus grand que votre ami... plus imposant ; poitrine large, très musclé. Cheveux foncés, légèrement grisonnants. La bonne quarantaine.

— Des tatouages visibles ?

— Figurez-vous qu'il portait un imperméable, railla Bowden.

Selon toute apparence, le temps des larmes était passé.

— Vous êtes certain de ne pas connaître le nom de l'homme qui vous a conduit au ranch ?

J'étais dubitative car Clear Creek était une ville minuscule. Je le lui dis. Il haussa les épaules.

— Je n'étais pas là depuis longtemps et les fermiers ont tendance à se replier sur eux-mêmes. Cet individu s'est fait passer pour un employé de M. Joyce et il était venu à bord d'une camionnette du ranch. Il s'est peut-être présenté mais je ne m'en souviens pas. Ce fut une soirée stressante. Je vous le répète, j'ai pensé que c'était Drexell Joyce mais je ne l'avais jamais rencontré, je ne peux pas vous l'assurer.

Une soirée stressante, tu parles ! Surtout pour Mariah Parish, dont on aurait pu sauver la vie si une ambulance était venue la chercher... à condition d'être assez humain pour appeler les urgences.

J'étais un peu étonnée qu'on ne l'ait pas tout simplement assassinée et le bébé avec elle. À l'époque, Richard Joyce était encore de ce monde. Peut-être le facteur déterminant avait-il été la crainte de sa réaction si sa nurse disparaissait en son absence. Mariah lui aurait

233

manqué. Or Richard Joyce n'aurait jamais laissé tomber l'affaire s'il avait suspecté un complot.

Et si le bébé avait été confié à une famille en guise d'outil de marchandage ? Si un ouvrier du ranch l'élevait ? Je pouvais multiplier les scénarios, aucun n'était plausible.

— Où se trouvait Richard Joyce ? demanda Manfred.

— L'homme m'a seulement dit qu'il n'était pas là. Je n'ai pas vu son pick-up.

— Il n'était pas au courant de la grossesse de Mariah ? Il n'a rien remarqué ?

Bowden haussa les épaules.

— Le sujet n'a pas été abordé. J'ignore ce qu'elle a raconté à M. Joyce. Certaines femmes prennent très peu de poids et si elle portait des vêtements amples…

Manfred et moi nous consultâmes du regard. Nous n'avions plus de questions.

— Au revoir, docteur Bowden, dis-je en me levant.

Il fut incapable de dissimuler son soulagement.

— Vous allez contacter la police ? Vous savez, s'ils exhument cette pauvre Mariah, ils ne pourront rien déceler.

Il regrettait déjà de nous avoir parlé. En même temps, il était délivré d'un poids énorme. Ce type avait vécu un enfer pendant huit ans. En ce qui me concernait, c'était bien fait pour lui.

— Nous n'avons encore rien décidé, répliqua Manfred, songeur. Nous l'envisageons. Si la fillette est vivante et en bonne santé, vous ne serez peut-être pas rayé de l'Ordre des médecins.

C'est un Dr Bowden épouvanté qui nous suivit des yeux tandis que nous traversions la salle d'attente. Trois patients étaient arrivés et j'eus pitié d'eux. Comment le médecin allait-il les soigner vu son désarroi ? En une seule journée, il avait eu deux occasions de ressasser un événement qu'il avait cru enseveli pour toujours ; il y avait de quoi perturber n'importe qui, même quelqu'un de plus respectable que Tom Bowden.

— Quelle ordure ! s'insurgea Manfred dans l'ascenseur.

Il était écarlate de fureur.

— Je ne pense pas qu'il soit si mauvais que cela. Mais c'est un lâche. Et il ne mérite pas son titre de médecin.

— J'aurais peut-être mieux compris si cette histoire s'était déroulée dans les années 1930. Ça ressemble à l'intrigue d'une de ces vieilles collections de romans d'horreur. Le coup de sonnette en pleine nuit, l'inconnu qui vous emmène voir une mystérieuse patiente dans une vaste demeure, la femme qui meurt, le bébé, le secret...

Quand les portes de la cabine s'ouvrirent, je dévisageais Manfred, les yeux ronds. Il avait lu dans mes pensées !

— Crois-tu qu'il nous ait dit la vérité ? Si nous sommes deux à trouver cela invraisemblable, peut-être que ça l'est. Peut-être n'était-ce qu'un tissu de mensonges.

— Il n'est pas assez habile menteur. Certes, il nous a raconté des bobards. Comment s'est-il débrouillé pour arriver jusque-là ? Il devait se douter qu'un jour, quelqu'un déboulerait pour l'interroger, non ? Il est médecin, il a forcément un minimum d'intelligence. Il a fait des études. Son diplôme est accroché au mur. Je vais vérifier. Peut-être aurons-nous besoin d'un autre détective privé.

— Sûrement pas après ce qui est arrivé à Victoria, glapis-je... Pardon, Manfred. Je suis contente que tu m'aies accompagnée. Dans l'ensemble, est-ce que tu l'as cru ? Tu es médium.

— Oui, admit Manfred après une pause perceptible. Toutefois, il n'a pas tout dit. Il connaissait le nom de celui qui est venu le chercher, par exemple. Et je doute que ce type ait caché son portable. D'après moi, il a empêché le médecin de passer un coup de fil en l'intimidant, en lui brandissant une menace suffisamment claire pour anéantir un couard comme le Dr Bowden. Je pense aussi qu'il l'avait prévenu de ce qui l'attendait. Les médecins ne sortent jamais sans leur trousse. Le Dr Bowden l'avait préparée en conséquence, il avait de quoi traiter une femme dont l'accouchement posait problème, et de quoi traiter le bébé.

— Tu as raison. Alors qui, selon toi, était le chauffeur ? Qui a emmené le bébé ? Celui qui a conduit le Dr Bowden au ranch portait une alliance.

— Ah, oui ! Félicitations d'avoir retenu ce détail. Voyons… Drexell a été marié, Chip aussi. Ç'aurait pu être l'un ou l'autre, ou un individu que nous n'avons pas encore rencontré.

Nous regagnâmes l'hôtel, nous arrêtant en route pour manger un morceau dans un fast-food. Je commandai un sandwich au poulet mais ne mangeai pas les frites. Je me sentirais mieux si je me nourrissais sainement. Nous nous restaurâmes en silence. J'ignore à quoi Manfred réfléchissait mais moi, je m'efforçais de mettre le doigt sur le drôle de sentiment qui m'avait submergée quand les Joyce étaient descendus de leurs camionnettes au cimetière Pioneer Rest. Il me semblait les avoir déjà vus quelque part, du moins les hommes. Où ? Étaient-ils venus chez nous dans notre taudis à Texarkana ? Tant de gens y avaient défilé… Et moi, je m'étais si souvent cachée pour les éviter.

À mon arrivée à l'hôtel, je dus remettre ces réflexions à plus tard car Tolliver était dans une rage folle (et rare).

236

Il avait voulu prendre une douche et en recouvrant son pansement d'un sac plastique, il s'était cogné l'épaule contre le mur. Il souffrait le martyre et m'en voulait de m'être absentée aussi longtemps en compagnie de Manfred. Il avait commandé son repas à la réception mais avait eu un mal fou à retirer le couvercle de sa boisson et couper sa viande d'une seule main. Tolliver en avait gros sur le cœur et, bien que prête à le dorloter jusqu'à ce qu'il se calme, je m'agaçai à mon tour quand il m'annonça que Matthew lui avait téléphoné... et décidé de lui rendre visite puisque je l'avais abandonné.

J'étais folle de rage contre Tolliver et réciproquement – tout ça, parce que j'étais partie avec quelqu'un d'autre que lui. En temps normal, Tolliver n'est ni caractériel, ni irritable, encore moins déraisonnable. Aujourd'hui, il était les trois.

— Oh, Tolliver ! lançai-je, excédée. Tu aurais pu patienter jusqu'à mon retour, non ?

Il me fusilla des yeux mais je compris qu'il regrettait déjà d'avoir parlé avec son père. Malheureusement, il était trop tard. Apparemment, les horaires chez *McDonald's* étaient d'une souplesse exceptionnelle car quelques instants plus tard, Matthew frappait à notre porte.

Il pénétra dans le salon et alla se planter devant son fils alors que je restai figée, la main sur la porte. C'était Matthew que j'avais aperçu ce matin-là. C'était lui, l'homme qui avait emprunté la sortie à l'opposé de celle par laquelle Manfred et moi venions d'entrer. Mêmes vêtements, même démarche, mêmes épaules.

Manfred suivit la direction de mon regard et arrondit les yeux. Il me posa une question silencieuse. Je secouai la tête. Non, je ne voulais pas d'une confrontation maintenant – en tout cas, je n'en voyais pas l'avantage dans l'immédiat.

Si Matthew admettait avoir été là, il nous expliquerait qu'il avait consulté un autre médecin, ou un avocat ou un comptable dans l'édifice. Nous pourrions difficilement le contredire. Mais sa présence dans le bâtiment abritant le cabinet du Dr Bowden était une sacrée coïncidence.

Il ne m'était jamais venu à l'esprit que la réapparition de Matthew dans la vie de ses enfants pouvait avoir un rapport avec les Joyce.

Au lieu de rejoindre les trois hommes, je me réfugiai dans la chambre et m'assis sur le bord du lit. J'avais l'impression qu'on venait de me claquer une portière sur la jambe alors que je n'étais pas encore complètement dans la voiture. Je tentai de me concentrer sur une seule des mille hypothèses qui se bousculaient dans ma tête. Mon univers tout entier avait basculé et j'avais un mal fou à reprendre mon équilibre.

Mariah Parish était morte en couches.

Richard Joyce était mort de peur. Si l'on peut dire.

Victoria Flores, que Lizzie Joyce avait engagée pour enquêter sur le décès de Mariah Parish, était morte elle aussi.

Parker Powers, qui menait l'investigation, était mort.

Mon beau-père s'était rendu chez le médecin qui avait assisté au supplice final de Mariah Parish.

Que s'était-il passé d'autre, deux mois seulement après la naissance de ce mystérieux bébé, huit ans auparavant ?

Ma sœur Cameron avait disparu.

16

Je m'enfermai à clé dans la salle de bains. Je baissai le couvercle des W-C et m'assis dessus. Je n'avais pas allumé. Je ne voulais pas voir mon reflet dans la glace.

Il existait un lien entre Matthew et les Joyce mais lequel ? Il était aussi le beau-père de Cameron. Et d'après mes calculs, peu après la naissance du bébé de Mariah Parish, Cameron s'était volatilisée. Jamais, jamais il ne m'avait traversé l'esprit qu'un membre de notre famille ait pu être impliqué dans la disparition de notre sœur. Quand les policiers avaient interrogé ma mère et Matthew, puis Mark, Tolliver et moi-même, j'avais bouillonné de rage parce que j'avais l'impression qu'ils perdaient leur temps au lieu de traquer le ou les véritables tueurs.

J'avais soupçonné les garçons de notre lycée, plus particulièrement le dernier petit ami de Cameron qui n'avait pas accepté leur rupture de bonne grâce. J'avais suspecté les amis toxicos de Laurel et de Matthew. J'avais envisagé l'hypothèse d'un inconnu qui avait aperçu Cameron rentrant seule chez elle et avait décidé sur un coup de tête de la dépouiller/violer/enlever.

J'avais pensé aussi aux types qui nous sifflaient sur notre passage quand nous sortions ensemble. J'avais construit des centaines de scénarios. Certains d'entre eux étaient invraisemblables. Mais tous m'avaient procuré une solution au mystère, une réponse qui n'entraînait pas la douleur supplémentaire d'un deuxième drame personnel.

J'avais la conviction profonde que même si ce lien m'échappait, même s'il était improbable, deux incidents comme ceux-là ne pouvaient se produire en un délai aussi court sans qu'il y ait un point commun – sans que le même homme soit compromis dans les deux cas.

Étais-je en train de dramatiser ? J'essayai de réfléchir mais la colère embrouillait mon cerveau. Mon beau-père savait quelque chose sur les Joyce. Il en savait suffisamment pour connaître le nom du médecin qui avait « traité » Mariah Parish.

Il *était au courant*. Et j'étais persuadée qu'il savait ce qui était arrivé à ma sœur. Pendant toutes ces années, il s'était tu.

Je le sentais dans mes os.

Je ne pouvais pas me ruer dans le salon et le saisir par le cou. Il était trop fort pour moi. Tolliver m'empêcherait de tuer son père. Bien que n'étant pas concerné par cette affaire, Manfred s'en mêlerait à son tour. Mais Tolliver était blessé, affaibli ; quand à Manfred, il ne tarderait pas à s'en aller.

Au prix d'un effort surhumain je me retins d'échafauder un projet pour éliminer mon beau-père.

D'une part, ce serait mal. Peut-être. D'autre part – et plus important – je manquais d'informations. Je voulais retrouver le lieu où reposait ma sœur. Je voulais m'assurer de ce qu'elle avait subi.

À cette fin, je me préparai à tolérer la présence de Matthew.

J'y travaillai seule dans le noir. Je m'encourageai à être forte. Puis je me levai, allumai la lumière et me lavai la figure comme pour en effacer mes nouvelles découvertes et reprendre mon masque d'heureuse ignorante.

Je regagnai le salon d'un pas lent. J'avais la sensation d'avoir reçu une série de coups de pied dans les côtes – j'étais vulnérable, accablée par la haine et la méfiance.

Je compris tout de suite que Matthew était pressé de se débarrasser de Manfred afin de pouvoir discuter seul à seul avec son fils mais que Manfred avait tenu à me revoir avant de partir. À mon entrée, il porta son regard sur Matthew puis sur moi et eut un frémissement. Ce que Manfred voyait en moi était invisible pour Tolliver et Matthew. Tant mieux.

— Manfred, pardon de m'être écroulée. Merci de m'avoir accompagnée aujourd'hui.

— Aucun problème, répliqua-t-il en bondissant sur ses pieds avec une allégresse qui trahissait son désir de quitter cette suite. Veux-tu descendre avec moi boire un café ? Veux-tu que je t'emmène au supermarché ? Avez-vous assez de... de chips ?

Là, il y allait un peu fort : nous ne mangeons jamais de chips. J'ébauchai un sourire et m'interrogeai. Manfred voulait me parler de Matthew mais je n'avais pris aucune décision pour le moment. Mieux valait éviter d'en discuter tant que je n'avais pas un plan précis.

— Merci, Manfred. Je vais rester ici au cas où Tolliver aurait besoin de moi.

Sur une impulsion soudaine, je l'étreignis. Il répondit timidement à mon geste. Il était encore bouleversé par l'image psychique que je lui avais transmise. S'il avait vu ce que je ressentais, il avait vu quelque chose d'abominable et de sanglant.

— N'interviens pas tout de suite, me chuchota-t-il à l'oreille.

Je le relâchai et reculai d'un pas.

— Ne t'inquiète pas pour nous, tout ira bien. Je t'appelle si j'ai besoin d'aide, je te le promets.

— Entendu. J'ai du travail cet après-midi mais mon portable est toujours chargé à bloc et je l'emporte partout avec moi. Au revoir, Tolliver. Monsieur Lang.

Il m'accorda un ultime regard et s'éclipsa, fonçant vers les ascenseurs sans se retourner.

— Drôle de personnage, marmonna Matthew. Tolliver, tu fréquentes beaucoup de gens comme lui ? Ce doit être un ami à toi, Harper.

— Oui, confirmai-je. Sa grand-mère l'était aussi.

Je me sentais bizarre, comme si je m'étais détachée de mon corps. Matthew étant assis auprès de Tolliver sur le canapé, je m'installai dans le fauteuil. Je croisai les jambes et plaçai mes mains autour du genou.

— Quel chaos ce matin, n'est-ce pas, Matthew ?

— Oui, la circulation était odieuse. Comme toujours à Dallas. Et la pluie n'a rien arrangé.

— Tu avais des courses à faire ?

— J'avais deux ou trois trucs à régler. Je prends mon service à 14 h 30.

Était-il vraiment employé chez *McDonald's* ? Ou avait-il rendez-vous avec un membre du clan Joyce ? Avait-il toujours été à leur service ?

L'homme que j'aimais le plus au monde, le seul être que j'aimais vraiment était son fils.

Tolliver en souffrirait peut-être mais pour moi, cela ne changeait rien. Je comprends mieux que la plupart la différence entre parents et enfants. J'ai été élevée par la femme qui a négligé ses deux dernières filles au point que ses aînés ont dû prendre le relais.

J'aime à croire que je vaux un peu mieux que ma mère.

Mais si je tuais Matthew Lang, je serais tout aussi méprisable.

Sauf qu'au moins, j'aurais pris ma décision en toute lucidité.

N'importe quoi ! me réprimanda mon moi intérieur. *La haine t'étouffe au point que tu ne peux plus avaler !*

Certes. Mais n'était-il pas mieux de tuer un individu en plein élan de rage ? Quelle vertu y avait-il à attendre d'être calme et posée ?

J'aurais plus de chances de m'en sortir indemne. Je pourrais vivre avec Tolliver plutôt que de m'entourer de copines codétenues. C'est ainsi qu'avait vécu ma mère… or je ne suis pas comme elle. Non, je ne le suis pas.

Le flux de mes réflexions n'était pas continu, elles me venaient par bribes et je devais arborer une expression étrange.

À en juger par celle de Tolliver, il mourait d'envie de me demander si je me sentais bien mais se refusait à le faire devant Matthew. Ce dernier était tourné vers Tolliver, je ne voyais donc que son dos, ce qui m'arrangeait bien.

Je m'efforçai de libérer mon esprit pour écouter leur conversation. Matthew demandait à Tolliver s'il regrettait de ne pas avoir suivi des études supérieures, s'il espérait s'inscrire dans une fac aux environs de Dallas une fois que nous y serions installés. Il était persuadé que Tolliver décrocherait un emploi digne de ce nom s'il obtenait un diplôme. Dès lors, il ne serait plus dépendant de moi sur le plan financier.

On pouvait toujours compter sur Matthew pour semer la zizanie au sein de notre couple. Tolliver parut choqué.

— Je ne suis pas dépendant de Harper !

— Ton unique activité consiste à l'accompagner dans ses… ses missions.

— Je fais en sorte qu'elle puisse exercer son don.

Je me rendis compte que ce n'était pas la première fois qu'ils en discutaient. Simplement, les fois précédentes, je ne les avais pas entendus. Un flot de rage me submergea.

— Si je n'étais pas là pour Harper, elle ne pourrait pas travailler.

— Il a raison, intervins-je. Je tombe souvent malade et sans Tolliver, qui sait ce que je deviendrais ?

Je m'en voulais de paraître sur la défensive alors que je n'avais pas à me justifier.

Matthew m'ignora.

— Tu peux t'en persuader mais tu sais bien qu'un homme se doit de faire son propre chemin dans la vie.

— Comme toi ? aboyai-je. Tu as fait ton chemin en dealant de la drogue, en laissant ta femme me vendre au meilleur enchérisseur ! Tu as préféré abandonner ton métier d'avocat pour purger une peine de prison !

Matthew s'empourpra. Il ne pouvait pas faire comme si je n'étais pas là.

— Harper, j'essaie d'être un bon père. Il est un peu tard, j'en conviens, et je suis conscient d'avoir commis des actes dont j'ai honte aujourd'hui mais je m'efforce de renouer avec mon *fils*. Je sais qu'il « t'aime » mais parfois, il faudrait que tu me laisses tranquille avec lui.

Les guillemets étaient perceptibles.

— Harper n'a rien à se reprocher. Oui, je l'aime. Oui, il est trop tard et oui, tu as commis des actes ignobles. Si je n'avais pas été là le jour où elle a été frappée par la foudre, tu l'aurais laissée mourir.

244

J'éprouvai un vif soulagement. Au fond de moi, je craignais toujours que Tolliver ne se fasse de nouveau aspirer par son père.

— Au moins, Mark accepte de dialoguer avec moi, décréta-t-il en se levant.

Il allait partir et je ne l'avais pas encore tué.

Je n'avais pas d'autre choix que de l'épargner pour le moment. Je n'avais que mes mains nues. Je devais découvrir ce qu'il avait fait à Cameron et pourquoi. Je doutais qu'il ait abusé d'elle sexuellement. Certains de ses amis avaient voulu coucher avec nous mais pas Matthew. Enfin, pas que je sache. Mais il y avait une raison et je voulais la connaître. Je me mis debout, les poings crispés en me demandant si j'allais ou non le frapper.

Matthew fut sensible à mon hostilité. À force de croupir derrière les barreaux, je suppose qu'on apprend à guetter ce genre de symptôme. Il me contourna prudemment et se dirigea vers la sortie.

— J'ignore quelle mouche t'a piquée aujourd'hui, Harper. Je tente simplement de réparer les dégâts.

— Ça ne marche pas, grognai-je entre mes dents.

Il eut un rire nerveux.

— En effet, je le constate. Fils, à plus tard. Je te souhaite un prompt rétablissement. Appelle-moi en cas de besoin.

Sur ce, il sortit et referma la porte derrière lui. Il était encore vivant.

— Assieds-toi, murmura Tolliver, si bas que je faillis ne pas l'entendre. Assieds-toi près de moi et raconte-moi ce qui se passe dans ta tête.

— Je l'ai aperçu dans l'édifice du cabinet du médecin. Ton père était là ce matin. Il empruntait une porte à l'autre extrémité du hall au moment où nous sommes entrés.

Je demeurai immobile, le temps qu'il digère cette nouvelle.

— Bien. Réfléchissons.

J'aurais volontiers poussé un hurlement de joie car il avait tout saisi.

Je relatai à Tolliver notre entretien avec le Dr Bowden. Je lui narrai son histoire en y ajoutant mes commentaires personnels. Dieu le bénisse, il ne m'interrompit pas une seule fois. Sa mauvaise humeur s'était évaporée. Je lui avouai combien j'étais contente que Manfred ait assisté à cette conversation sans quoi j'aurais moi-même eu du mal à y croire.

— Qu'est-ce qui t'a donné envie de mettre mon père en pièces ?

— Toutes ces soi-disant coïncidences. Que fichait Matthew dans ce bâtiment ? Il avait forcément rendu visite au Dr Bowden. Et comment était-il au courant de l'existence de cet homme ? Parce qu'il avait un lien avec les Joyce ou du moins avec celui qui a tenu à ce que la grossesse et la naissance de ce bébé demeurent un secret.

— Y était-il *obligé* ? Papa était-il obligé d'être complice d'un ou de tous les Joyce ? Nous ignorons qui a conduit le médecin au ranch cette nuit-là. En revanche, nous savons d'après les dossiers de Victoria que Chip Moseley a été arrêté une fois à Texarkana : on peut donc en déduire qu'il s'y rendait assez souvent. Et Tom Bowden t'a signalé que les Joyce y consultaient des médecins. C'est mince, mais c'est là.

— Quand nous avons rencontré les Joyce, j'ai eu la sensation d'avoir déjà vu les deux hommes quelque part.

— Chip et Drex ?

— Oui. C'est flou dans ma mémoire mais la plupart du temps, quand ça m'arrive, il s'agit de personnes qui

246

sont venues chez nous. Toutefois, comme j'ai occulté cette époque... D'ailleurs, je ne leur prêtais guère attention par peur de devoir les identifier un jour.

— Oui, convint Tolliver. Nous étions en danger.

— Voilà pourquoi je soupçonne ton père d'être impliqué dans cette affaire. Je me demande s'il a pris contact avec Mark dans le seul but de te voir.

Tolliver rumina quelques instants.

— Possible. Je n'ai jamais répondu à ses lettres ni à ses coups de fil ; il s'est peut-être servi de Mark.

Le visage de Tolliver exprimait de la souffrance. Même maintenant, il continuait d'espérer que son père cherchait vraiment à se repentir, que Matthew était revenu dans le droit chemin.

— Que s'est-il passé ? insistai-je, frustrée. Quel était son lien avec la famille Joyce ? Comment Cameron s'est-elle retrouvée impliquée dans cette histoire ?

— Cameron ? Tu crois qu'il aurait fait du mal à Cameron ? Non, mon père n'y est pour rien. N'oublie pas qu'il avait un alibi. Au moment où la vieille dame a vu Cameron monter dans la camionnette, papa jouait au billard avec ce connard et sa poule.

— Je me rappelle ce type. Allez ! Il est temps de te coucher. Nous reparlerons de tout cela demain.

17

Tolliver était stupéfait et épuisé. Je dus l'aider à se coucher. Dès qu'il fut confortablement installé, j'appelai la réception pour commander deux soupes et deux salades. Puis je me blottis contre lui en attendant qu'on nous monte notre repas.

— Matthew est un être méprisable, dit-il. Mais je refuse de croire qu'il ait fait du mal à Cameron.

— Je ne l'avais jamais imaginé non plus, avouai-je. Mais s'il est lié à sa disparition et s'il nous l'a caché pendant toutes ces années, je veux qu'il paie de sa vie.

Inutile de m'inquiéter de ce que Tolliver penserait de moi. Il me connaissait. À présent, il me connaissait encore mieux.

Il comprit mon point de vue.

— S'il est responsable du malheur de Cameron, il mérite de mourir. Mais nous n'avons rien qui le relie à sa disparition et il n'avait aucun mobile. D'ailleurs, nous n'avons aucune preuve qu'il ait été mêlé à cette histoire avec les Joyce. Il nous faut davantage qu'un aperçu d'un homme vu de dos quittant un immeuble.

— Je suis d'accord (et c'était vrai même si sa logique m'exaspérait). Nous devons donc réfléchir. Nous ne pourrons pas avancer dans notre existence tant que nous ne serons pas débarrassés de nos doutes dans un sens ou dans l'autre.

— Oui, murmura Tolliver.

Puis il ferma les yeux et sombra dans un sommeil profond.

Je mangeai seule mais mis de côté son dîner au cas où il se réveillerait. Après avoir fini ma salade, je fis quelque chose que je n'avais pas fait depuis au moins un an. Je descendis à la voiture, j'ouvris le coffre et en sortis le sac à dos de ma sœur. De retour dans notre suite, je m'assis sur le canapé et l'ouvris. Quand Cameron l'avait choisi, nous nous étions tous extasiés tellement nous le trouvions mignon. Il était rose à pois noirs. Cameron s'était aussi offert des bottes et un blouson noirs qui lui allaient à merveille. Personne n'avait besoin de savoir qu'elle avait tout acheté dans une solderie.

Les flics nous avaient enfin rendu le sac, six ans plus tard. On y avait prélevé les empreintes, on l'avait retourné, examiné au microscope sous toutes les coutures... voire passé au scanner.

Aujourd'hui, Cameron aurait presque vingt-six ans. Elle avait disparu depuis bientôt huit ans.

C'était à la fin du printemps. Elle était restée décorer le gymnase du lycée en vue du bal de fin d'année. Elle devait s'y rendre avec... mon Dieu, je ne m'en souviens pas. Todd ? Oui, c'est ça, Todd Battista. Je ne me rappelle pas si j'avais ou non un cavalier. Probablement pas car après mon accident, ma popularité a carrément chuté. Mon nouveau don m'a mise hors circuit et il m'a fallu une année pour m'adapter aux appels des morts.

Ensuite, j'ai dû apprendre à dissimuler mon étrange talent. Pendant cette période atroce, j'ai acquis une réputation méritée de « fille bizarre ».

Ce jour-là, elle était en retard. Cela ne ressemblait pas du tout à Cameron. Je me souviens d'avoir arraché ma mère de son lit afin de lui confier les filles que j'étais passée chercher à la garderie. Ce n'était pas raisonnable de les laisser entre ses mains mais je ne pouvais pas non plus les emmener avec moi. J'ai couru le long du chemin que nous empruntions chaque jour entre l'école et la maison.

Tolliver et Mark étaient à leurs boulots respectifs et Matthew jouait au billard chez l'un de ses grands amis, un junkie, Renaldo Simpkins. Les enquêteurs n'auraient jamais cru Renaldo mais sa petite amie, Tammy, était présente et a déclaré être entrée et sortie de la pièce au moins cinq fois durant la partie. Elle a certifié que Matthew n'avait jamais quitté les lieux entre 16 heures et 18 h 30. À 18 h 30, un voisin l'avait appelée pour la prévenir que des véhicules de patrouille cernaient notre domicile et que Matthew avait intérêt à se bouger les fesses.

Aux alentours de 17 h 30, j'avais découvert le sac à dos de ma sœur – celui qui était maintenant devant moi sur la table basse – au bord de la rue. C'était une avenue résidentielle flanquée de petits pavillons. La moitié d'entre eux étaient abandonnés. Mais une femme habitait celui situé en face de l'endroit où j'avais ramassé les affaires de Cameron. Elle s'appelait Ida Beaumont.

Je n'avais jamais adressé la parole à Ida Beaumont avant ce jour et bien qu'étant passée devant chez elle des centaines de fois, je crois bien ne l'avoir jamais aperçue dans son jardin. Elle avait peur des adolescents du secteur – sans doute avec raison. Dans ce quartier, même les flics étaient aux aguets. Ce jour-là, je fis connaissance avec elle : je traversai la chaussée et frappai à sa porte.

— *Bonjour, excusez-moi de vous déranger mais ma sœur n'est pas rentrée du lycée et son sac à dos est là, sous cet arbre.*

J'indiquai la tache de couleur. Ida Beaumont suivit la direction de mon doigt.

— *Oui*, murmura-t-elle, sur ses gardes.

Elle avait une soixantaine d'années et j'appris plus tard par les journaux qu'elle vivotait sur une pension d'handicapée et ce qui restait de la retraite de son mari. Le volume de la télévision était à fond. Je l'avais interrompue en plein talk-show.

— *Qui est votre sœur ? La jolie blonde ? Je vous vois souvent passer ensemble.*

— *Oui, madame, c'est bien elle. Je suis à sa recherche. Avez-vous remarqué quoi que ce soit cet après-midi ? Dans l'heure qui vient de s'écouler ?*

— *En général, je suis occupée dans le fond*, m'expliqua-t-elle comme pour m'assurer qu'elle n'était pas une commère. *Mais il y a une demi-heure, j'ai vu un pick-up bleu, un vieux Dodge. Le conducteur discutait avec une jeune fille. J'avais du mal à la distinguer parce qu'elle était de l'autre côté du véhicule. Mais elle est montée et ils ont démarré aussitôt.*

— *Ah !*

J'essayai de me rappeler qui, parmi nos relations, possédait un vieux pick-up bleu. En vain.

— *Merci. Il y a une trentaine de minutes, c'est bien cela ?*

— *Oui. Absolument.*

— *Elle n'avait pas l'air de... vous n'avez pas eu l'impression qu'il lui forçait la main ?*

— Je ne peux rien affirmer. Ils ont échangé quelques mots puis elle est montée et ils sont partis.

— Entendu. Merci, madame.

Je tournai les talons et retournai jusqu'au sac à dos. Puis je fis demi-tour. Ida Beaumont était encore sur le seuil de sa maison.

— Avez-vous un téléphone ?

Dans ce secteur de la ville, tout le monde n'avait pas les moyens de s'offrir l'abonnement.

— Oui.

— Pouvez-vous prévenir la police, s'il vous plaît ? Leur demander de venir ? Je ne bougerai pas d'ici.

Je constatai sa réticence : elle regrettait de m'avoir ouvert.

— D'accord, finit-elle par concéder avec un profond soupir. Je les appelle.

Sans refermer, elle alla décrocher l'appareil accroché au mur du vestibule. Je l'entendis composer le numéro et parler.

Les flics arrivèrent très rapidement et c'est tout à leur honneur. Initialement, ils mirent en doute la possibilité d'une disparition. Les adolescentes avaient souvent mieux à faire que de rentrer chez elles, surtout dans cette zone. Mais le sac à dos abandonné semblait les interpeller, témoigner que ma sœur avait grimpé dans le véhicule contre son gré.

Pour finir, je fondis en larmes en leur expliquant que je devais à tout prix m'en aller, que ma mère était incapable de s'occuper correctement de mes demi-sœurs. Ils prirent aussitôt la situation plus au sérieux et m'autorisèrent à appeler mes frères, qui quittèrent leur travail pour foncer à la maison. Le fait qu'ils ne remettent pas en cause l'hypothèse de l'enlèvement convainquit la police que Cameron ne s'était pas enfuie de son plein gré ou intentionnellement.

En d'autres circonstances, j'aurais été humiliée d'inviter les policiers dans notre taudis. Mais j'étais tellement paniquée que leur présence me rassura. Ils constatèrent que ma mère était couchée sur le canapé, dans les vapes, et que les petites pleuraient. Elle avait commencé à changer Gracie mais n'avait pas fini de lui attacher sa couche propre. Mariella essayait d'écraser une banane pour Gracie (qui en était au tout début de son alimentation solide) ; pour pouvoir atteindre le comptoir, elle s'était mise debout sur une chaise. Notre intérieur était propre, du moins autant que possible vu son état général mais nous étions nombreux et il s'en dégageait une impression de capharnaüm.

— C'est toujours comme ça ? s'exclama le plus jeune des officiers.

— La ferme, Ken ! riposta son partenaire.

— Cameron et moi faisons de notre mieux, bafouillai-je avant d'éclater de nouveau en sanglots.

S'en suivit un torrent d'explications teintées d'amertume. Je ne m'étais rendu compte que notre vie ici était terminée et par conséquent, la mascarade.

Tout en me lamentant, je langeai Gracie et préparai un sandwich au beurre de cacahuètes pour Mariella. J'ajoutai un soupçon de lait 2ᵉ âge à la purée de banane et mis le tout dans le bol de Gracie. J'extirpai sa cuillère de l'égouttoir. Pendant tout ce temps, ma mère ne bougea qu'une fois : elle tapota vaguement l'endroit où avait été posée Gracie. J'installai le bébé dans son transat et lui donnai à manger, m'interrompant parfois pour essuyer mes joues.

— Tu prends soin de tes sœurs, murmura le plus âgé des flics d'un ton amical.

— Mes frères gagnent suffisamment d'argent pour que nous les mettions à la garderie pendant que nous sommes en classe. On a fait de notre mieux, répétai-je.

254

— En effet.

Son coéquipier se détourna, lèvres pincées, une lueur de rage dans les prunelles.

— Où est ton papa ?

— Mon beau-père ? rectifiai-je machinalement. Aucune idée.

À son arrivée, Matthew parut surpris par la présence des policiers, atterré à l'annonce de la disparition de Cameron, consterné que sa femme ait continué à dormir malgré le chaos.

Il jura que c'était la première fois qu'un tel incident se produisait. D'autres flics déboulèrent en renfort. L'un d'entre eux avait arrêté Matthew auparavant et ce numéro le fit ricaner.

— Mais oui, c'est ça ! ironisa-t-il. Où étiez-vous cet après-midi ?

Plus tard – une fois ma mère expédiée à l'hôpital – Tolliver et moi nous assîmes côte à côte sur le canapé. Mark effectua des allées et venues devant nous. Une femme des services sociaux était venue chercher nos sœurs. Matthew était en garde à vue car on avait retrouvé des joints dans sa voiture. Les flics s'étaient rués sur ce prétexte mais à mon avis, ils l'auraient emmené de toute manière. Mark et Tolliver avaient confirmé tout ce que j'avais raconté : Mark, à contrecœur, Tolliver, d'une voix neutre qui en disait long sur notre calvaire.

Mais dans la soirée, je surpris Mark dehors en train de pleurer.

— On a tout essayé pour rester ensemble, soupira-t-il comme s'il devait justifier sa détresse.

— C'est fini. Tout a changé, maintenant que Cameron a été kidnappée. Nous n'avons plus rien à cacher.

Pendant des mois, Cameron fut « aperçue » à de nombreuses reprises autour de Texarkana, à Dallas, à

Corpus Christi, à Houston, à Little Rock. Une adolescente qui mendiait dans les rues de Los Angeles fut traînée au poste parce qu'elle lui ressemblait. Malheureusement, aucune de ces pistes n'aboutit et son corps ne fut jamais retrouvé. Environ trois ans après sa disparition, je connus un élan d'excitation quand un chasseur tomba sur le cadavre d'une jeune fille dans un bois aux abords de Lewisville, Arkansas. La taille correspondait. Toutefois, un examen approfondi révéla que les ossements appartenaient à une femme plus âgée et l'analyse d'ADN s'avéra négative. Cette dépouille ne fut jamais identifiée bien que je conclus au suicide lorsqu'on me mena à elle. Je me gardai de l'annoncer : à l'époque, ma crédibilité restait encore à prouver.

À cette époque, Tolliver et moi avions démarré notre affaire et voyagions déjà beaucoup. Il fallut beaucoup de temps, grâce au bouche à oreille et à Internet, pour bâtir ma réputation. Au début, les policiers nous prenaient pour des escrocs. Ma carrière ne décolla vraiment qu'au bout de deux années d'efforts acharnés.

Mais ce n'était pas le moment de ruminer sur mon propre parcours. Je devais m'occuper de Cameron. Je caressai son sac à dos avec amour avant de le vider. Cent fois, j'avais scruté chacun des objets qu'il contenait. Avec Tolliver, nous avions feuilleté chaque page de ses cahiers dans l'espoir d'y repérer un message, un indice, n'importe quoi. Tous les mots que lui avaient transmis ses camarades étaient réunis dans une poche et nous les avions épluchés attentivement en quête d'un signe qui aurait pu nous renseigner sur le sort de notre sœur.

Tanya lui demandait si elle avait remarqué la tenue ridicule de Heather. Tanya tenait aussi à lui faire savoir qu'elle avait appris par Jerry que Heather avait couché avec lui le week-end précédent. Jennifer était fascinée par Tolliver : avait-il une copine ? Et, décidément, ce M. Arden était un imbécile !

Todd voulait savoir à quelle heure il devait passer la chercher pour l'emmener au bal de fin d'année et si elle prévoyait de s'habiller chez Jennifer comme la dernière fois ? (Cameron s'arrangeait toujours pour que ses cavaliers la récupèrent ailleurs qu'à la maison. Pour rien au monde je ne le lui aurais reproché.)

Il y avait aussi une missive de M. Arden qui souhaitait rencontrer nos parents afin de les mettre au courant du nouveau règlement sur l'absentéisme. Une lettre signée ne suffisait pas. (M. Arden expliqua à la police que Cameron avait loupé son cours une fois de trop et que ça ne pouvait plus durer, que son avenir était en jeu.)

Elle ne faisait pas l'école buissonnière par plaisir. Le cours de M. Arden était le dernier de la journée et nous étions souvent obligées de partir tôt pour récupérer les filles à la garderie dans les cas où Tolliver ou Mark ne pouvaient pas assurer cette tâche.

Naturellement, tous nos professeurs se déclarèrent horrifiés de nos conditions de vie. Sauf Mlle Brialy, qui se révolta : « Qu'aurions-nous pu faire ? Appeler la police ? Les autorités se seraient empressées de séparer ces pauvres enfants ! »

C'était l'avis de la presse et Mlle Brialy eut droit à une remontrance de la part du directeur de l'établissement. J'en bouillonnai de rage. Mlle Brialy enseignait la matière préférée de Cameron, la biologie. Je me rappelle combien Cameron avait travaillé son exposé sur la génétique, dressant un tableau sur les couleurs d'yeux de tous les habitants du quartier. Elle avait eu un A. Mlle Brialy m'a donné son relevé après la disparition de Cameron.

Ida Beaumont dut répéter son témoignage encore et encore. À force d'être harcelée, elle a fini par s'enfermer chez elle et demander à une dame de la paroisse de lui livrer ses provisions.

Ma mère et le père de Tolliver furent condamnés à des peines de prison pour mise en danger d'enfants et trafic de drogue.

On accorda à Tolliver la permission de s'installer chez Mark. Quant à moi, je fus placée dans une famille d'accueil où je fus bien traitée. Quel bonheur, cette maison où les planchers étaient solides, où je n'avais à partager ma chambre qu'avec une seule fille, où tout était impeccable sans que j'aie besoin d'astiquer, où j'avais l'obligation de faire mes devoirs. Je continue à envoyer aux Cleveland une carte de vœux à Noël. Quand Tolliver ne travaillait pas le samedi, il avait le droit de me rendre visite.

Lorsque j'obtins mon Bac, nous avions déjà échafaudé un plan pour mettre à profit mon étrange talent. Nous avions passé des heures et des heures au cimetière afin que je puisse m'entraîner, explorer mes limites. Ce fut une période délicieuse pour moi et pour Tolliver aussi, je crois. Toutefois, je pleurais l'absence de mes sœurs. Cameron avait disparu, Mariella et Gracie étaient désormais chez Iona et Hank.

J'ouvris le livre de maths de Cameron. Elle détestait l'algèbre et peinait dans cette matière. En revanche, elle excellait en histoire. Elle trouvait plus facile d'étudier la vie des gens quand ils sont tous morts et que leurs problèmes appartiennent au passé. Elle était brillante en orthographe et adorait les sciences, surtout la biologie.

La presse avait lourdement insisté sur nos conditions de vie déplorables, la dépravation de Laurel et de Matthew, les casiers judiciaires de leurs nombreux visiteurs, les trésors que nous les enfants avions déployés pour rester ensemble. Pour être franche, je ne pense pas que notre cas était unique. À travers leurs sous-entendus, nous savions qu'une dizaine au moins de nos camarades vivaient un enfer.

Les gens ne font pas exprès d'être pauvres mais rien ne les oblige à être mauvais. Malheureusement pour nous, nos parents étaient les deux.

J'ouvris un autre des cahiers de ma sœur. Ces pages de notes manuscrites sont tout ce qu'il me reste d'elle. Cameron était la seule à part moi qui avait connu des jours meilleurs – l'époque où notre mère et notre père étaient encore mariés et n'avaient pas sombré dans la drogue. Si mon père était encore vivant, il ne s'en souviendrait probablement pas.

Je me secouai. Pas la peine de m'apitoyer sur mon sort. En revanche, je devais me concentrer sur le jour de la disparition de Cameron. Si elle était montée de son plein gré dans cette camionnette, autant renoncer tout de suite à la rechercher. D'une part, cela ferait d'elle une étrangère à mes yeux ; d'autre part, il n'y aurait pas de corps à sentir, à moins qu'il ne lui soit arrivé quelque chose entretemps. Ironie du sort, si Cameron était morte, un de ces jours, je finirais peut-être par la retrouver.

Ida Beaumont était-elle encore de ce monde ? J'étais si jeune à l'époque et elle me paraissait au bord de la tombe. En fait, elle ne devait pas avoir plus de soixante-cinq ans.

Obéissant à une impulsion soudaine, j'appelai les renseignements de Texarkana et découvris qu'elle figurait encore dans l'annuaire. Je composai le numéro presque sans m'en rendre compte.

— Allô ? miaula une voix soupçonneuse.

— Madame Beaumont ?

— Oui, je suis Ida Beaumont.

— Vous ne vous souvenez peut-être pas de moi. Harper Connelly.

Silence de plomb.

— Que voulez-vous ?

Ce n'était pas la question que j'avais anticipée.

— Habitez-vous toujours la même maison, madame Beaumont ? J'aimerais beaucoup vous rendre visite, improvisai-je. Je viendrais volontiers avec l'un de mes frères.

— Non. Ne venez pas chez moi. Jamais. La dernière fois que vous avez frappé à ma porte, j'ai été dérangée jour et nuit pendant des semaines. Et les policiers viennent encore de temps en temps. Ne vous approchez pas de moi.

— Nous avons des questions à vous poser, insistai-je.

— J'en ai par-dessus la tête des questions ! glapit-elle.

Je compris que je m'étais trompée de tactique.

— Je regrette le jour où vous m'avez demandé de l'aide, reprit-elle.

— Vous n'auriez pas pu me parler de la camionnette bleue.

— Il me semble vous avoir dit que je n'avais pas pu distinguer la jeune fille ?

— Oui, convins-je, bien qu'au fil des ans, ce détail m'eut échappé.

Ma sœur avait disparu, elle avait vu une adolescente grimper dans un pick-up et le sac à dos de Cameron était là, sous l'arbre.

À l'autre bout de la ligne, j'entendis un profond soupir.

— Une femme de l'association *Popote roulante* a commencé à venir il y a environ six mois. Les repas ne sont pas bons mais ils ont le mérite d'être gratuits et parfois, j'en ai assez pour deux jours d'affilée. Elle s'appelle Missy Klein.

— D'accord, bredouillai-je, l'estomac noué car je devinais la suite.

— Elle m'a dit : « Madame Beaumont, vous vous rappelez cette gosse que vous avez vue monter dans une camionnette, autrefois ? » Et j'ai répondu : « Bien sûr, je m'en mords encore les doigts. »

— Ah !

Mon angoisse décupla.

— Alors là, elle a dit que c'était elle, qu'elle était avec son petit ami, qu'elle n'avait pas le droit de fréquenter parce qu'il avait plus de vingt ans.

— Ce n'était pas ma sœur.

— Non. C'était Missy Klein et aujourd'hui, c'est elle qui me livre mes repas.

— Vous n'avez jamais vu ma sœur.

— Non. Et Missy m'a dit que le sac à dos était déjà là quand elle est arrivée.

J'eus l'impression qu'une tonne de briques se déversait sur moi.

— L'avez-vous signalé à la police ?

— Non, je ne m'amuse pas à les appeler. J'aurais dû, je suppose mais… ils me harcèlent encore avec ça. Peter Gresham, surtout. Je me suis promis de le lui raconter la prochaine fois.

— Merci. Dommage que je ne l'ai pas su plus tôt. Mais merci pour le renseignement.

— Avec plaisir. J'étais sûre que vous m'en voudriez, ajouta-t-elle à ma grande surprise.

— Je suis contente d'avoir eu cette conversation avec vous. Au revoir.

Ma voix était aussi engourdie que mon cœur. D'une minute à l'autre, la sensation me submergerait de nouveau. Je voulais être certaine d'avoir raccroché avant cela.

Je coupai la communication alors qu'Ida Beaumont recommençait à me parler de l'association *Popote roulante*.

Lizzie Joyce me téléphona alors, avant que je ne puisse imaginer les conséquences de ce que je venais d'entendre.

— Oh mon Dieu ! Victoria est morte, je n'en reviens pas. Vous étiez amies, n'est-ce pas ? Vous vous connaissiez de longue date ? Je suis désolée, Harper ! Que lui est-il arrivé, selon vous ? Croyez-vous qu'il y ait un rapport avec son enquête sur le bébé ?

— Je n'en ai pas la moindre idée, répliquai-je, ce qui était la stricte vérité.

Selon moi, Lizzie Joyce n'était pas impliquée dans le meurtre de Victoria mais quelqu'un de son entourage l'était. Pourquoi ce coup de fil ? La richissime Lizzie Joyce n'avait-elle personne d'autre à qui se confier ? Où étaient la sœur, le petit ami, le frère ? Pourquoi ne se tournait-elle pas vers ses coadministrateurs, ses employés, sa coiffeuse ou sa manucure, les types qui disposaient les barils pour ses entraînements à la compétition ?

Je me rendis rapidement compte que Lizzie voulait discuter avec quelqu'un qui avait connu Victoria. J'étais la seule à satisfaire à cette exigence.

— Je vais devoir solliciter les détectives qu'embauche la société de mon grand-père, je suppose. Je m'étais dit que cela valait le coup de recruter une femme indépendante, qui ignore tout de l'entreprise et de la saga familiales. Mais je crois avoir causé sa mort. Si j'étais passée par les voies habituelles, elle serait encore en vie.

Sur ce point, elle n'avait pas tort.

— Pourquoi votre grand-père avait-il fait appel à une agence ?

— Quand son empire a grandi, il a voulu savoir qui il engageait, du moins pour les postes clés, décréta-t-elle comme si c'était une évidence.

— Alors pourquoi n'a-t-il pas demandé que l'on vérifie les antécédents de Mariah Parish ?

— Il l'avait rencontrée quand elle était encore au service des Peaden. Le jour où il a eu besoin de quelqu'un, il s'est trouvé qu'elle était libre. J'imagine qu'il avait l'impression de la connaître et qu'il était inutile de pousser l'enquête. Après tout, ce n'était pas elle qui allait signer les chèques.

Il ne lui aurait pas confié sa comptabilité mais il avait eu suffisamment confiance en elle pour penser qu'elle le nourrirait sans l'empoisonner, qu'elle ferait son ménage sans lui voler ses biens. Même les riches les plus suspicieux ont leur angle mort. Quelle ironie, vu ce que nous avions découvert concernant Mariah en lisant son dossier !

Ainsi, Richard Joyce avait rencontré Mariah bien avant qu'elle ne vienne chez lui. Drexell n'avait pas mentionné ce détail lors de notre dîner avec Victoria. Richard avait-il concocté ce plan pour installer sa maîtresse dans sa demeure au nez et à la barbe de ses enfants ? Peut-être M. Peaden s'était-il vanté d'avoir couché avec Mariah ? « Une perle, mon cher ! Elle te confectionnera des petits plats, elle comptera tes pilules, elle réchauffera tes draps. »

— Il ne vous est pas venu à l'esprit de vous informer comme vous l'auriez fait pour n'importe quelle nouvelle recrue ?

— Eh bien, hésita Lizzie, visiblement mal à l'aise... Elle et Grand-Pa' avaient tout organisé. Ils nous ont mis devant le fait accompli. Grand-Pa' était sain d'esprit, nous n'avons pas protesté.

Tous les petits-enfants Joyce avaient eu peur du patriarche.

— Et par la suite ? Vous n'avez pas cherché à en savoir davantage sur elle ?

— Grand-Pa' l'aurait su. C'est *là* que j'aurais dû engager une personne extérieure. Pour tout vous avouer, à l'époque, je n'avais pas envie d'y songer. C'était il y a des années. J'étais plus jeune, moins assurée et bien entendu, j'étais persuadée que Grand-Pa' était éternel.

Lizzie se tut tout à coup, craignant d'avoir trop parlé.

— Bref… je voulais vous dire combien je suis désolée pour votre amie. Comment se porte votre frère ? Cette affaire devient de plus en plus complexe.

— Regrettez-vous de m'avoir contactée ?

Un bref silence.

— À vrai dire, oui. Beaucoup de gens sont morts pour rien. Car rien n'a changé. Je ne sais rien de plus. Mon grand-père a vu un serpent à sonnette et il a succombé à une crise cardiaque. Mariah est morte mais dans mon esprit, elle ne repose plus en paix. Où est l'enfant ? Ai-je une tante ou un oncle quelque part ? Je n'aurai peut-être jamais la réponse.

— Quelqu'un fait en sorte que vous ne l'appreniez jamais. Au revoir, Lizzie.

Je raccrochai.

Manfred passa et j'étais ravie de le voir mais je n'étais pas d'humeur à bavarder. Il m'interrogea au sujet du sac à dos.

— C'est celui de ma sœur. Elle l'a abandonné le jour de sa disparition.

Je me détournai pour répondre à l'appel de Tolliver. Il s'était réveillé brièvement et réclamait un cachet. Il se rendormit avant même de l'avoir avalé.

Lorsque je revins dans le salon, Manfred sortait les mains du sac. Il était triste.

— Je suis navré pour toi, Harper.

— Merci, c'est gentil, Manfred mais en fait, c'est ma sœur qui a souffert.

— À bientôt. Ne t'inquiète pas si je ne te donne pas de nouvelles pendant un ou deux jours. J'ai un truc à faire.

— Ah bon... D'accord, Manfred.

Il déposa un baiser sur ma joue et sortit. Je refermai la porte derrière lui avec soulagement. Puis je me rassis et pensai à ma sœur.

Ce fut une nuit interminable. Je finis enfin par m'assoupir après minuit.

18

Le lendemain matin, Tolliver était en bien meilleure forme. Il avait dormi douze heures d'affilée et il se réveilla pour me démontrer qu'il avait retrouvé toute son énergie. Nous ne pouvions pas varier les galipettes mais en se restreignant à la position du missionnaire, faire l'amour était possible. Très possible. Et même, absolument exquis. Je crus que sa tête allait exploser tant il était comblé. Puis nous nous effondrâmes l'un à côté de l'autre, haletants et heureux.

— Je suis redevenu moi-même, déclara-t-il. Quand on est condamné à rester alité, on se sent comme un enfant.

— Montons dans la voiture et partons, suggérai-je. Allons à notre appartement de Saint Louis. Nous ne sommes qu'à une journée de route. Tu tiendrais le coup, non ?

— Si nous restions encore un peu, histoire de revoir les filles ? Et n'avais-tu pas décidé de chercher le lien entre mon père, les Joyce et Cameron ?

— Je pense que tu avais raison. Nous devrions laisser les petites en paix. Chez Iona et Hank, elles mènent une existence stable dans tous les sens du terme. Nous voyageons énormément. Nous ne serons jamais une présence régulière dans leur vie. Quant à ton père... quoi qu'il arrive, il finira en prison. Si nous laissons tomber cette affaire maintenant, ce sera juste un peu plus long. Nous serions libres.

Tolliver parut songeur.

— Approche-toi.

Je posai ma tête sur son épaule valide. Il ne grimaça pas, ce qui me rassura. Je caressai la partie de sa poitrine que le pansement ne recouvrait pas. Comment avais-je tenu entre l'instant où je m'étais rendu compte que je l'aimais et celui où il m'avait révélé son amour ? Nous avions une chance incroyable ; une part de mon être en était vaguement effrayée, l'autre était prête à tout pour épargner notre couple.

— Tu sais ce qu'on devrait faire ? murmura-t-il.

— Quoi ?

— On va s'offrir une escapade d'une journée.

— Où ?

— À Texarkana.

Je me figeai.

— Tu es sérieux ?

Je me hissai sur un coude pour le regarder dans les yeux.

— Parfaitement. Il est temps de faire une croix sur le passé.

— Une croix sur le passé...

— Oui. Nous devons accepter une fois pour toutes que nous ne retrouverons jamais Cameron.

— Justement, à ce propos, j'ai du nouveau.

— Vraiment ? s'enquit-il, sur ses gardes.

Si ce qu'il venait de dire m'avait déplu, ce que je m'apprêtais à lui révéler le rendrait furieux.

268

— Hier, j'ai passé et reçu plusieurs coups de fil. Pendant que tu dormais. Il faut que je t'en parle.

Une heure plus tard, Tolliver s'exclamait :

— Cette femme s'était trompée ? Pendant toutes ces années, nous étions sur de fausses pistes ?

— Elle a toujours déclaré qu'elle n'avait pas pu distinguer Cameron, qu'elle avait remarqué le sac à dos après qu'une adolescente blonde fut montée dans le pick-up bleu. Qui sait ? Nous voilà donc de retour à la case départ. D'ailleurs... d'ailleurs, cela bouleverse toute la chronologie. Elle avait prétendu avoir aperçu Cameron une trentaine de minutes avant que je ne frappe à sa porte. Or je suis partie à sa recherche à 17 heures. À présent, une autre hypothèse s'impose : Cameron a été enlevée plus tôt que nous ne le pensions.

— Elle a quitté le lycée à 16 heures, n'est-ce pas ?

— En effet. Selon... comment s'appelait son amie, déjà ? Rebecca. Selon Rebecca. Mais elle ne pouvait pas le certifier à la minute près. Ils étaient tous ensemble à décorer le gymnase après la fin des cours. J'ai toujours cru qu'elle avait traîné sur le parking à discuter avec ses camarades mais aujourd'hui, j'en doute. Elle était pressée de rentrer à la maison. Tu étais à ton boulot au restaurant et Mark parcourait le chemin entre son job chez *Taco Bell* et celui du supermarché.

— Un parcours de sept minutes, répliqua machinalement Tolliver. Nous avons si souvent ressassé les événements.

— Ton père était chez Renaldo Simpkins entre 16 heures et 18 h 30. Ma mère était dans les vapes comme d'habitude.

Nous nous dévisageâmes. L'alibi de Matthew ne tenait plus qu'à un fil.

— Je le méprise mais je refuse de le croire, grommela Tolliver.

— La question ne se pose plus : nous devons aller à Texarkana.

— Appelons le cabinet du médecin, nous verrons bien ce que nous dira son infirmière.

L'infirmière nous dit non. Tolliver devait se reposer dans sa chambre d'hôtel. Nous eûmes beau lui promettre de prendre toutes les précautions imaginables, elle campa fermement sur sa position. Elle était ravie de savoir qu'il allait mieux mais il se fatiguerait vite.

Bien entendu, nous aurions pu passer outre ses conseils mais je m'y opposai. Ses conseils étaient sages et bien que j'eusse préféré que Tolliver soit apte à voyager, je n'avais aucune envie de m'éloigner de plusieurs centaines de kilomètres de l'hôpital. Certes, il y avait des médecins à Texarkana, des hôpitaux aussi, mais mieux valait s'en remettre à ceux qui l'avaient soigné initialement.

Nous nous contemplâmes, dépités. Les choix étaient minces : retarder l'expédition à Texarkana jusqu'à ce que Tolliver soit complètement guéri ou proposer à Manfred (en admettant qu'il soit encore dans les parages) de m'y accompagner.

— Et si j'y allais seule ? proposai-je.

Tolliver secoua la tête avec véhémence.

— Tu en es capable mais quand il s'agit de Cameron, nous sommes deux. Patientons un jour ou deux. Ensuite, quoi qu'il arrive, nous irons.

J'étais contente d'avoir un plan d'action, que Tolliver soit en mesure de l'échafauder. Iona nous téléphona pour nous inviter à dîner. Tolliver avait-il le courage de se déplacer jusque chez eux ? Il acquiesça, et j'acceptai. Je ne demandai pas à Iona si nous pouvions apporter quelque chose : je ne sais jamais quoi lui offrir et de toute façon, elle se méfie de mes cadeaux comme de la peste.

La journée s'écoula. Ennuyeuse et interminable.

Enfin nous émergeâmes de notre suite, et je pris le volant en m'efforçant d'éviter les nids-de-poule et autres bosses – un exercice difficile à Dallas. Je me félicitai d'avoir renoncé à emprunter la voie express qui était complètement embouteillée.

Le côté est de Dallas est une gigantesque banlieue. On y voit les magasins implantés dans toutes les zones urbaines à travers le pays – *Office Dépôt, Bed, Bath & Beyond, Old Navy, Wal-Mart* –, on prend les mêmes et on recommence un peu plus loin. D'un côté, si on a besoin de faire un achat pas trop exotique, on est sûr de trouver. D'un autre côté... ces enseignes sont les mêmes partout. Nous voyageons beaucoup mais à moins d'un changement radical de climat, tous ces faubourgs se ressemblent, même si mille kilomètres les séparent.

L'architecture suit la même voie. Nous avons vu le pavillon de Hank et Iona de Memphis à Tallahassee, de Saint Louis à Seattle.

Tolliver s'en plaignit comme toujours pendant que je conduisais mais je me contentai de répondre « c'est vrai » ou « tu as raison » de temps en temps.

Les filles lui posèrent mille et une questions sur sa blessure et ce qui lui était arrivé. Iona leur avait raconté qu'un tireur négligent lui avait tiré dessus par accident. Elle en avait profité pour insister sur la nécessité d'assurer sa sécurité. Hank nous expliqua qu'il possédait un revolver mais qu'il était enfermé dans un tiroir dont il avait caché la clé. Comme ils s'efforcent d'être les meilleurs parents sur cette terre, ils inculquent aux filles les règles de base en la matière depuis leur plus tendre enfance. Je ne peux que les en féliciter mais il me semble que le problème est ailleurs : on ferait mieux de *contrôler* la vente des armes à feu. Toutefois, cette philosophie s'oppose à l'idée que Hank se fait de l'Américain pur et dur. Je me gardai donc de tout commentaire.

Mariella et Gracie, s'étant accoutumées au bras en écharpe de Tolliver, s'éclipsèrent pour procéder à leurs activités quotidiennes. Mariella avait des devoirs, Gracie, une chanson à apprendre pour la chorale et Iona s'activait devant ses fourneaux. Tolliver et Hank se réfugièrent dans la salle de séjour pour regarder les informations à la télévision et je proposai à Iona de l'aider en lavant la vaisselle qui s'était accumulée dans l'évier. Elle opina en me souriant. Je remontai mes manches et me mis au travail. Cette tâche ne me rebute pas. J'en profite pour réfléchir, ou bavarder avec une camarade de corvée ou tout simplement, me satisfaire d'un boulot bien fait.

— Matthew est passé aujourd'hui, dit Iona en remuant son *chili con carne*. Il a appelé il y a quelques jours pour nous demander s'il pouvait nous rendre visite. Nous y avons longuement réfléchi. L'autre jour à la patinoire, il a terrorisé les petites. Nous avons pensé que s'il les rencontrait en notre présence, elles seraient moins traumatisées. Et qu'il n'essaierait pas de les piéger à condition que nous nous montrions raisonnables.

Iona est une femme pleine de bon sens. Je hochai la tête pour manifester mon approbation – dont elle devait se soucier comme de sa première chemise.

— Je parie qu'il avait une idée derrière la tête. Que voulait-il ?

Décidément, Matthew n'avait pas perdu son temps. Lui en restait-il pour travailler ?

272

— Il a souhaité les prendre en photo. Celles qu'il avait étaient anciennes. Nous lui avons pourtant envoyé les photos de classe à la prison mais il nous a dit qu'on les lui avait piquées. Ces types voleraient n'importe quoi.

— Matthew est de ceux-là.

Iona s'esclaffa.

— Tu as raison. Enfin ! Qui suis-je pour l'empêcher de prendre des photos de ses filles ? Bien qu'elles soient les nôtres, désormais. Nous avons été très clairs sur ce point.

— Il a discuté avec elles ? demandai-je, intriguée.

— Non.

Iona s'éclipsa dans le couloir, entendit que les filles avaient lancé un jeu vidéo dans leur chambre. Elle revint à ses casseroles.

— Cet homme, je ne le cerne pas. Dieu lui a donné des enfants merveilleux. Tolliver et Mark sont de bons garçons ; puis il a eu ses belles-filles, Cameron et toi, toutes deux brillantes, jolies et équilibrées. Et enfin, Mariella et Gracie. Les notes de Mariella se sont améliorées. Hormis cette fugue à l'automne dernier, elle se débrouille bien à l'école. Gracie a toujours un peu de retard par rapport aux gosses de son âge mais elle ne se plaint jamais et s'accroche. Matthew ne semble pas avoir envie de les connaître mieux. Après avoir rangé son appareil, il n'a parlé qu'avec Hank et moi. Elles ne savent pas quoi penser de lui.

— Elles n'ont aucun souvenir de Texarkana.

— En tout cas, ils sont flous. Parfois elles évoquent cette période mais jamais de manière spécifique. Après tout, c'est normal, elles étaient si jeunes !

Elle haussa les épaules.

— Je sais que ma sœur et Matthew n'étaient pas souvent là quand vous avez eu besoin d'eux.

C'est le moins qu'on puisse dire.

— Je ne t'ai jamais dit combien j'étais heureuse que Hank et toi vouliez les accueillir. Deux enfants d'un coup, cela a dû être un choc.

Iona posa sa cuillère en bois et pivota vers moi. J'étais en train de sécher la vaisselle et de la déposer sur le comptoir afin qu'elle puisse la ranger à sa convenance.

— J'apprécie de l'entendre. Certes, nous étions heureux de les avoir et c'était notre devoir. C'était la solution que nous avaient inspirée nos prières. Nous les aimons comme si elles étaient nos propres filles. J'ai du mal à croire que nous allons bientôt avoir un autre bébé. À mon âge ! Parfois, je me sens comme l'épouse d'Abraham, enceinte à soixante-dix ans.

Nous continuâmes sur le sujet de cette grossesse aussi tardive qu'imprévue. Nous parlâmes de son obstétricien, des tests particuliers qu'elle aurait à subir et toutes sortes de thèmes s'y rapportant. Jamais je n'avais vu Iona aussi épanouie. Je m'efforçai de paraître enjouée et de poser les bonnes questions mais au fond de moi, l'inquiétude me rongeait. Pourquoi Matthew avait-il tenu à photographier les petites ? Pas pour les admirer ni parce qu'il était fier d'elles. Non. Matthew était un fourbe.

Tolliver s'installa le premier à table, bientôt suivi de Hank. Mariella et Gracie se lavèrent les mains et prirent leurs places habituelles tandis qu'Iona et moi apportions les plats. J'avais râpé du fromage pour en saupoudrer nos bols de *chili*. Nous récitâmes le bénédicité avant de savourer notre repas. Iona n'a aucune des caractéristiques que j'associe normalement avec les bonnes cuisinières – ce n'est pas une passionnée ; ce n'est pas une adepte des produits frais comme tous ces chefs que l'on voit à la télévision ; elle a peu voyagé

274

et se méfie de tout ce qui est « exotique » à ses yeux. Mais son *chili* était excellent et son pain de maïs maison aussi.

Tolliver et moi nous resservîmes et Iona parut reconnaissante de cette marque d'appréciation. Mariella et Gracie avaient toutes sortes de choses à nous raconter à propos de l'école et de leurs copines. J'étais ravie qu'elles s'entendent aussi bien avec leurs camarades de classe. Gracie portait un tee-shirt vert en harmonie avec ses yeux ; on aurait dit une fée. Elle était rigolote comme tout. Ce soir-là, elle était surexcitée, enchaînant les blagues entendues dans la cour de récréation et suppliant Iona de leur préparer des hot-dogs au chili le lendemain, s'il en restait suffisamment. À plusieurs reprises, Mariella mentionna la visite de Matthew comme si cela l'inquiétait. Chaque fois, Iona et Hank la réconfortèrent.

Tolliver et moi partîmes peu après afin que les filles puissent respecter leur routine du soir. Elles étaient tellement occupées à chercher un prénom pour le futur bébé qu'elles en avaient oublié notre mariage.

Sur le trajet, Tolliver demeura silencieux. Maintenant que la nuit était tombée, je devais me concentrer sur la route à suivre. Je me trompai une fois mais réparai vite mon erreur et bientôt, je pus aider Tolliver à descendre de la voiture. Il était fatigué mais il bougeait de mieux en mieux.

— Hank a dit que papa avait pris des photos des filles, m'annonça-t-il tandis que nous traversions le hall de l'hôtel.

— Iona m'en a parlé aussi. Ils ont bien fait de le laisser voir les petites en leur présence, histoire de remettre chaque chose à sa place.

— Oui, c'est intelligent, approuva distraitement Tolliver. Pourquoi a-t-il tenu à les photographier ?

— Je doute que ton père soit du genre à poster des clichés sur Facebook. Je m'interroge, moi aussi.

— Non, il ne ferait pas cela. Dis-moi... tu t'es occupée d'elles quand elles étaient petites.

— Tu le sais. Cameron et moi. Surtout de Gracie, elle était si chétive.

— Tu te rappelles quand on l'a transportée à l'hôpital ?

— Oh, oui. J'étais terrifiée. Elle n'avait que quelques mois, elle était minuscule. Elle était née en sous-poids. Elle était si malade, tu t'en souviens ? Elle avait de la fièvre depuis quatre jours. Nous harcelions ton père pour qu'il la conduise aux urgences. Ma mère en était incapable. Aucun médecin ne l'aurait laissée repartir avec ce bébé dans les bras. Ton père s'est fâché mais un de ses amis l'a appelé. Je suppose qu'il voulait lui rembourser de l'argent ou lui acheter de la dope. Toujours est-il que tout à coup, Matthew a décidé d'emmener Gracie consulter un médecin. Nous avons eu à peine le temps de changer sa couche. Il a foncé à Wadley.

— Comment le sais-tu ?

Nous avions pris l'ascenseur et avions atteint notre suite. J'insérai la carte-clé dans le décodeur.

— Enfin, voyons ! Il l'a emmenée à l'hôpital. Il l'a ramenée deux semaines plus tard. Elle était en réanimation, nous ne pouvions donc pas aller la voir. Il est resté auprès d'elle. Comment en aurait-il été autrement ? À son retour, Gracie allait tellement mieux que j'avais presque du mal à croire...

Je me figeai.

— Tu avais du mal à croire que c'était Gracie, n'est-ce pas ? devina Tolliver après un long silence.

276

Je plaquai une main sur ma bouche. Tolliver s'assit délicatement sur le canapé. Quand je pus bouger, je m'installai dans le fauteuil et rencontrai son regard.

— Oui, avouai-je. Ses yeux étaient d'un bleu délavé mais quelques semaines après son séjour à l'hôpital, ils sont devenus verts. J'en ai déduit qu'elle avait du retard de ce côté-là. Et Matthew nous a affirmé que les médecins avaient recommandé qu'on la nourrisse de nouveau au biberon alors qu'elle avait commencé à manger des purées et des compotes...

— C'est surtout toi qui t'occupais de Gracie.

— Oui. Cameron était en Terminale, elle était débordée. Et moi, je restais souvent à la maison parce que je souffrais des séquelles de mon accident...

— Encore ?

— Oui, rappelle-toi ! Il m'a fallu des mois pour m'en remettre. J'avais des migraines atroces. Mais je faisais de mon mieux pour Mariella et Gracie.

J'étais sur la défensive.

— Bien entendu. Tu étais là pour nous tous. Ce que je veux dire, c'est que d'autres détails ont pu t'échapper parce que tu avais tes propres problèmes physiques.

En effet, j'avais vécu un véritable enfer. Les adolescents sont mal équipés pour accepter leurs différences...

— En somme, tu te demandes si j'ai omis de noter certaines dissemblances ? Tu es en train de me dire que ton père est parti avec un bébé et revenu avec un autre. Que la véritable Gracie est morte.

Il acquiesça.

— C'est Chip qui venait souvent, il me semble. Drew aussi parfois, mais surtout Chip. Il traitait avec mon père.

— Oh mon Dieu ! J'avais l'impression de les avoir déjà vus quelque part. Et si l'un d'entre eux a emmené le

Dr Bowden au ranch cette nuit-là, s'ils ont voulu se débarrasser du nouveau-né sans le tuer...

— Ils ont très bien pu téléphoner à Matthew, dont l'enfant agonisait.

— Comment est-ce possible ? Comment ont-ils pu imaginer que Matthew accepterait un tel échange ? Et pourquoi ?

— Si c'était la fille biologique de Richard Joyce et de Mariah Parish, elle valait des millions de dollars.

Je restai muette un instant.

— Pourquoi ne pas l'avoir éliminée ? Ces millions seraient restés où ils étaient ! À partager entre les trois petits-enfants Joyce !

— Peut-être avaient-ils des scrupules à assassiner un nourrisson.

— Ils ont bien laissé mourir Mariah alors qu'on aurait pu la sauver.

— Laisser un être mourir ou le tuer, ce n'est pas pareil. Surtout quand il faut choisir entre une femme adulte à la limite de la malhonnêteté et un bébé innocent. D'autre part, il était peut-être trop tard lorsqu'ils ont pris conscience de la gravité de l'état de Mariah.

Je secouai la tête, abasourdie.

— Mais alors, qu'a fait Matthew de Gracie, sa vraie fille ? Tu crois qu'il l'a abandonnée délibérément ?

— Je n'en ai aucune idée et je ne suis pas certain de vouloir le découvrir... bien que cela me paraisse essentiel. En fait, je me demande s'il a jamais eu l'intention de l'emmener à l'hôpital.

— Les photos ?

— Il en voulait de Gracie. Il a photographié Mariella juste pour la forme.

— Comment as-tu compris tout cela ?

278

— S'il était à la patinoire, c'était probablement pour les photographier sans qu'on s'en aperçoive, seulement nous l'avons repéré trop tôt et les filles ont pris peur. Il avait déjà tenté de communiquer avec Iona et Hank en leur écrivant une lettre. Ne recevant aucune réponse, il a changé de tactique. Quand celle-ci a échoué, il a opté pour l'approche directe. Iona et Hank voulaient rassurer les filles, ils l'ont donc reçu comme si c'était normal. Ils avaient raison mais ils ne se doutaient pas de ses motivations réelles.

— Qu'allons-nous faire ? gémis-je en cachant mon visage dans mes mains. Je suis perdue. Où placer Cameron là-dedans ? Est-ce une simple coïncidence qu'elle se soit volatilisée à ce moment-là ?

— Peut-être avons-nous inventé toute cette conspiration, dit Tolliver. Peut-être sommes-nous aussi tarés que les gens qui prétendent que ce sont des Martiens qui ont abattu JFK.

— Si seulement... !

— Je me demande si Mark est au courant.

— Nous devrions le contacter.

— Papa est chez lui.

— Il pourrait nous rejoindre quelque part.

— Nous l'appellerons demain. En rentrant de Texarkana.

— Tu es certain d'en avoir la force ? Tu es encore sous antibiotiques.

— Je tiendrai le coup.

— Mais oui, docteur Lang.

— Nous avons d'autres chats à fouetter que de couver mon épaule.

— Nous interrogerons le médecin demain matin.

Tant pis s'il me traitait de harpie. J'étais heureuse de prendre soin de lui. Malgré mon émoi et mes soupçons concernant le père de Tolliver, j'étais fière de ce que j'avais fait jusque-là. Nous nous couchâmes après un nouveau round de conversation infructueuse, et dormîmes mal. Tolliver parla dans son sommeil ; cela ne lui arrive que lorsqu'il est franchement perturbé.

— *Sauve-la !*

19

Plutôt que de demander conseil à l'infirmière, je m'adressai directement au Dr Spradling. À mon étonnement, il m'assura que Tolliver était suffisamment rétabli pour voyager à condition de ménager ses efforts et surtout, de ne rien soulever.

Cette nouvelle eut un effet positif sur Tolliver. On aurait dit qu'il s'était mis dans la peau d'un malade sous prétexte qu'il ne devait pas bouger. À présent, il se considérait comme une personne normale confrontée à des problèmes provisoires. Je fus enchantée (et soulagée) de constater la métamorphose : sa volonté et sa détermination se lisaient sur son visage et à travers son allure. Cependant, je me rappelai que je devais continuer à veiller sur lui.

N'étant plus ancrés à l'hôpital, nous quittâmes l'hôtel. Nous ignorions comment se déroulerait notre journée et si nous reviendrions passer la nuit à Garland.

Quel bonheur de s'éloigner de l'étalement urbain ! Nous étions sur l'autoroute, ensemble. Pendant une heure, nous réussîmes à nous comporter comme si nous avions laissé tous nos soucis derrière nous. Mais plus nous nous rapprochions de Texarkana, plus l'incertitude nous gagnait.

Nous dépassâmes la bifurcation en direction de Clear Creek.

— Il faudra peut-être y faire un saut plus tard, commentai-je.

Tolliver opina. Nous étions tout près de Texarkana et n'étions ni l'un ni l'autre d'humeur à papoter.

Texarkana est à cheval sur deux États, le Texas et l'Arkansas, et compte une population d'environ cinquante mille habitants. Une zone commerciale a poussé le long de la voie express qui traverse le nord de la ville, occupé par les suspects habituels. Ce n'est pas dans ce secteur que nous avons vécu mais dans le quartier misérable. Texarkana n'est ni mieux ni pire que n'importe quelle agglomération du Sud. La plupart de nos camarades de classe étaient issus de foyers décents. Nous étions mal tombés, tout simplement.

Notre rue était flanquée de mobile homes. L'avantage, c'était qu'ils n'étaient pas entassés les uns sur les autres dans de petits parcs, du moins de notre côté. Chacun disposait de sa propre parcelle de terrain. Le nôtre était planté le dos à la chaussée ; on y accédait par une allée pleine d'ornières qui le contournait jusqu'à un espace de stationnement dans le jardin. Enfin, en termes de jardin c'était plutôt une cour, un espace dénué de pelouse. Les azalées qui avaient autrefois orné le petit escalier en béton étaient en fait des buissons maladifs qui ne méritaient pas d'être entretenus.

Revoir cet endroit nous fit un drôle d'effet. Nous restâmes assis dans la voiture sans parler. Un Latino croisa notre voiture garée au bord du trottoir en nous fixant d'un air sévère. Nous n'étions plus des leurs.

— Que ressens-tu ? me demanda enfin Tolliver.

— En tout cas, je ne sens aucun cadavre, répondis-je, presque grisée de soulagement. C'est pourtant ce que je craignais, je ne sais pas pourquoi. Je l'aurais su à l'époque où nous vivions ici.

Paupières closes, Tolliver semblait lui aussi libéré d'un poids.

— C'est déjà ça, constata-t-il. Où allons-nous maintenant ?

— Qu'est-ce qui m'a poussée à venir jusqu'ici ? Où nous diriger ? Pourquoi ne pas nous rendre chez Renaldo ? Je doute que lui et Tammy y soient encore mais ça ne coûte rien d'essayer.

— Tu te rappelles comment y aller ?

Bonne question. Il me fallut dix minutes de plus que prévu pour dénicher le vieux pavillon délabré que Renaldo et Tammy louaient du temps de la disparition de Cameron.

Je ne fus pas surprise qu'une inconnue nous ouvre la porte. C'était une Afro-Américaine de mon âge et elle avait deux enfants en bas âge. Munis de ciseaux à bouts ronds et d'un catalogue *Penney's*, ils étaient absorbés dans la création d'un projet artistique.

— Ne découpez que les choses que vous voulez avoir dans votre maison le jour où vous pourrez la construire, leur rappela la femme avant de tourner vers moi. Que puis-je faire pour vous ?

— Je suis Harper Connelly et j'ai habité à deux blocs d'ici. Mon beau-père avait des amis ici. Vous ne savez pas où ils sont partis, par hasard ? Renaldo Simpkins et sa petite amie, Tammy ?

Le nom de famille de cette dernière m'échappait.

Elle blêmit.

— Oui, je les connais. Ils ont emménagé dans une autre maison, pas très loin, rue Malden. Mais je vous préviens, ce sont des gens peu recommandables.

— Je sais mais il faut absolument que je leur parle. Ils sont toujours ensemble ?

— Oui. Difficile à croire. Mais il a eu un accident et Tammy prend soin de lui.

La femme jeta un coup d'œil derrière elle et je compris qu'elle était pressée de rejoindre les gosses.

— Pouvez-vous me donner leur adresse précise ?

— Non, mais allez rue Malden. Vous ne pouvez pas le rater, c'est un pavillon marron avec des volets blancs. Tammy a une voiture blanche.

— Merci.

Elle me salua d'un signe de tête et ferma sa porte.

Je racontai cet entretien à Tolliver qui avait préféré patienter dans notre véhicule.

Nous eûmes du mal à trouver mais nous finîmes par nous arrêter devant le pavillon qui nous semblait correspondre le mieux à la description fournie. La couleur marron se décline en une multitude de nuances. Mais nous pensions que ces murs beiges pouvaient faire partie de la palette, d'autant qu'une automobile blanche était stationnée dans l'allée.

— Tammy, dis-je lorsqu'elle apparut sur le seuil.

Tammy... Murray – son nom de famille me revint tout à coup – avait terriblement vieilli en huit ans. À l'époque, c'était une métisse voluptueuse à la chevelure auburn ondulée et au style flamboyant. Aujourd'hui, ses cheveux étaient très courts, lissés sur son crâne avec une sorte de gel. Ses bras nus étaient couverts de tatouages. Elle était décharnée.

— Qui êtes-vous ?

284

— Harper. La belle-fille de Matthew Lang. Mon frère est dans la voiture.

Je pointai le doigt dans sa direction.

— Je vous en prie... Dites à votre frère de venir aussi.

Je retournai ouvrir la portière de Tolliver.

— Elle nous invite à entrer. Tu crois que c'est raisonnable ?

— Pourquoi pas ?

— Tolliver ! Que t'est-il arrivé ? Tu es dans un sale état !

— J'ai reçu une balle dans l'épaule.

Ici, ce genre de mésaventure était banale et Tammy se contenta d'un « Pas de chance, mon vieux ! » avant de s'effacer pour nous céder le passage.

La maison était minuscule mais vu le nombre réduit de meubles, on ne s'y sentait pas oppressé. Le salon était assez vaste pour accueillir un canapé sur lequel je distinguai une silhouette enveloppée d'une couverture et un fauteuil à bascule défoncé, de toute évidence le siège réservé de Tammy. À ses côtés se dressait une table pliante où traînaient une télécommande, une boîte de mouchoirs en papier et un paquet de cigarettes. L'atmosphère empestait le mégot froid.

Nous nous approchâmes du divan pour contempler l'homme qui l'occupait. Si je n'avais pas su que c'était Renaldo, je ne l'aurais jamais deviné. Métis, lui aussi, il avait toujours eu le teint café au lait. Je me rappelai qu'il portait une moustache en trait de crayon et rassemblait ses cheveux en une longue tresse noire. Il les avait pratiquement rasés. Il fut un temps où Renaldo gagnait bien sa vie en tant que mécanicien chez un concessionnaire automobile. Malheureusement, sa toxicomanie lui avait coûté son emploi.

Il avait les yeux ouverts mais il était impossible de dire s'il était conscient ou non de notre présence.

— Coucou, mon chéri ! roucoula Tammy. Regarde qui est là. Tolliver et sa sœur. Tu te souviens d'eux ? Les enfants de Matthew ?

Renaldo souleva les paupières.

— Bien sûr que je m'en souviens, murmura-t-il.

— Je suis désolé de vous voir en si mauvais état, déclara Tolliver, aussi sincère que maladroit.

— Peux pas marcher, grommela Renaldo.

Je scrutai les alentours et aperçus un fauteuil roulant plié, en appui contre la porte de la cuisine. Le déplier semblait une perte de temps dans un espace aussi réduit mais Tammy n'avait sans doute pas la force de porter Renaldo.

— Nous avons eu un accident de la route, expliqua-t-elle. Il y a environ trois ans. Nous n'avons vraiment pas eu de chance. Tiens, Harper, prends cette chaise ; je vais en chercher d'autres dans la cuisine.

Tolliver parut frustré de ne pas pouvoir lui donner un coup de main mais Tammy était visiblement habituée à tout faire elle-même. Je ne posai aucune question au sujet de ce drame car je n'avais pas envie d'en apprendre davantage. Renaldo était gravement atteint.

— Tammy, attaqua Tolliver dès que nous fûmes installés. Nous sommes là pour parler du jour où mon père a passé l'après-midi chez vous, le jour de l'enlèvement de Cameron.

— Bien entendu, vous n'avez que ça à la bouche, riposta-t-elle en grimaçant. On en a marre d'en discuter, s'pas, Renaldo ?

— Pas moi, répliqua-t-il d'une voix étouffée. Cette Cameron était une fille bien. La perdre m'a fait de la peine.

J'eus la sensation d'avoir mordu dans un citron tellement j'étais dégoûtée à l'idée qu'un type comme

286

Renaldo ait pu reluquer ma sœur. Toutefois, je m'obligeai à conserver une expression aimable.

— Pouvez-vous s'il vous plaît nous raconter cette journée ?

Tammy haussa les épaules. Elle alluma une cigarette et je retins ma respiration aussi longtemps que possible.

— C'était il y a bien longtemps. Je n'en reviens pas que Renaldo et moi soyons ensemble depuis toutes ces années, pas toi, bébé ?

— De belles années, souffla-t-il avec effort.

— Oui, on en a connu de belles, concéda-t-elle. Mais plus maintenant. Bref, cet après-midi-là, votre père a téléphoné, il avait une affaire à traiter avec Renaldo. Il a dit aux flics qu'ils devaient porter des trucs à recycler mais ce n'était pas la vérité. On avait un surplus d'Oxycodone ; votre père voulait en échanger contre du Ritalin. Votre mère adorait ses Oxys.

— Elle adorait tout, rétorquai-je avec une pointe d'amertume.

— Oui. Elle ne pouvait pas se passer de ses cachets.

— Ni de son alcool.

— Aussi, admit Tammy... Mais vous n'êtes pas ici pour elle. Elle est morte et enterrée.

Je serrai les mâchoires.

— Donc, intervint Tolliver, mon père voulait se rendre chez vous.

Tammy aspira longuement sur sa cigarette et j'eus peur qu'elle soit prise d'une quinte de toux.

— Oui. Il est arrivé vers 16 heures. À un quart d'heure près. Il était peut-être 16 h 15, 16 h 25 mais pas plus tard parce que l'émission de télévision que je regardais se terminait à 16 h 30 et qu'à ce moment-là, il était déjà dans la salle de billard avec Renaldo. Ils avaient entamé une partie. Nous étions mieux logés en ce temps-là.

C'était plus grand. J'ai déclaré à la police qu'il avait débarqué quelques minutes après 16 heures. Mais j'étais concentrée sur mon programme, je n'ai pas fait attention jusqu'à ce qu'ils me demandent de leur apporter des bières.

Renaldo eut un rire sinistre.

— On s'est bu une bière. J'ai gagné la partie. On a échangé nos produits. C'était le bon vieux temps.

— Il s'est incrusté jusqu'à ce qu'il reçoive un appel ?

— Oui. Il avait un portable. Pour le business, vous comprenez, dit Tammy. C'était votre voisin, il voulait le prévenir que les flics grouillaient partout.

— Comment Matthew a-t-il réagi ?

— Il croyait qu'ils étaient là pour la drogue et il a pété les plombs. Mais il s'est dit qu'il valait mieux rentrer que prendre la poudre d'escampette parce qu'il savait que votre mère était incapable d'endurer un interrogatoire.

— Vraiment ? m'écriai-je, stupéfaite.

— Oh, oui ! Il aimait beaucoup la fille de Laurel.

Tolliver et moi échangeâmes un regard. Si Renaldo et Tammy disaient la vérité, Matthew n'était pas au courant de la disparition de Cameron. À moins qu'il n'ait improvisé ce numéro pour se garantir un alibi ?

— Il a piqué une crise, marmotta Renaldo. Il ne supportait pas que la fille soit partie. Je lui ai rendu visite en prison. Il était persuadé qu'elle avait fait une fugue.

— Vous l'avez cru ?

Je me penchai sur lui – pénible mais nécessaire.

— Oui.

Nous n'avions aucune raison de prolonger notre visite et fûmes heureux d'échapper à cet intérieur sordide et ses locataires désespérés.

Je trépignai presque d'impatience en attendant que Tolliver ait bouclé sa ceinture. Je sortis à reculons de l'allée sans savoir où nous allions. Je décidai de rejoindre le boulevard Texas, histoire de me donner un but.

— Alors ? Ton avis ?

— Je pense que Tammy nous a répété ce que leur a raconté mon père. Que ce soit la vérité ou non est un tout autre problème.

— Elle l'a cru.

Tolliver poussa une sorte de ricanement.

— Essayons de rencontrer Peter Gresham, proposa-t-il et je fonçai en direction du poste de police.

Un seul immeuble abrite deux départements distincts, celui du Texas et celui de l'Arkansas. Chacun a son propre patron. J'ignore comment tout cela fonctionne ni qui paie quoi.

Peter Gresham était à son bureau. On nous avait autorisés à y monter et il était plongé dans la lecture d'un dossier. Il s'empressa de le refermer quand il nous aperçut.

— Quel bonheur de vous voir, tous les deux ! Je regrette que l'enregistrement n'ait rien donné, ajouta-t-il en s'inclinant par-dessus sa table pour serrer la main valide de Tolliver. Il paraît que vous avez un souci à Dallas.

— Dans les faubourgs, précisai-je. Nous passions dans le quartier aussi nous avons voulu en profiter pour vous interroger sur le mystérieux anonyme qui vous a filé le tuyau concernant cette jeune femme qui ressemblait à Cameron.

— Voix masculine, cabine téléphonique, répliqua-t-il.

Peter Gresham, qui me semblait de plus en plus imposant chaque fois que je le voyais, haussa les épaules. Il ne portait toujours pas de lunettes mais comme nous l'avait signalé Rudy Flemmons, il n'avait plus un cheveu sur le crâne.

— Je n'ai pas grand-chose à vous révéler.

— Pouvons-nous écouter la bande ?

Je pivotai vers Tolliver. D'où cette idée lui était-elle venue ?

— Il faudrait consulter les archives.

Peter se leva et s'éclipsa.

— Qu'est-ce qui t'a pris ? murmurai-je.

— Tant qu'à faire, répondit Tolliver.

Mais Peter reparut trop rapidement. J'en connais un rayon sur l'administration : il n'avait pas pu récupérer le document sonore en un délai aussi court.

— Désolé. Le collègue responsable du service est en congé aujourd'hui. Il sera là demain. Puis-je vous appeler et vous le faire écouter par téléphone ?

— Ce serait parfait, assurai-je avant de lui réciter le numéro de mon portable.

— Vous gagnez convenablement votre vie à retrouver les cadavres ?

— Pas trop mal, décréta Tolliver.

— Il paraît que vous avez pris une balle. Sur les pieds de qui avez-vous marché ?

— Difficile à dire, dit Tolliver avec un sourire. Au fait, Matthew est sorti de prison.

L'inspecteur s'assombrit.

— J'avais oublié qu'il devait être libéré ces temps-ci. Il est à Dallas ?

J'opinai.

— Ne vous laissez pas piéger, prévint Peter. C'est un irréductible. J'ai connu beaucoup de gars dans son genre au cours de ma carrière et en règle générale, ils ne changent pas.

— Je suis d'accord. Nous faisons tout notre possible pour l'éviter.

— Comment vont vos petites sœurs ?

À présent, Peter nous escortait jusqu'aux ascenseurs.

— Bien. Mariella vient de fêter ses douze ans et Gracie en aura bientôt neuf.

Elle était peut-être même plus jeune. J'en étais même sûre. Le moment était mal venu pour y penser mais je me rendis soudain compte que le « retard » de Gracie par rapport aux enfants de son âge était peut-être une erreur de diagnostic. Nous l'avions attribué à son faible poids de naissance et ses ennuis respiratoires ; peut-être était-ce simplement qu'elle avait trois ou quatre mois de moins que nous l'avions cru.

— Comme le temps passe ! soupira Peter.

Je refusai de m'abandonner à la mélancolie.

— L'autre jour, j'ai discuté avec Ida.

— Ida ? Celle qui a aperçu la camionnette bleue ? Que vous a-t-elle raconté ?

Je lui parlai de la fille de l'association *Popote roulante* et il se répandit en un torrent de jurons. Puis il me pria de l'excuser.

— Imbéciles ! bougonna-t-il. Maintenant je vais devoir retourner chez elle l'interroger. Un de ces jours, je n'en sortirai plus. Elle m'enverra promener sous pré-texte qu'elle ne veut plus recevoir personne et une fois que j'y serai, elle me tiendra la jambe pendant des heures et des heures.

Je tentai de sourire, en vain. Tolliver se contenta d'acquiescer.

— Je comprends que cela bouleverse la chronologie des événements, Harper. Je vous le promets, je poursuis la moindre piste. Je tiens autant que vous à découvrir ce qui est arrivé à Cameron. Et je suis désolé que ce salaud de Matthew soit en liberté.

— Moi aussi, affirmai-je, sans me préoccuper de l'opinion de Tolliver. Toutefois, nous ne pensons pas qu'il ait enlevé Cameron.

— Moi non plus. Je connais votre talent, Harper. Je me rappelle vous avoir vue avec Tolliver errer dans les parages. Je sais que vous étiez à sa recherche. Si vous ne l'avez pas trouvée, c'est probablement parce qu'elle n'est pas ici. Si Matthew était le coupable, il l'aurait enterrée tout près, d'autant que le temps pressait. Vous l'auriez repérée.

— C'est vrai. À moins qu'on ne l'ait kidnappée sur le parking du lycée et qu'on ait jeté son sac à dos en chemin, ce qui élargirait le périmètre et...

— Nous avons envisagé cette possibilité.

Je devins écarlate.

— Je ne...

— Ne vous inquiétez pas. Vous voulez retrouver votre sœur. Moi aussi.

— Merci, Peter, dit Tolliver en lui serrant de nouveau la main.

— Je vous souhaite un prompt rétablissement !

Sur ces mots, Peter tourna les talons pour réintégrer son box.

— Nous avons perdu beaucoup de temps aujourd'hui.

J'étais déprimée. Que faire maintenant ?

— Je ne suis pas d'accord, protesta Tolliver. Nous avons glané quelques éléments supplémentaires. Si nous allions saluer les Cleveland ?

Je réfléchis. Mes parents d'accueil étaient des gens respectables et j'avais de l'affection pour eux mais je ne me sentais pas d'humeur à ressasser le passé.

— Non. Rentrons à Garland.

Mon portable sonna.

— Allô ?

— Harper, ici Lizzie.

Elle avait la voix tremblante. Nous nous connaissions à peine mais jusque-là, elle m'avait toujours paru forte et pragmatique.

— Qu'y a-t-il, Lizzie ?

— Rien, rien ! Nous nous demandions si vous étiez… si vous pouviez faire un saut au ranch.

Faire un saut au ranch ? Alors qu'*a priori* nous étions à Garland, à deux heures de route de chez eux ? Je cherchai fébrilement un prétexte pour nous dérober. Peine perdue.

— Nous sommes à Texarkana. Je suppose que nous pourrions passer. C'est à quel sujet ?

— Je voulais juste avoir une conversation avec vous. Parler de cette pauvre Victoria et de deux ou trois autres choses.

Je résumai la situation à Tolliver. Il en fut aussi médusé que moi.

— Tu t'en sens la force ? Je peux refuser, conclus-je.

— Autant y aller. Nous sommes dans la région et ils ont énormément de relations.

Les Joyce fréquentaient des gens aisés que nos services pourraient intéresser.

Reverrions-nous Chip ? Le gérant/petit ami excitait ma curiosité et ce n'était pas une attirance physique.

Nous n'échangeâmes que peu de mots sur le trajet. La requête de Lizzie me rendait à la fois perplexe et inquiète. De son côté, Tolliver ruminait ; c'était visible à la manière dont il se tenait, à ses traits tirés.

Nous passâmes devant le cimetière *Pioneer Rest* et empruntâmes la longue allée qui sinuait à travers champs. Nous avions une vue sur des kilomètres à la ronde même au crépuscule. Enfin, nous atteignîmes le portail du Ranch RJ. Tolliver voulut à tout prix descendre de la voiture pour l'ouvrir et le refermer après notre passage.

Les lieux semblaient déserts. La dernière fois, j'avais vu des hommes s'activer au loin.

Nous nous garâmes sur l'aire prévue à cet effet devant la vaste demeure. Tout était paisible. Le temps était doux, on sentait l'approche du printemps. Mais le silence était angoissant. Je hochai la tête. Tolliver haussa les épaules et me précéda sur l'allée pavée de briques.

La porte principale s'ouvrit et Lizzie apparut. Derrière elle, le vestibule était dans le noir. Elle fit un énorme effort pour nous accueillir avec le sourire mais on aurait dit celui d'une tête de mort. Ses yeux étaient exorbités, tous ses muscles tendus.

Alerte rouge. Nous ralentîmes.

— Bonjour, bonjour ! Entrez donc !

Une anxiété extrême avait remplacé l'enthousiasme naturel qu'elle avait déployé lors de notre première visite.

— Nous n'aurions pas dû venir, nous avons un rendez-vous à Dallas ! mentis-je. Pouvons-nous revenir demain, Lizzie ? Nous ne pouvons pas nous permettre d'arriver en retard.

Elle parut soulagée.

— Passez-moi donc un coup de fil ce soir. Bonne route !

— Mais non, mais non ! Entrez boire un verre ! proposa Chip, derrière elle.

Elle tressaillit et son sourire s'estompa.

— Allez-vous-en ! hurla-t-elle.

— Non, insista Chip d'une voix calme et posée. Venez.

Nous vîmes qu'il tenait un revolver à la main et renonçâmes à tergiverser.

Chip et Lizzie reculèrent.

— Je suis navrée. Vraiment navrée. Il a menacé d'abattre Kate si je ne vous appelais pas.

— Je n'aurais pas hésité ! lança Chip.

— Je m'en doute, rétorquai-je.

Dans l'entrée carrée, en attendant ses instructions, je compris tout à coup ce qui me fascinait tant chez Chip. Ses os. Ses os étaient morts. J'éprouvai une sensation bizarre, c'était une expérience que je n'avais jamais connue auparavant ou du moins, dont je n'avais pas saisi l'essence.

— Où sont tous les autres ? s'enquit Tolliver d'un ton aussi neutre que celui de Chip.

— J'ai expédié les salariés à tous les coins les plus éloignés du ranch et c'est le jour de congé de Rosita.

Chip arborait un sourire étincelant et cruel.

— Il n'y a que moi et la famille.

Merde !

Il nous entraîna jusqu'à la salle d'armes. La vue par les portes-fenêtres était toujours aussi magnifique mais je n'en profitai guère.

Drex nous attendait. Contre toute attente, il était armé, lui aussi. Kate était attachée à une chaise. Ils avaient relâché Lizzie pour nous appâter jusque dans la maison. Les cordes pendaient sur une deuxième chaise.

— Heureux de vous revoir, Harper ! déclara Drex. Quel bon moment nous avons passé l'autre soir avec Victoria, n'est-ce pas ?

— Pas mauvais. Dommage que Victoria ait été assassinée par la suite. Ça gâche un peu le souvenir de cette soirée.

Il ravala sa salive et l'espace d'un éclair, parut bouleversé.

— Oui, c'était une femme charmante. Elle semblait… efficace dans son métier.

— Elle a travaillé dur pour vous.

— Croyez-vous qu'ils rattraperont son meurtrier ? me nargua Chip en élargissant encore son sourire.

— C'est vous qui avez tiré sur Tolliver ?

Je ne voyais pas l'intérêt de me taire.

— Non. C'est mon copain Drex, ici présent. Drex n'est pas bon à grand-chose mais il est habile à la gâchette. Je lui avais dit de vous descendre aussi mais il était réticent.

Chip prononça ce mot lentement comme s'il venait de l'apprendre.

— Il ne voulait pas abattre une femme. Ce cher Drex est galant à sa manière. J'ai voulu lui faire changer d'avis quelques jours plus tard quand vous êtes sortie faire votre footing mais voilà que cette andouille de flic s'est précipité devant vous et a pris la balle à votre place. Si j'avais su qu'il était flic, je me serais retenu. Il m'avait bien semblé reconnaître son visage et ça m'a rendu malade de découvrir que j'avais buté une star du football.

— Qu'avez-vous contre nous ?

— Vous étiez au courant pour Mariah et vous avez vendu la mèche. Si vous disparaissiez, Lizzie aurait peut-être fini par oublier cette affaire. Mais tant que vous restiez en vie, je savais qu'elle serait hantée par ce que vous lui avez dévoilé au cimetière. Elle s'interroge-rait sur les causes du décès de son grand-père, elle se demanderait qui avait pu lui en vouloir. Ensuite, si elle croyait à l'hypothèse du bébé, elle se serait mise à foui-ner. Lizzie serait enchantée d'avoir un gosse à élever, pour elle, la famille compte plus que tout.

Il enfonça le canon de son pistolet dans le cou de Lizzie et l'embrassa sur la bouche. Lorsqu'il s'écarta, elle lui cracha dessus et il rit aux éclats.

Quant à moi, j'étais sincèrement curieuse.

— Pourquoi était-il nécessaire de me supprimer ?

— Parce que ma chérie est comme ça. Elle fait attention aux choses quand elles sont sous son nez, mais sinon, c'est « loin des yeux, loin du cœur ».

Selon moi, il sous-estimait Lizzie. Toutefois, il la connaissait mieux que moi. Soudain, je compris. Chip avait commis une erreur en acceptant ma venue au Texas. Si je mourais, ma disparition effacerait cette erreur. Bien entendu, c'était impossible. Mais lui se sentirait mieux.

— Lizzie, je suis certaine que quelqu'un a attiré votre attention sur mon site Web. J'ai la conviction qu'on vous a influencée, incitée à me faire venir.

— Oui. Kate.

— Comment en avez-vous eu l'idée, Kate ? m'enquis-je aussitôt.

Kate était en piteux état. Elle était blême, elle respirait par saccades. Ses mains étaient ligotées aux accoudoirs du siège et je constatai que ses poignets étaient à vif. Elle mit un instant à saisir le sens de ma question.

— Drex, bredouilla-t-elle. Drex m'a raconté qu'il vous avait rencontrée autrefois.

Chip tourna la tête avec la rapidité d'un serpent prêt à attaquer.

— Drex, grâce à toi, nous avons tout perdu, déclara-t-il d'un ton menaçant. Qu'est-ce qui t'a pris ?

— On regardait les infos à la télé, chuchota Drex. Un reportage sur tous ces corps qu'elle venait de retrouver en Caroline du Nord. J'ai dit à Kate que j'étais allé chez elle du temps où elle habitait à Texarkana parce que je connaissais son beau-père. Je l'avais rencontrée.

— Et vous, Kate, en avez parlé à Lizzie.

— Elle est toujours en quête de nouveauté. C'est ce qui prime, ici. Il faut sans cesse inventer des trucs pour amuser Lizzie.

Cette dernière dévisagea sa sœur d'un air stupéfait. Si nous survivions à cette journée, elle aurait un grand ménage psychologique à effectuer.

— C'est donc un présentateur de télé qui a provoqué ma chute, railla Chip.

— Vous avez l'habitude de manipuler les serpents, Chip ? lui demandais-je.

— Non, ça, c'est le point fort de Drex, rétorqua-t-il avec un sourire diabolique.

— Seigneur, non ! s'exclama Lizzie. Drex ? Chip, es-tu en train de dire que *Drex* a lancé un serpent à sonnettes sur Grand-Pa' ?

— Exactement, confirma Chip, sans sourciller.

— Tu es tombé sur la tête ? s'emporta Drexell.

Son expression avait changé. Il ne semblait plus du tout perplexe et éberlué. Il s'était ressaisi et son regard était dur, luisant de ruse.

— Pourquoi raconter des mensonges à mes sœurs ?

— Parce que nous sommes foutus, répliqua Chip. Apparemment, tu ne t'en rends pas compte. Trop de détails inexpliqués, imbécile ! Nous aurions dû tuer le médecin. Oui, espèce de connard, à un moment ou à un autre pendant toutes ces années, on aurait dû filer à Dallas régler son sort à ce vieil idiot. Et on savait que Matthew n'allait pas tarder à sortir de prison. On aurait dû le guetter à la porte avec un fusil.

Sur ce point, j'étais assez d'accord.

— Maintenant, tu es en train de dire qu'on est fichus. Alors pourquoi cette comédie des otages ? Je te croyais plus malin que ça. Je pensais que tu avais un plan. En fait, tu es complètement cinglé.

— Oui, je le suis et je vais t'expliquer pourquoi.

Chip lâcha l'épaule de Lizzie et elle pivota vers lui avant de s'éloigner à reculons vers le mur où étaient accrochées toutes les armes.

— J'avais rendez-vous avec un meilleur médecin que Bowden la semaine dernière et tu sais ce qu'il m'a annoncé ? Que je suis rongé par le cancer. À trente-deux ans ! Je me fous éperdument de ce qui se passera quand je ne serai plus sur cette terre. Vous ne pouvez rien contre moi : je n'en ai plus pour longtemps. Et comme je suis condamné, je veux que Drex le soit aussi.

Ses yeux brillaient de haine.

— Tu vas mourir ? s'écria Lizzie. Tant mieux ! Dommage que Drex ne soit pas malade, lui aussi. Vous ne méritez pas de vivre.

Sa peur s'était envolée et je l'enviai. Je dévisageai Tolliver en songeant que nous vivions peut-être nos derniers moments. Chip n'hésiterait pas à nous éliminer tous.

D'un geste incroyablement preste, Lizzie s'empara d'un fusil et le pointa sur Chip.

— Vas-y ! Tire-toi une balle dans la tête puisque tu vas mourir de toute façon. Épargne-moi la corvée !

— Je ne m'en irai pas tout seul.

Sur ce, il visa la poitrine de Drex et appuya sur la détente.

Kate poussa un hurlement et tomba à la renverse sur son siège, éclaboussée du sang de son frère. Tandis que nous les contemplions, atterrés, Chip mit le canon de son revolver dans sa bouche et tira en même temps que Lizzie.

20

J'étais si fatiguée quand le shérif et son équipe nous libérèrent enfin, que j'eus du mal à me concentrer lorsque je pris le volant pour regagner Dallas. En fait, nous nous arrêtâmes bien avant Garland. Prenant soudain conscience que rien ne pressait, j'empruntai la première sortie. Nous étions au milieu de nulle part mais c'était un nulle part doté d'une autoroute et de motels. Celui dans lequel nous descendîmes était moche mais au moins, nous étions sûrs que personne ne nous tirerait dessus à travers la fenêtre.

Certains éléments me paraissaient encore flous mais Chip et Drex étaient morts.

Tolliver avala ses médicaments et nous nous couchâmes. Les draps étaient froids et humides, aussi je me relevai pour monter le chauffage. Le souffle faisait gonfler les rideaux, ce qui m'agace prodigieusement. Ayant déjà connu ce problème, j'emporte partout avec moi une grosse pince. Une fois de plus, je me félicitai de mon sens de la débrouillardise. Lorsque je me rallongeai, Tolliver s'était endormi.

Le soleil brillait quand je me réveillai. Tolliver était dans la salle de bains. Il se lavait au gant de toilette en grommelant.

— Qu'est-ce que tu racontes ?

— Je rêve de prendre une douche.

— Je suis désolée mais il va falloir patienter encore quelques jours.

— Ce soir, on couvrira le pansement d'un sac plastique. Je me dépêcherai de sortir avant que le ruban adhésif ne se décolle.

— D'accord. Que veux-tu faire aujourd'hui ?

Il ne répondit pas.

— Tolliver ?

— Silence.

Je me levai et pénétrai dans la salle de bains.

— Tu boudes ? En quel honneur ?

— Aujourd'hui, nous devons parler à mon père.

— C'est une obligation ?

— C'est une obligation.

— Ensuite ?

— Nous roulerons en direction du coucher du soleil. Nous allons rentrer à Saint Louis et rester tranquilles quelques jours. Juste toi et moi.

— Excellente idée. Je regrette de ne pas pouvoir passer directement à l'étape « juste toi et moi ».

— Je croyais que tu serais impatiente de le confronter.

Il avait commencé à se raser ; il marqua une pause, une joue encore luisante de gel.

Moi aussi, je l'avais cru.

— À vrai dire, il y a des choses que je n'ai pas envie d'entendre, avouai-je. Je n'ai jamais imaginé que je réagirais ainsi. J'ai attendu si longtemps.

Il tendit son bras valide vers moi et me serra contre lui.

302

— Je t'avais proposé de quitter le Texas aujourd'hui. J'ai réfléchi. C'est impossible.

— Je comprends.

J'appelai l'infirmière du Dr Spradling et, suivant les instructions que m'avait données le médecin, lui annonçai que Tolliver n'avait pas de fièvre, ne saignait pas, que sa plaie n'avait pas rougi. Elle me recommanda de veiller à ce qu'il prenne ses médicaments et le problème fut réglé. Malgré les événements de la veille, Tolliver était en meilleure forme et j'étais convaincue qu'il se rétablirait très vite.

Le trajet jusqu'à Dallas s'effectua sans souci ; la circulation était fluide. Nous devions retrouver la maison de Mark où nous ne nous étions rendus qu'une seule fois dans le passé. Mark est un homme solitaire et je me demandai comment lui et Matthew s'entendaient.

Je fus surprise de constater que la voiture de Mark était garée dans l'allée. Son pavillon est encore plus petit que celui de Hank et Iona. Machinalement, je pris la mesure des bourdonnements dans le quartier. Ils étaient faibles. Pas de morts ici.

Un étroit ruban de béton menait de l'allée à l'entrée. Les toiles d'araignée avaient envahi les appliques de part et d'autre de la porte. Quant au jardin, il était inexistant. Le propriétaire des lieux était négligent.

Mark nous ouvrit.

— Tiens ! Qu'est-ce que vous faites là ? Vous êtes venus voir papa ?

— Oui, répondit Tolliver. Il est là ?

— Oui. Papa ! Tolliver et Harper !

Il s'effaça pour nous laisser entrer. Il portait un pantalon de survêtement et un vieux tee-shirt. De toute évidence, il n'allait pas travailler aujourd'hui.

— Désolé. C'est mon jour de congé. Je ne me suis pas habillé pour recevoir.

— Nous débarquons à l'improviste, murmurai-je.

Le salon était presque aussi spartiate que celui de Renaldo : un grand canapé en cuir et son fauteuil assorti, une télévision à écran géant, une table basse. Pas de lampes de lecture. Pas de livres. Une photo encadrée de nous tous, les cinq enfants, devant le mobile home. J'avais oublié qu'elle existait.

— Qui nous a photographiés ?

— Une amie de ta mère. Papa l'a rangée avec le reste de ses affaires quand il est allé en prison. Il l'a ressortie en récupérant ses cartons du garde-meubles.

Je la contemplai longuement et les larmes me vinrent aux yeux. Tolliver et Mark se tenaient côte à côte. Mark ne souriait pas. Les coins de la bouche de Tolliver étaient très légèrement remontés mais son regard était sombre. Cameron avait un bras autour de la taille de Mark et tenait Mariella par la main. Mariella était hilare. Comme la plupart des gosses, elle adorait poser pour l'objectif. Je portais Gracie – elle était si menue ! De quelle Gracie s'agissait-il ? Gracie après l'hôpital.

— C'était juste avant, marmonnai-je.

— Juste avant quoi ?

— Tu sais bien ! Juste avant la disparition de Cameron.

Il haussa les épaules.

Nous étions toujours debout quand Matthew apparut, en jean et chemise de flanelle.

— Je dois partir pour le boulot dans une heure mais je suis content te voir.

Il s'était adressé à Tolliver mais il se tourna vers moi et me sourit.

Je demeurai impassible.

— Nous avons rendu visite aux Joyce hier, annonçai-je. Chip et Drex ont parlé de toi.

Il eut un tressaillement.

— Ah, bon ? Qu'avaient-ils à raconter ? Ce sont des gens très riches, n'est-ce pas ? Ceux du ranch ?

— Tu sais pertinemment qui ils sont, riposta Tolliver. Ils sont venus chez nous autrefois.

Mark porta son regard de son frère à son père.

— C'est pour eux que vous avez travaillé la semaine dernière ?

— Nous nous sommes entretenus avec pas mal de personnes ces jours-ci, enchaînai-je. Ida Beaumont, entre autres. Vous vous souvenez d'elle ?

— La vieille qui a vu ta sœur monter dans le pick-up bleu, répondit Matthew.

— Sauf que ce n'était pas elle.

Ils me fixèrent, sidérés.

— Je t'ai aperçu au cabinet du médecin, ajoutai-je à l'intention de Matthew.

Il ravala sa salive.

— J'ai consulté un spécialiste il y a deux jours, m'expliqua-t-il d'un ton prudent. Je tousse beaucoup depuis que je suis sorti de…

— Tais-toi ! interrompis-je. Nous savons que tu as pris le bébé de Mariah. Ce que nous ignorons, c'est ce qu'est devenue la véritable Gracie.

Il y eut un long, long silence. L'atmosphère était étouffante.

— C'est absurde, Tolliver ! protesta Mark. Qui est cette Mariah ?

— Papa est au courant, Mark. Dis-nous, papa, qui est cette petite fille qui vit avec Iona et Hank ?

— C'est l'enfant de Mariah Parish et Chip Moseley.

Cette révélation n'était pas du tout celle que j'attendais.

— Pas de Mariah Parish et Richard Joyce, précisai-je, juste pour m'assurer que j'avais bien compris.

— Chip m'a avoué que M. Joyce n'avait jamais couché avec Mariah. Il a prétendu que le bébé était de lui.

Mark nous observait les uns et les autres, visiblement perplexe.

— Je fournissais de la drogue à Chip, enchaîna Matthew. Lui et Drex venaient souvent faire la fête dans notre quartier. Chip a toujours été malin et brutal. Il a été ballotté de famille d'accueil en famille d'accueil dans son enfance et il était bien décidé à se forger une place parmi les riches. Richard Joyce l'a embauché et il a commencé tout en bas de l'échelle. À force de bosser, il s'est rendu indispensable. Après son divorce, il s'est peu à peu rapproché de Lizzie. Il connaissait Mariah : ils avaient vécu dans la même famille d'accueil pendant plusieurs mois. Il l'a aidée à obtenir une place chez les Peaden. Chip s'est arrangé pour que Richard se lie d'amitié avec les Peaden et par conséquent, rencontre Mariah. Après le décès de M. Peaden, Mariah a demandé à Richard s'il avait une place à lui offrir. Il avait eu un AVC et ses proches l'encourageaient à prendre quelqu'un à demeure. La perspective de se faire dorloter par une fille aussi jeune et jolie que Mariah lui a plu, même s'il n'avait aucune intention de la séduire. Elle savait qu'il avait le cœur fragile. Elle savait qu'il l'appréciait. Elle espérait seulement qu'il lui laisse un peu d'argent. Elle avait de l'affection pour lui.

— Que s'est-il passé ? demandai-je.

— Elle n'avait pas prévu de tomber enceinte mais quand elle a découvert son état, elle a repoussé l'échéance jusqu'à ce qu'il soit trop tard. Elle portait des vêtements amples et des salopettes parce qu'elle ne voulait pas que le vieil homme devine qu'elle avait un

306

amant. Et elle craignait sa réaction s'il apprenait qu'elle avait subi un avortement. Elle était solide mais pas suffisamment pour interrompre sa grossesse. En apprenant la nouvelle, Chip a sauté au plafond. Elle était déjà enceinte de huit mois. Il est venu à Texarkana acheter de la dope. Pendant qu'il était là, Drex a téléphoné pour dire qu'il était seul dans la maison avec Mariah et qu'il y avait eu un problème. Elle avait accouché toute seule mais elle saignait abondamment. Le temps qu'il coupe le cordon et emmaillote le nouveau-né (il avait l'habitude de mettre bas les veaux et les poulains) elle agonisait. Chip est parti comme un fou. Il m'a rappelé plus tard pour me supplier de le débarrasser du poupon.

— Il n'en voulait pas.

— Absolument pas.

— Et tu lui as proposé de l'aider en pensant qu'un jour peut-être, tu pourrais soutirer de l'argent aux filles Joyce en affirmant que l'enfant était de leur grand-père.

— Je sais, c'était mesquin, admit-il, le regard voilé. J'en suis conscient. Mais rappelle-toi comment j'étais à l'époque. C'était un bon plan pour empocher du fric, un plan que je pouvais mettre en veilleuse, au cas où…

— Pendant ce temps, ta propre fille était mourante parce que tu avais refusé de l'emmener aux urgences, crachai-je. À moins qu'elle n'ait déjà succombé quand tu as reçu le coup de fil de Chip ?

— C'est comme ça que tu t'es procuré un autre bébé ! explosa Mark.

Jamais je ne l'ai vu aussi bouleversé.

— Pourquoi ne pas me l'avoir dit, papa ?

Matthew arrondit les yeux.

— Tu savais que ce n'était pas Gracie ? Je ne me suis jamais préoccupé de toi ! Tu n'étais pratiquement jamais là. Comment l'as-tu su ?

Toutes les pièces du puzzle s'imbriquèrent d'un seul coup. J'inspirai profondément.

— J'ai la réponse : c'est Cameron qui le lui a dit. Elle ne s'en est pas aperçue tout de suite, pas plus que nous. Il lui a fallu un moment pour s'en rendre compte. Mais pour son exposé de biologie, elle avait étudié le rapport entre la génétique et la couleur des yeux. Toi et maman ne pouviez pas avoir un enfant aux yeux verts.

Mark s'affaissa sur le canapé. Ses jambes ne le soutenaient plus.

— Papa, elle allait appeler la police. Elle allait leur dire que tu avais kidnappé un nouveau-né pour prendre la place de Gracie parce que Gracie était morte.

— C'est donc toi, Mark, chuchotai-je. Tu l'as enlevée alors qu'elle rentrait du lycée. Tu lui as dit… que lui as-tu dit, au juste ?

— Que tu avais eu un accident. J'étais à moto ce jour-là, je lui ai expliqué qu'on devait laisser son sac à dos. Elle n'a posé aucune question. Elle est montée. Je me suis dirigé vers l'hôpital mais en chemin, je me suis arrêté à une station-service désaffectée en prétextant un problème de pneu. Je lui ai demandé d'aller voir s'il y avait une pompe à air, derrière le bâtiment. Je l'ai suivie.

— Comment t'y es-tu pris ?

Il me contempla avec une expression que j'espérai ne jamais revoir. Il était honteux, horrifié et il était fier de lui.

— Je l'ai étranglée. J'ai de grandes mains et elle était si menue. Ça n'a pas été long. J'ai dû l'abandonner là, je ne pouvais pas la remettre sur la moto. J'y suis retourné plus tard avec le pick-up de papa. J'aurais préféré la laisser où elle était mais j'avais peur que tu ne la découvres, espèce de monstre.

Saisie d'un vertige, je me laissai choir dans le fauteuil. Tolliver frappa Mark de toutes ses forces et Mark chuta sur le côté, un filet de sang dégoulinant de sa bouche. Matthew était resté cloué sur place, bouche bée.

— J'ai fait ça pour toi, papa, grommela Mark.

Il expectora du sang et une dent.

— Pour toi, papa, répéta-t-il.

— Ils m'ont arrêté malgré tout, répliqua Matthew comme si c'était l'aspect le plus important de l'histoire.

— Où est-elle, Mark ?

— Toi et ta famille, vous n'êtes qu'une bande d'emmerdeurs. D'abord le bébé, puis Cameron qui voulait dénoncer papa et maintenant, Tolliver qui veut t'épouser.

— Où est ma sœur, Mark ?

Je voulais l'enterrer, enfin. Je voulais retrouver ses ossements. La reconnaître une dernière fois. Quelque part du côté de Texarkana, elle m'attendait. Je voulais que Mark me précise l'endroit où il l'avait cachée. J'étais pressée de m'y rendre. Je téléphonerais en route à Peter Gresham pour qu'il m'y rejoigne.

— Je ne dirai rien. Tu ne peux pas me faire arrêter tant que tu ne l'auras pas retrouvée et je ne dirai rien. Mon père et mon frère non plus. C'est notre parole contre la tienne.

— *Où est ma sœur ?*

Matthew fixait Mark comme s'il ne l'avait jamais vu de sa vie.

— Évidemment que je vais prévenir les flics ! gronda Tolliver. Pourquoi m'en priverais-je ?

— Nous formons une famille, Tolliver. Si tu parles de Cameron, il faudra parler de Gracie et elle n'appartiendra à personne d'autre qu'à Chip. Iona et Hank seront obligés de la lui rendre. Tu imagines ce qu'il fera d'elle ?

— Chip est mort, Mark. Il s'est suicidé hier.

Mark marqua une pause, interloqué.

— Alors elle ira en famille d'accueil, comme Harper.

— Tu me fais chanter en menaçant mon autre sœur ? Mark, tu es un minable, une ordure. J'ai du mal à croire que tu sois du même sang que Tolliver.

On frappa à la porte. Merde !

Apparemment, j'étais la seule à pouvoir bouger. Je me levai et me dirigeai vers le vestibule. J'étais soulagée de pouvoir tourner le dos à Mark et à Matthew.

J'étais tellement engourdie que la présence de Manfred me sembla presque normale.

— Tu tombes mal.

Cependant, j'attendis qu'il m'explique la raison de sa visite.

— Il loue un box sous un faux nom, déclara Manfred. Il y a transporté le corps. Je sais où.

J'en avais le souffle coupé.

— Dieu soit loué ! murmurai-je, les joues ruisselantes de larmes.

Nous appelâmes la police. J'eus l'impression qu'ils mettaient des heures à arriver alors que seulement quelques minutes s'étaient écoulées. Nous eûmes beaucoup de mal à leur expliquer la situation.

Nous avions pris la carte-clé de Mark dans son portefeuille avant de monter dans la voiture de Manfred. Tolliver était sur la banquette arrière. Il avait expliqué à l'inspecteur que son frère venait d'avouer le meurtre de Cameron et que son père préférait rester auprès de lui, puis nous avions filé.

Nous accédâmes au centre de stockage grâce à la clé et y pénétrâmes en laissant le portail ouvert. Un véhicule de patrouille devait nous rejoindre mais nous refusions de patienter.

— J'ai su que c'était lui en touchant le sac à dos, nous expliqua Manfred en adoptant un ton aussi modeste que possible. Je l'ai suivi.

— C'est donc à cela que tu es occupé depuis deux jours.

— Il est venu à deux reprises.

J'étais effarée. Mark était-il rongé par la culpabilité au point de se sentir obligé de veiller sur la dépouille de Cameron ? Ou, comme un écureuil qui cache ses noisettes à l'approche de l'hiver, avait-il peur qu'on ne le lui vole ?

Je m'étais trompée sur son compte. Si j'en souffrais tant maintenant, qu'en était-il de son frère ? J'observai Tolliver à la dérobée mais il était impavide.

Manfred s'arrêta devant l'unité 26 et se servit de nouveau de la carte-clé.

L'espace était à moitié vide. Je reconnus quelques objets en provenance de notre taudis et me demandai pourquoi Mark avait tenu à les conserver. Sans doute avait-il pensé que Matthew voudrait les récupérer un jour. Je fermai les yeux et me mis à chercher.

Le bourdonnement me parvint d'un énorme coffre à couvertures tout au fond du box. Je repoussai d'un geste brusque le carton plein de revues et les casseroles empilées sur le dessus. J'y posai les mains. J'étais incapable de l'ouvrir. Je me plongeai à l'intérieur par la pensée et...

Je retrouvai ma sœur.

21

La pagaille judiciaire entourant Gracie – la petite fille que j'ai cru être ma demi-sœur – sera longue à résoudre. Ses deux parents biologiques étant morts, personne ne remettra en cause sa situation. Après tout, Iona et Hank ont légalement adopté les deux gamines. À leurs yeux, peu importe si l'une n'est pas exactement celle qu'ils croyaient. Passé les premières minutes de stupéfaction, ils ont immédiatement déclaré qu'ils garderaient Gracie, quoi qu'il arrive. Comme me l'a expliqué Iona, quand Dieu lui a demandé de les prendre en charge, il n'a pas spécifié leur ligne de parenté. Si Gracie avait vraiment été l'enfant de Richard Joyce, imaginez l'imbroglio ! Elle ne l'était pas et au fond, c'était tant mieux. Du moins est-ce mon avis.

Matthew est retourné en prison purger une peine qui me paraît bien insuffisante. Il n'a pas tué son propre bébé, du moins, il n'en existe aucune preuve. Le squelette minuscule de la véritable Gracie a disparu de l'endroit où il affirme l'avoir ensevelie, dans un parc public aux abords de l'autoroute.

Selon sa version des faits, il est parti avec Gracie pour l'hôpital mais elle est décédée pendant le trajet. Il l'a enterrée puis nous a menti effrontément, affirmant qu'elle était en réanimation parce qu'il avait peur que ma mère ne devienne folle si elle apprenait la nouvelle (ma mère étant déjà folle depuis plusieurs années, j'ai du mal à le croire). Il s'est absenté plusieurs jours pour donner un minimum de crédibilité à son histoire. Quand Chip l'a appelé, Matthew était plus qu'enchanté de prendre un bébé dont les origines mystérieuses pourraient peut-être lui rapporter de l'argent un jour. De surcroît, en ramenant à la maison une petite fille en bonne santé, il évitait toute accusation de négligence. Seule Cameron a soupçonné Matthew d'être tombé assez bas pour commettre un acte pareil.

Ce qui restait de Cameron dans le coffre m'a permis d'établir la cause de son décès. Mark a confessé qu'elle lui avait montré le tableau génétique qu'elle avait composé et qui prouvait que ma mère aux yeux bruns et son père aux yeux bruns ne pouvaient en aucun cas avoir donné naissance à un bébé aux yeux verts. Cameron ne savait pas d'où venait « Gracie » mais elle s'est vite expliqué les différences de comportement de la petite depuis qu'elle était « revenue de l'hôpital ». Après avoir tué Cameron, Mark a entreposé son cadavre dans la chambre froide du restaurant où il travaillait, en le dissimulant dans un carton tout au fond d'une étagère. Puis il a loué le box à Dallas et l'y a transporté dans le coffre à couvertures au moment où l'agitation était à son comble. Elle est restée là huit ans. Il a veillé sur sa dépouille pendant tout ce temps.

Pauvre Cameron. Elle a fait confiance à la mauvaise personne. Mark était l'aîné, le plus stable d'entre nous. Normal qu'elle se tourne vers lui. Elle a sous-estimé sa vénération pour son père. Mais elle a été assez futée pour résoudre le mystère du poupon aux yeux verts.

De mon côté, j'avais eu des doutes. C'est moi qui m'occupais le plus souvent de Gracie. Mais il ne m'est jamais venu à l'esprit qu'elle n'était pas ma demi-sœur. Je mets cela sur le compte du stress et des souffrances que j'endurais à l'époque après avoir été frappée par la foudre, au fait que je n'aurais jamais cru Matthew capable d'un tel geste, si minable fût-il. En revanche, je me rappelle très bien m'être émerveillée de l'amélioration de la santé de Gracie. Aujourd'hui, cela me paraît inconcevable ; sur le moment, j'ai loué les progrès de la médecine.

Mark a tout avoué – il n'avait guère le choix. Il passera de longues années derrière les barreaux. Je ne supporterai pas de le revoir.

Manfred a eu droit à une publicité retentissante, que j'ai vivement encouragée. On lui a proposé de participer à une de ces émissions de chasse aux fantômes et la caméra le met en valeur. Toutes les semaines, il reçoit des demandes en mariage.

Nous n'avons jamais su qui était la jeune femme au centre commercial de Texarkana. Nous n'avons pas non plus reconnu la voix sur l'enregistrement de la police. L'avantage, c'est que désormais nous pourrons ignorer les signalements de ce genre.

Tolliver et moi sommes retournés à Saint Louis. Nous avons consulté notre médecin qui l'a déclaré en bonne santé. Nous étions enchantés de réintégrer notre appartement. Nous avons même décliné une ou deux offres d'emploi pour traîner un peu chez nous.

Nous nous sommes mariés.

Mariella et Gracie sont sans doute déçues de ne pas avoir pu mettre leur plus belle robe et poser pour les

315

photos mais nous avons échangé nos vœux devant un juge de paix. Je continue à m'appeler Harper Connelly et Tolliver ne semble pas s'en offusquer.

Quand on nous a rendu la dépouille de Cameron, je l'ai enterrée à Saint Louis. Nous lui avons acheté une jolie tombe. Curieusement, cela ne m'a pas réconfortée comme je l'espérais. Je lui ai rendu visite chaque jour pendant un temps jusqu'au moment où j'ai réalisé que pour moi, elle était figée à l'instant de sa mort. Pour pouvoir avancer, je devais cesser de la pleurer. Néanmoins, je suis soulagée de savoir ce qui lui est arrivé.

Nous reprendrons la route bientôt. Il faut bien gagner sa vie.

Et ils sont tous là à m'attendre. Tout ce qu'ils veulent, c'est qu'on les retrouve.

Les mystères de Harper Connelly

Ce que la presse en a dit...

«Pour ceux et celles qui regrettent Sookie Stackhouse et ses aventures avec les vampires, la nouvelle saga de Charlaine Harris est prometteuse. [...] Le suspense est au rendez-vous et vous n'aurez d'autre choix que de vous procurer la suite.»
Isabelle Prévost-Lamoureux, *Le Libraire*

«Ce premier tome de la nouvelle série de l'auteur a tout pour charmer: une héroïne à la fois forte et fragile, complexe et attachante, une intrigue habilement ficelée et des personnages bien campés, le tout parfumé d'un zeste d'humour... noir, bien sûr.» **Monique Lepage,** *La Semaine*

«Charlaine Harris possède un grand talent pour se glisser dans la peau de ses personnages et les rendre incroyablement réels.» ***The Denver Post***

«Cette série de Charlaine Harris tire le meilleur parti de son point de départ inhabituel. [...] L'auteur a créé une héroïne gagnante.» ***Booklist***

«Harper risque de devenir aussi populaire que Sookie Stackhouse.» ***Publishers Weekly***